· ARS VITAE ·

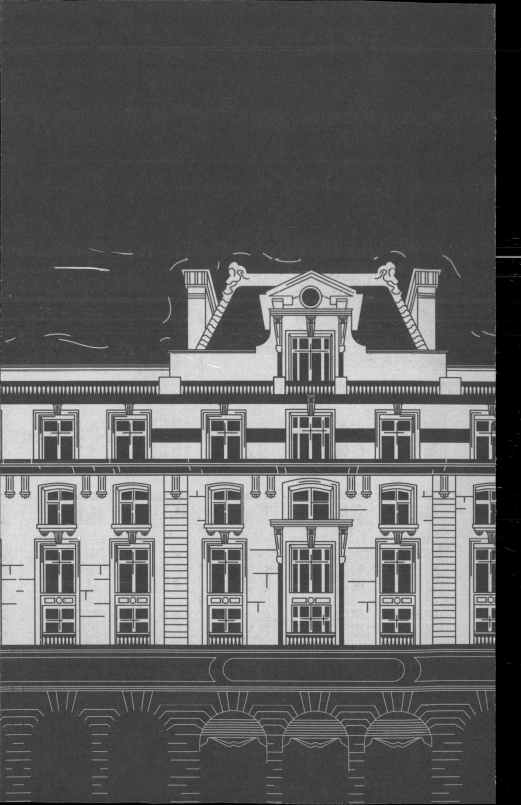

❧·33·❧
ОТЕЛЯ

или

Здравствуй,
красивая
жизнь!

Ars Vitae
HOTELS REPRESENTING COMPANY

Сноб.

❈ 33 ❈

ОТЕЛЯ

или

Здравствуй, красивая жизнь!

РЕДАКЦИЯ ЕЛЕНЫ ШУБИНОЙ

ИЗДАТЕЛЬСТВО АСТ МОСКВА

УДК 821.161.1-32
ББК 84(2Рос=Рус)6 44
Т67

Автор идеи Сергей Николаевич

Художественное оформление и макет Андрея Бондаренко

Иллюстрации — Александра Федорина

Издательство благодарит за поддержку проекта г-жу Наталью Боброву, генерального директора представительства отелей класса люкс Ars Vitae.

Т67 33 отеля, или Здравствуй, красивая жизнь! : [рассказы, эссе] / Сост. Сергей Николаевич, Елена Шубина. — Москва : Издательство АСТ : Редакция Елены Шубиной, 2018. — 432 с. : ил. – (Сноб).

ISBN 978-5-17-107938-3

Гостиница — одно из главных изобретений человечества. В полной мере это сумели оценить люди XX века, когда, в погоне за свободой, начали селиться в разные гранд-отели и гостиницы попроще. Ведь номер в отеле — это, в сущности, так легко, удобно и красиво. Впрочем, может быть, и очень сложно, накладно и даже смертельно опасно. В этом можно убедиться, читая истории Татьяны Толстой, Дениса Драгунского, Людмилы Петрушевской, Алексея Сальникова, Максима Аверина, Виктории Токаревой, Александра Кабакова, Саши Филипенко, Александра Васильева, Алисы Хазановой, Бориса Мессерера и многих других, собранные при участии журнала "Сноб" и компании ARS VITAE в книгу "33 отеля, или Здравствуй, красивая жизнь!".

УДК 821.161.1-32
ББК 84(2Рос=Рус)6-44

ISBN 978-5-17-107938-3

Содержание

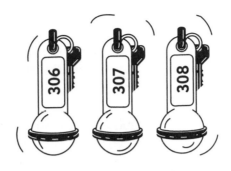

Check in & Check out

Что делаем напоследок? Сидим на дорожку. Бросаем монетку в море (можно в бассейн, если он есть). Обшариваем все углы в поиске завалявшихся вещей. Щелкаем вид из окна. К хорошей жизни быстро привыкаешь. С ней трудно расставаться. Гостиница — по-моему, лучшее изобретение человечества. Ни за что не отвечаешь, не убираешь, не чинишь, не чистишь. Никакого раздражающего быта и ненужных контактов. Живи себе и радуйся на всём готовом. Первыми по-настоящему это оценили люди только в XX веке, массово переселившись из своих замков и домов в разные гранд-отели и гостиницы попроще. Иногда вынужденно — войны, революции, эмиграция. Чаще по природной склонности к авантюрам и перемене мест. Но еще чаще из-за нежелания обзаводиться лишними привязанностями и недвижимостью. Зачем, если всё равно отберут? К чему лишние хлопоты, страдания и расходы?

Гостиничный номер, какие бы картинки ни висели на его стенах, и какой бы антиквариат ни стоял, всегда анонимен, безличен, бездушен. У него нет прошлого, даже если реклам-

---

ные пресс-буклеты взахлеб твердят о знаменитых постояльцах, спавших на одной с вами постели. У него нет будущего, даже если на соседних этажах полным ходом развернулась реновация и по утрам вы просыпаетесь под звук дрели. На самом деле у гостиничного номера есть только вы! На ночь, на неделю, на месяц... Неважно!

Насколько хватит денег и желания видеть один и тот же вид из окна, листать *Herald Tribune* за завтраком и слышать знакомый голос портье по телефону: "Чем могу быть вам полезным?" Чем? Да ничем. А впрочем, принесите *club sandwich*, что-то я проголодался.

Философия гостиничных людей — это философия прирожденных одиночек. Они ни на что не рассчитывают, ни на что не надеются, ничего не хотят. Они намертво заперты в своем одиночестве, как в номере, где на ручке двери предусмотрительно вывешена табличка *"Do not disturb"* Я убежден, что по-настоящему рассмотреть экзистенциальные бездны прошлого и нынешнего века можно только в гостиничном зеркале. И лучше в три часа ночи, в "час волка", в час всех самоубийц. Неслучайно, чтобы свести свои счеты с жизнью, они всегда выбирали отели. Маленькие затрапезные норы где-то на окраине, где никому ни до кого нет дела. Истекайте кровью в ванной, пишите и плачьте над своими последними распоряжениями, глотайте нембутал в любых количествах — никто не шелохнется, не ворвется с криком, не бросится спасать и вызывать скорую помощь. Пока заплачено, живите или... умрите, как вам будет угодно.

Главное — не беспокоить других постояльцев. И чтобы имущество было в порядке.

Впрочем, у гостиничной истории есть и другой аспект, несравненно более радостный. Это, конечно, секс. Лишь те, кто плутал поздней ночью по длинным коридорам в поисках заветного номера, кто вздрагивал и замирал при звуке приближающихся шагов, кто подчеркнуто равнодушным голосом заказывал по телефону завтрак на двоих + бутылку *Moёt Rose*, только тот, считай, и знает, что такое настоящая жизнь в отеле. На самом деле она вся состоит из задернутых штор, развороченных кроватей, смятых простыней, подносов на полу с недоеденной едой и пустых бокалов с отпечатками губной помады.

Секс в гостинице — это так кинематографично. Помню, как специально поехал в Довиль только чтобы взглянуть на гостиницу, где занимались любовью Анук Эме и Жан-Луи Трентиньян в фильме "Мужчина и женщина", так поразившем мое воображение в детстве. Теперь она называется *Barriere Royal Deauville*. Всё очень солидно и буржуазно. И даже есть мемориальная доска. Но не на номере, а на пляже, где они гуляли под музыку Фрэнсиса Лея.

Ах, гостиница моя, ты гостиница,
На кровать присяду я, ты подвинешься…

Это уже совсем другая музыка и другая история, озвученная голосом покойного ленинградского барда и поэта Юрия Кукина. Но как всё похоже! Гостиница упраздняет ненужные формальности, возвращает нас к самим себе. В сущности, схема всюду одна и та же: есть постояльцы и есть обслуживающий персонал. Есть *check in*, в смысле заезд, и есть *check out* — до 12:00, а дальше с вещами на выход. Всё остальное — детали.

Вот мы и попытались разобраться с ними в новом литературном сборнике "33 отеля, или Здравствуй, красивая жизнь!", который журнал "Сноб" подготовил вместе с "Редакцией Елены Шубиной".

Среди наших авторов, как всегда, есть признанные мэтры, но и много дебютантов, для которых эта публикация в книге — первая в жизни. И это невероятно приятно, потому что означает, что новое поколение литераторов, мыслящее себя исключительно в формате соцсетей и персональных блогов, потянулось к бумаге.

Я остаюсь при убеждении, что настоящим писателем можно стать, только когда тебя начинают издавать, когда ты увидел свой текст напечатанным. Именно бумага возвращает литературу к своему первородству. И дело тут не в страхе перед передовыми технологиями, стремительно вытесняющими гутенберговское изобретение из привычного обихода, а в той неистребимой жажде обладания, которая живёт в каждом писателе — запечатлеть, удержать, сохранить. Именно она заставляет не спать ночами, терзаться, мучиться, биться над словом, переписывать его снова и снова, чтобы в какой-то момент увидеть — вот оно, есть. Моё!

И что эти наши гостиничные истории как не очередная попытка отсчитать часы назад, войти в давно сданные номера, пережить забытые мгновения, вспомнить, где стояла мебель, как шумела вода в душе и какие слова были сказаны в самом начале.

А потом отъезд. Поспешный, нервный, суетливый.

Главное, ничего не забыть.

И, кажется, мы не забыли.

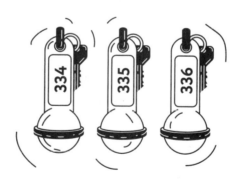

СЕРГЕЙ НИКОЛАЕВИЧ,
главный редактор журнала "Сноб"
Март 2018

Татьяна Толстая

На привале

Личный опыт

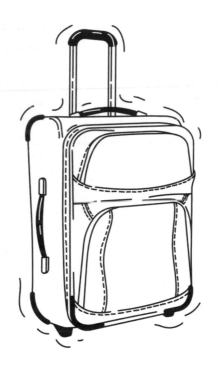

Как-то раз я должна была улететь из Парижа в семь утра. А стало быть, регистрация начиналась в пять. А значит, до того надо было хотя бы успеть надеть на себя хоть что-нибудь и дотащиться на слабых утренних ногах с чемоданом до стойки аэропорта.

Самое разумное было в этом аэропорту и заночевать. И действительно, там нашлась гостиница для вот таких вот угрюмых предрассветных случаев: удобная, безликая, стерильная камера, — постель да душ, — а что еще нужно человеку на привале посреди долгого пути.

Накануне ночевки, вечером, в летних сумерках я ехала в эту гостиницу на поезде. Париж со своими сиреневыми туманами, золотыми мостами, серыми и овсяными домами остался позади, пошли сначала красивые предместья, потом предместья некрасивые, потом отвратительные, потом гаражи, склады, какие-то развороченные дворы с шинами, дождь, поля, полегшие выжженные травы, линии электропередач, изнанки уродливых поселений и снова дождь, и какие-то долгие шоссе с фурами, грузовиками, экономными козявками европейских малолитражек. И из окна гостиницы тоже были видны шоссе с бесконечно несущимися и мелькающими машинами, и дождь, и пожухлая трава обочин, и предотъездная печаль.

Я посмотрела, насладилась этой печалью, задернула занавески, рухнула в постель и благодарно провалилась в черный сон до рассвета, до "часа быка".

И утром, закрывшись от мира душой как устрица, чувствуя в себе лишь остаток ночного тепла и недоспанный сон, быстро, вместе с такой же нелюдимой толпой — у некоторых на щеке еще оставался не разгладившийся отпечаток смятой подушки, — быстро добралась до аэропортовского поезда; двести метров показались мне километром булыжной дороги, но ничего; пять минут на поезде показались часом, но и это ничего; всё было терпимо, всё было выносимо, могло быть хуже. Родовая травма пробуждения была смягчена безликостью гостиничной комнаты; удар сознания, шок возвращения в этот мир, пощёчина реальности утихли быстро, забылись в грохоте десятков чемоданных колёс по рассветному асфальту: невольные спутники мои, такие же личинки, так же мрачно спешили прочь от ночного нашего инкубатора.

Это был аэропорт Шарль де Голль в селении Руасси.

И что же? С того дня взбесившийся сайт, на котором я заказываю гостиничные билеты, осатанело зовёт меня туда, назад, в предвечные ячейки: "Татьяна! Спешите! Руасси ждёт вас! Татьяна! Ещё есть шансы! Татьяна, не упустите! Татьяна, последние номера!"

Он не зовёт меня в Париж, в уютную клетушку в Сен-Жермене с зелёной веткой в окне и средневековым воркованием птицы на этой ветке, он не зовёт в Андай, в номер, где из окна виден океан и голубые тучи Пиренеев, не зовёт в Сан-Себастьян, где океан и дождь входят в окна, как в распахнутые ворота, и я, не вставая из-за стола, вижу, что там — отлив или прилив, и в соответствии с этим знанием пью кофе или вино. Нет, он хочет вернуть меня, запихнуть в клетку, в ячейку, в пчелиную соту, чтобы за окном шоссе и гаражи, и шины, и жухлая трава, и по траве, озираясь, бредёт куда-то понаехавшее население Франции, качая дредами и скалясь белыми зубами.

Денис Драгунский

Гостиница Россия

Рассказ

Здесь можно орать и визжать? — спросила Галина Глебовна, оглядев номер.

— Конечно! — сказал Олег Сергеевич. — Что за вопрос!

— Дверей нет. То есть между прихожей и комнатой. А в "Москве" была дверь. В "Москве" вообще было лучше. Такой винтаж, потолки три сорок.

— Сломали мы с тобой "Москву", — сказал Олег Сергеевич.

— А вдруг "Россию" тоже сломаем?

— Нет, не может быть, — Олег Сергеевич поцеловал Галину Глебовну и подумал, как бы пошутить на тему "Россию не сломаешь". Но так и не придумал.

Она села на кровать и стала снимать свитер.

— Есть-пить хочешь? — спросил он.

— Хочу. Но потом.

Они разделись, она сбегала в душ. Обнялись, легли.

Галина Глебовна была сверху. Она шептала: "Я же предупреждала, я же спрашивала, а ты разрешил!" — и визжала, и орала, а потом нагибалась к Олегу Сергеевичу: "Я тебя не перепугала, нет?"

Потом она выпрямилась, раскинула руки, потянулась, поглядела в окно и засмеялась:

— Я никогда так прекрасно не трахалась! Господи, как красиво!

Был конец ноября, ранний вечер. Номер был на седьмом этаже, смотрел на Варварку. С низкого неба летели крупные белые хлопья, садились на синие купола церкви. В Гостином дворе зажигались широкие желтые окна.

———

— Это ты прекрасна, — сказал Олег Сергеевич.

— Ты тоже ничего, — сказала Галина Глебовна, отмыкаясь от него, вставая, спрыгивая с постели, ступая босыми ногами по ковру. — Перерыв, перерыв! Где мои сливы, мой виноград, мой яблочный сок?

Олег Сергеевич перевалился на другой бок, приподнялся, потянулся к пластиковому пакету, который стоял на тумбочке.

В двери вдруг щелкнул замок.

— Нельзя! — крикнул Олег Сергеевич.

Но на всякий случай, замотавшись полотенцем, подошел к двери, а Галина Глебовна закрылась в ванной.

— Кто там? — он поглядел в дверной глазок.

— Извиняюсь! — раздалось из коридора.

— Нет, а что вам надо?

— Электрик. Извиняюсь... — и шаги.

— Электрик, — сказал Олег Сергеевич. — Это я виноват. Надо было табличку вывесить. Битте нихт штёрен. Плиз ду нот дистёрб.

— Точно электрик? — Галина Глебовна вышла из ванной.

Олег Сергеевич достал из пакета сливы, кисточку винограда, две булочки, конфеты "Красная Шапочка" и бутылку сока. Он подумал, что всё это выглядит очень по-детски. А тайком по гостиницам трахаться — по-взрослому? Хотя, конечно, дети в гостиницах не трахаются. У детей денег нет, и паспортов тоже. Но всё равно тут было какое-то лакомство без позволения.

— Точно, точно, — сказал Олег Сергеевич. — В синем комбинезоне с надписью *Hotel Russia*. С чемоданчиком. В бейсболке с такой же надписью. А почему ты спросила?

— Мне иногда кажется, что Станислав Витольдович за мной следит... Мне кажется, что он всё знает. Но пока молчит. А потом мне отомстит. И тебе тоже.

Олегу Сергеевичу стало чуточку обидно: они еще, извините, не закончили, она голая перед ним сидит — и говорит о своем муже. Поэтому он сказал:

— Ты будешь смеяться, но мне тоже показалось, что он похож на Стасика.

У них так было принято. Галина Глебовна называла мужа по имени-отчеству и с прохладными интонациями, а Олег Сергеевич звал его вполне панибратски и ласково. Зато свою жену, если вдруг о ней заходила речь, он именовал Мариной Матвеевной, и тоже весьма чопорно, а Галина Глебовна — как бы в ответ на Стасика — называла ее Масиком, Масей и Масечкой. Говорила о ней с ласковым смешком, как о миленькой младшей подружке. Хотя вообще-то Марина Михайловна была старше ее на восемь лет.

— Откуда ты взял, что он на него похож? — спросила Галина Глебовна.

— Ты мне фото показывала, — сказал Олег Сергеевич.

Галина Глебовна вздохнула.

— Прости, — сказала она. — Мне с тобой слишком хорошо. Я тебе слишком доверяю. Вот и говорю тебе лишнее, наверное…

— Что ты, — растрогался Олег Сергеевич, обнял Галину Глебовну, положил рядом с собой и поцеловал. Она языком втолкнула ему в рот половинку сливы. Он прикусил этот сладкий мокрый кусочек, пососал и впихнул ей обратно.

— Ну, не мучай меня, — сказала она и проглотила сливу.

Потом сидели, болтали, доедали фрукты и сладости и тайком друг от друга поглядывали на часы.

В "Москве", конечно, было интереснее. Тяжелая, гобеленом обитая мебель, тяжелые занавески, наркомовская лампа и граненый графин на столе, тусклые кроватные спинки, фанерованные под красное дерево. Казалось, что на дворе семидесятые самое позднее, а то и вовсе сороковые. Олег Сергеевич весь молодел от такой обстановки, и однажды посадил голую Галину Глебовну в кресло и катал по номеру, потому что кресло оказалось на колесиках, и они всячески ласкались, глядя на окна Госдумы. Но главное — в "Москве" в холле был магазинчик, где продавались мытые фрукты. Четыре толстые сливы в картонном лоточке, затянутые пленкой, — и как приятно было пальцем эту пленку рвать с веселым чпоком. С тех пор они полюбили сливы в перерыве.

Еще в "Москве" не спрашивали пропуск. Олег Сергеевич оплачивал сутки, дожидался Галину Глебовну, и они шли к лифту под ленивым взглядом охранника.

Потом "Москву" сломали.

А еще раньше сломали "Интурист" в начале Тверской, высокую дурацкую стекляшку, правильно сломали в смысле красоты (сейчас там тоже дурацкий, но всё-таки архитектурно более пригожий *Ritz-Carlton*), — но очень жалко, потому что это была их первая гостиница в Москве.

Они познакомились в Берлине, случайно, честное слово. Олег Сергеевич был на конференции по психологии бизнеса, он был, как нынче говорят, коуч, то есть советник-без-специальности, про всё вообще и ни про что конкретно, — он это с большой самоиронией рассказал Галине Глебовне в их первую встречу. Они вдруг столкнулись в кафе под навесом, у Французской церкви — именно столкнулись, она резко повернулась от стойки и налетела на него, уронила стакан с соком и сказала "блин!", а он спросил: "*Entschuldigung, sprechen Sie Russisch?*" Она приехала на семинар молодых поэтов. Молодых в смысле начинающих — с такой же самоиронией объяснила она. О, эти бескорыстные старатели, которые издают за свой счет тоненькие книжки в топырящихся обложках, зато с изысканными названиями. "Тело воздуха" или "Синагога тишины". Смешно. Еще смешнее, что Олег Сергеевич сам был писатель. Прозаик. Коучинг-терапия-консультации — это для денег и отчасти для познания людей. Но главное — проза. Уже четыре книги. Два романа и два сборника повестей. Он назвал свою фамилию. Она не слышала. Про ее стихи он тоже ничего не слышал. Удивился, что она остановилась в *Four Seasons* на Шарлоттенштрассе.

— Хотите узнать, как живут нищие поэтессы? — и посмотрела ему в глаза.

— Хочу, — тихо и решительно сказал он.

Потом она ему объяснила, в чем дело. Муж богатый. Зовут Станислав Витольдович, как фамилия — неважно. Раньше она была замужем совсем по-другому: вышла за одноклассника. Родители — не пойми кто, и сам бестолочь. Поэт, студент, двоечник, денег нет, холодильник пустой, зато всю ночь стихи, Мандельштам, Введенский и всё такое прочее, сигареты и крепкий чай, заваривали прямо в чашку, любила его изо всех сил, всё прощала! Самое страшное прощала: что денег нет. А Станислав Витольдович красиво ухаживал. Розы у порога. Машина у подъезда. Подарки.

— Значит, не простила мужу, что денег нет, — жестоко сказал Олег Сергеевич.

— Ну, значит, — согласилась она. — Зато у меня сын родился, и у сына всё было.

Станислав Витольдович лет через двадцать вдруг резко изменился. Ушел из бизнеса, всё продал, купил дачу под Троицком и стал проживать нажитое, как он выражался. Ходил по дому в халате, много курил, редко брился и всё смотрел с балкона во двор. Кричал: "Галюся, как этот цветок называется?" Забывал и переспрашивал. Совсем мозгами поехал. Но тихий. Посмотрит так пристально, вдруг усмехнется, сверкнет глазом, и снова скорбно губы сложит и прижмурится. Даже страшно: а вдруг он всё понимает?

Потому что именно тогда они встретились на площади у Французской церкви и бегом побежали в *Four Seasons*. Галине Глебовне было сорок два, а Олегу Сергеевичу — ровнехонько пятьдесят.

Поэтому Галина Глебовна после встреч с Олегом Сергеевичем всегда созванивалась со своим сыном — он только что окончил Плешку и устроился в *Ernst & Young*, — и сын вез ее на машине на дачу, то есть домой. Там мама-папа-сын ужинали, выпивали бутылку вина, Станислав Витольдович скоро шел спать, а она до ночи болтала с сыном, и потом он оставался ночевать. Ей было страшно вдвоем с полоумным мужем в огромном загородном доме.

У Олега Сергеевича обе дочки жили за границей, а жена Марина Матвеевна была доктором химических наук. Выставлялась в членкоры, но неудачно, очень переживала и страдала, поэтому он не мог именно в эти дни уйти от нее к Галине Глебовне навсегда, хотя та очень хотела и даже плакала и посылала ему горькие эсэмэски. Но через два года Марина Матвеевна прошла в членкоры и стала заведовать Лабораторией номер семнадцать, сам бог велел уходить от столь успешной дамы — но Галина Глебовна вдруг заявила, что Станислав Витольдович без нее погибнет, а сын не простит, и тут уж очередь Олега Сергеевича была тосковать, писать эсэмэски, имейлы и даже два письма от руки.

Да, "Интурист" на Тверской.

Номер 911, это они оба запомнили. Как вызов спасателей, как дата теракта в Нью-Йорке. Там были нелепые бра, совсем низкие, с пышными стеклянными лепестками, и Олег Сергеевич боялся в полутьме на такой лепесток налететь плечом и порезаться. Из окна была видна Тверская, дом четыре. На крыше торчала реклама *Ricoh*. Красные буквы на темно-сизом фоне неба. Почти так же красиво, как белый снег на голубых куполах.

Потом эту гостиницу сломали. В "Москве" из окон почти ничего не было видно, сплошные глухие стены. Только один раз номер был с окном на Манежную. И еще разок был виден кусочек крыши Большого театра. "Москву" тоже сломали, и Олег Сергеевич с Галиной Глебовной всё время шутили по этому поводу и сделали своим пристанищем "Россию", именно полагая, что ее-то, такую громадную и только что после ремонта, никто не тронет.

В "России" на Галину Глебовну приходилось выписывать пропуск. Канитель с паспортом. Но ничего. Зато из окон прекрасный вид. Варварка или Васильевский спуск. А лучше всего — внутренний двор, там росла рябина, желто-красная в сентябре.

Галина Глебовна как будто услышала его мысли.

Лежа на спине, она вдруг произнесла:

— Всяк дом мне чужд, всяк храм мне пуст,
И всё — равно, и всё — едино.
Но если по дороге — куст
Встает, особенно — рябина…

— Какая на самом деле вредная ерунда! — ответил Олег Сергеевич.

— Ты что?

— А то! Ну, вот Цветаева вернулась в Россию. Зачем? Чтобы повеситься?

— Ты почему вдруг такой злой?

— Сказать?

— Скажи! — она приподнялась на локте.

— Хочу взять тебя под мышку и уехать. Куда-нибудь. Неважно куда. Главное — отсюда. У меня нехорошие чувства. Светлый промежуток кончается.

— Что-что?

— Я тебе как психолог говорю. Психоз — ремиссия — снова психоз. Ремиссия скоро кончится. Надо, в общем, пока не поздно.

— Странно, — сказала Галина Глебовна. — Ты же прежде всего писатель, ты ведь так говоришь, да? Да или нет? — он кивнул. — Как может писатель без родины?

— Бунин эмигрировал, Ахматова осталась, — сказал Олег Сергеевич. — Но вот вопрос: кому стало лучше от того, что Ахматова "была со своим народом"? В Париже у нее не арестовали бы сына, не травили бы. Представь себе: французский министр кричит с трибуны, что стихи Ахматовой вредны молодежи. Смешно ведь! — он перевел дух.

— Читателям лучше, что она осталась в России, — сказала Галина Глебовна.

— Про перчатку и потемневшее трюмо она могла писать где угодно, что в Париже, что в Лондоне. Хоть в Америке!

— А "Реквием"? — возразила Галина Глебовна.

— Да что за римское злодейство! — чуть не закричал Олег Сергеевич. — Требовать от поэта мучений, чтобы читателю было слаще! А если бы Бунин не уехал? Его бы расстреляли. И не было бы "Темных аллей", "Жизни Арсеньева", "Митиной любви",..

— Ты серьезно хочешь уезжать? — спросила она.

— А ты серьезно хочешь здесь оставаться? У писателей-эмигрантов есть хоть могилы. Кладбище *Sainte-Geneviève-des-Bois*. А где могилы Цветаевой и Мандельштама? Где могила Гумилева? Бориса Корнилова и Павла Васильева? Клюева? Введенского, Хармса, Нарбута, Гастева, Бабеля, Артема Веселого, Пильняка, Павла Флоренского…

— Погоди, — сказала она. — Погоди. Может быть, у тебя повесть не взяли в журнал?

— Если бы я тебя так не любил, я бы сказал: ты… в общем… Но ты просто поэт. Знаешь, чем отличается поэт от прозаика?

— Знаю, — сказала Галина Глебовна. — Поэт пишет коротко и в рифму. А прозаик длинно и нескладно. У поэта главное — эмоции. "Поэзия должна быть глуповата". Прозаик — человек разумный. Рациональный. Умнее поэта.

— Вот как? — покрутил головой Олег Сергеевич. — Занятно.

— Это ты мне сам говорил! — засмеялась Галина Глебовна. — В прошлый раз. Когда окно было во двор, где рябина.

Олег Сергеевич встал, достал мобильник из кармана брюк, поглядел на экран, хмыкнул.

— Мася звонила? — спросила Галина Глебовна.

— Нет. Клиент.

— Перезвонишь?

— Вечером он сам позвонит еще раз. Видишь ли, клиенты бывают разные. Одни дико обижаются, если я не сижу на трубке, как пожарный. Могут разорвать контракт. А есть такие, которые должны хорошенько подозваниваться. Должны добиваться, иначе не ценят. Вот это как раз такой.

— Точно не Масик?

— Фу! — сказал Олег Сергеевич и протянул ей телефон. — Как тебе не стыдно! На, убедись!

— Прости, — сказала Галина Глебовна. — Давай одеваться.

Вышли.

Навстречу по коридору шел электрик.

— До свиданья, — сказал ему Олег Сергеевич, подтолкнул локтем Галину Глебовну и прошептал: — По-моему, вылитый Стасик.

Галина Глебовна пожала плечами, но когда за поворотом они наткнулись на горничную с тележкой, полной шампуней и простынок, ткнула Олега Сергеевича в бок и сказала вполголоса:

— Вылитый Масик!

Потом гостиницу "Россия" тоже сломали.

Галина Глебовна и Олег Сергеевич огорчились, конечно. Но ничего. Гостиниц много. Вся Россия — наша гостиница, а мы — ее постояльцы.

Алексей Сальников

————————————

Дым

————————————

Рассказ

Когда Шибову купили авиабилеты до фестиваля и обратно, плюс к тому сказали, что оплачено такси до гостиницы, да и гостиница забронирована и оплачена, Шибов, прикинув расходы организаторов к своему литературному статусу (который, являйся он балансом средств на телефоне, был бы отрицательным), решил, что гостиница, конечно, будет аховая. Что это будет какой-нибудь негромкий хостел в закоулке или что-нибудь вроде квартирки на окраине Москвы (почему-то с электроплиткой из одной конфорки и желтоватым холодильником советских времен), что в номере, может, будет сосед, хорошо если не очень общительный, какие-нибудь там будут кружечки из разных сервизов и побитый электрический чайник на полтора литра.

"Там, наверно, скажут, что во двор нужно пройти, что это не здесь", — совершенно уверенно подумал Шибов, куря, разглядывая охранников на большом каменном крыльце, косясь на стену Кремля через дорогу. Разумеется, слегка ужасала мысль, что это всё же нужная ему гостиница, в которую придется заходить в его кофте, которую собака всегда начинала отбирать, видя, что сейчас будет прогулка, а если отбирала, то еще и трепала этак хищно в его куртке, рукав которой буквально вчера собакой был обслюнявлен.

Шибов позвонил куратору и веселым голосом, подразумевающим, что он оценил розыгрыш, осведомился, по этому ли адресу ему заселяться. "Да, да, — сказали на том конце провода, — прямо вот, Александр, с улицы и проникайте туда внутрь". Шибов неуверенно поблагодарил и попрощался. Ситуация отдаленно напоминала ту историю, в которую он влип несколько лет назад, когда согласился на выступление, не узнав заранее, где оно будет, подготовил довольно провокативную подборку с диким креном в педерастию и лишь за кулисами большого зала узнал, что это Дом ветеранов.

Охранник изображал, что всматривается в поток машин, но, кажется, произвел заметное усилие над собой, чтобы не пресечь ход Шибова внутрь холла. Еще один охранник внутри сделал небольшой шажок, чтобы встать между Шибовым и стойкой регистрации, однако был аккуратно обойден слева. Девушка за стойкой сделала очень внимательное и сочувственное лицо, возможно, готовясь отказаться от косметики "Эйвон" или пресечь разговор о Господе нашем Иисусе Христе либо о каком-нибудь Свами.

Надо отдать должное: она и бровью не повела, когда узнала о забронированном номере. Пока Шибов заполнял бумажки, она попросила какой-нибудь денежный залог "на тот случай, если вы захотите воспользоваться баром". Шибов безропотно отдал ей пятитысячную купюру. Шибов и администратор коротко глянули друг на друга, будто прицениваясь. Она не сомневалась, что бар он опустошит, Шибов, в свою очередь, прикидывал мысленно, где он может поужинать в центре Москвы на те деньги, что у него остались, потому что вслед за баром отрекомендованный гостиничный ресторан с прекрасной кухней от какого-то замечательного шеф-повара вряд ли можно было потянуть на его-то оставшиеся в кошельке шестьсот рублей. "А курить здесь можно где-нибудь?" — поинтересовался Шибов. "Курить здесь нельзя, — голос администратора был строг, — но на крыше есть прекрасная открытая веранда".

Некоторая всё же флегма охранников по отношению к Шибову легко разъяснилась уже у лифта, когда оказалось, что подняться на другой этаж можно, только поднеся магнитную ключ-карту к табло с кнопками. В номере уже был включен телевизор, демонстрирующий по кругу одну и ту же рекламу гостиничной сети. Когда Шибов выключил телевизор, то услышал, что где-то играет музыка и веселятся люди, — слышать это было неудивительно, потому что все номера на всех этажах выходили в один большой воздушный колодец по типу питерского или одесского дворика. Где-то негромко гудел пылесос, тональностью и настроением почему-то напоминавший Марка Бернеса, но не там, где он поет "Я люблю тебя, жизнь", а такой, где попроникновеннее, из "Темной ночи" или "Журавлей", над головой Шибова что-то брякало.

В какой бы угол номера Шибов ни сунулся — везде он видел свое отражение, в итоге, отвернувшись от самого себя, подцепился к местному вайфаю и погуглил, сколько стоит ночь в отеле, где ему посчастливилось оказаться. Не сказать, что ему стало сильно плохо от увиденной суммы, и не сказать, что он ощутил классовую ненависть к самому себе, увидев число, равное двум средним зарплатам на Урале, но что-то вроде классового ужаса Шибов всё-таки почувствовал. "Так, а поесть всё же где-то нужно", — подумал он.

Выходящий Шибов уже совсем не интересовал охрану. Прогулявшись по улице, полной ресторанов и магазинов, он с удивлением обнаружил небольшой супермаркет, полный дошираками и узбеками, это было не совсем то, но уже что-то. По пути обратно Шибов рискнул свернуть в переулок, увешанный новогодними гирляндами, заметил среди гуляющих людей какого-то виденного в телевизоре молодого человека, но где и когда виденного — неизвестно, с удовольствием покурил возле рабочих, устанавливающих елку, поулыбался нескольким зазывалам в костюмах Деда Мороза и внезапно увидел "Сабвей". Шибову стало заметно веселее.

Как и в Екатеринбурге, нарочито европейский дизайн заведения оттенялся персоналом, будто выкраденным из чайханы или кебабной. Это отчего-то успокаивало. Было чисто и тихо: четверо юношей сидели в уголке за смартфонами, полицейский жевал сэндвич, глядя в одну точку усталыми глазами, китаец пил пиво и говорил в телефон что-то негромкое и нежное, как в объятиях утонув в пуховике. "Вот тут бы и заночевать", — подумал Шибов, глядя на полицейского, нащупывая паспорт во внутреннем кармане куртки, куда напиханы были еще десять экземпляров его поэтического сборника под названием "Полыхающий мусор".

Шибов наполовину только справился с едой, как тут же из ниоткуда появился перед ним мальчик лет семи. Несколько лет уже не видел Шибов детей-попрошаек, поэтому не сразу даже понял, что от него хотят, когда протягивают ему руку, он чуть даже не пожал эту руку, потому что ее и протягивали почти как для рукопожатия, кроме того, мальчик не выглядел так, будто в чем-то нуждался: во-первых, от него не пахло, во-вторых, не было похоже, чтобы он целыми зимними днями зарабатывал на жизнь подаянием, ну там всякие цыпки на руках, простуда на губе, сопли под носом. На мальчике был длинный шарф, похожий на тот, в котором зачем-то всё время форсил челябинский поэт Грантс, на мальчике была новая куртка "Финн Флейр" (Шибов запомнил, потому что не купил такую сыну лет восемь назад, потому что она еще тогда стоила под десятку, если не больше). Было странно, что попрошайка подошел именно к нему, и ни к кому больше. Шибов отдал ребенку полтинник, а когда мальчик, прежде чем исчезнуть, сказал "спасибо", с некоторым сарказмом ответил: "Не за что".

Перед сном Шибов выкурил на крыльце гостиницы все сигареты, кроме одной, чтобы оставить ее на тот промежуток времени, когда он резко разбогатеет возвращенной купюрой, а до ближайшего магазина с табаком нужно будет идти какое-то время.

Конечно, перед сном нужно было умыться. Даже сквозь шум душа Шибов слышал, как веселятся французы то ли этажом ниже, то ли за стеной, а может, сразу в нескольких номерах, а может, кочуя из номера в номер, а может, и не французы вовсе, но Шибов услышал несколько "же суи", поэтому сделал такой вывод, был слышен спор, топот, детский и взрослый смех, один раз кто-то как будто даже ударился в стену. Ходя по ванной, вытирая голову, Шибов обнаружил, что дизайнер явно переборщил с зеркалами, потому что одно — во всю стену — находилось как раз напротив унитаза. Шибов сел, как бы репетируя, что это будет, если дойдет до дела. Вид себя, пускай и слегка одетого снизу, был невыносим. "Господи, — подумал он, — Бедные тетеньки. Если что, то лучше до «Сабвея» добежать, он вроде круглосуточный".

"Вы планируете еще когда-нибудь останавливаться в нашем отеле?", — спросила девушка-администратор, когда Шибов выезжал. Наверняка это был стандартный вопрос, но в случае с Шибовым он звучал как шутка, и администратор это понимала, но и Шибов это понимал, они обменялись этими понимающими взглядами и вежливо поулыбались друг другу, при этом Шибов еще и мямлил что-то вроде: "Да, да, если будет такая возможность, то конечно". Гостю полагался подарок в виде специально испеченного десерта. Чтобы не остаться в долгу, Шибов подарил отелю свой сборник.

Шибов вышел и с облегчением закурил, к нему тут же выскочил китаец в длинном черном пальто, потрясая своей пачкой сигарет и показывая большим пальцем, что ему нужна зажигалка; Шибов поделился огнем, китаец тоже закурил, издав почти оргазменный вздох после затяжки, и стал звонить по телефону, почти сразу же выскочил из гостиницы второй китаец и прикурил от сигареты первого. К ним троим подошел какой-то небритый, неказистый мужичок в лыжной шапочке, сдвинутой на одно ухо, пахнущий перегаром, достал "Яву" и тоже принялся дымить с таким видом, будто хочет начать разговор, но не решается, при этом смотрел на Шибова и китайцев, как бы говоря взглядом: "Что, ребята, нам делить, все мы загнемся или от рака легких, или от инфаркта". "Сейчас, небось, десять рублей на дорогу будет просить или еще что-нибудь", — успел подумать Шибов, но тут в дверях гостиницы появилась женщина и что-то прокричала по-французски, в голосе ее было что-то вроде претензии, мужичок ответил ей тем же, как бы успокаивая или урезонивая.

"Да ну на фиг", — подумал Шибов, уходя от курильщиков, направляясь к месту, где должен был через пару часов начаться фестиваль, то есть уходя от курильщиков к поэтам, то есть уходя от своих к своим.

Валерий Панюшкин

Дьяволецца
и Зеленый источник

Личный опыт

ДЬЯВОЛЕЦЦА

Кресельный подъемник довез меня до одного из пиков, образующих чашу на вершине горы Дьяволецца, и остановился. Служитель внизу, видимо, дождался пока последний горнолыжник (то есть я) доедет до вершины, и закрыл трассу. Начиналась метель.

Кресла подъемников раскачивались, ветер свистел в сочленениях тросов и блоков, а еще оторвал кусок дерматина от кресла и хлопал этим лоскутом о железную стойку, как будто предлагая мне танцевать джигу потерянного в горах.

"Эк меня занесло! — процитировал я горам стихотворение Бродского, а потом еще на всякий случай процитировал повесть Пушкина: — Ну, барин, беда, буран!"

Положение мое не казалось мне пугающим. Я испытывал разве что некоторое беспокойство от одиночества и высоты. Сколько здесь? Три пятьсот над уровнем моря? Высота, на которой с непривычки чувствуешь как будто бы брешь в груди. Это даже приятно, если не засиживаться на высоте долго и ночевать ниже, чем катался.

Из-под моих лыж в долину, окутанный снежной поземкой, спускался ледник Мортератч. По правую руку внизу виднелся Санкт-Мориц. Там уже была совсем весна. Даже отсюда, сверху, легко можно было различить желтые пятна на цветущих лапчатках, сиреневые поля цветущей вероники и белые поля цветущей ветреницы. Мы и на ледник-то забрались, собственно, потому, что в самом Санкт-Морице снег был уже тяжелый и мокрый, а снежные пушки не могли уже заделать проталин на горных склонах — слишком теплые были ночи.

Я оттолкнулся и поехал вниз, туда, к вероникам и ветреницам. Первые метров двадцать спуск был почти отвесным, но дальше трасса становилась более пологой, и встречный ветер затормозил мое движение. Приходилось идти вниз по склону коньковым шагом, и, пройдя метров двадцать, я всерьез утомился. Если честно, я впервые встретился с ветром такой силы, чтобы нельзя было катиться против него с горы.

Или просто это я в дурной спортивной форме? Разнеженный курортник?

Накануне вечером мы приехали в Санкт-Мориц большой компанией. Железная дорога из Цюриха проложена так, как если бы проектировщики нарочно искали живописные виды. В Санкт-Морице на станции нас встретили водители отеля *Badrutt's Palace*. Они были в ливреях, фуражках и на двух роллс-ройсах. Не дали нам прикоснуться ни к чемоданам нашим, ни к лыжам. Весь наш багаж как-то сам собой перекочевал в гостиницу, чемоданы сами собой разместились в номерах, лыжи сами собой разместились в лыжных комнатах. А мы, покачиваясь в кожаных креслах, не заметили движения. Да вот уж и стояли посреди лобби, украшенного альпийскими первоцветами. И заместительница директора говорила нам:

— Пейте побольше воды, мы тут довольно высоко над уровнем моря, — но вместо воды угощала шампанским.

Какая уж тут спортивная форма?!

Задыхаясь, я прошел еще немного коньковым шагом вниз по леднику навстречу ветру и совершенно выбился из сил. Ехать мне было недалеко. Примерно в километре ниже по склону виднелась большая станция, просторное шале, куда приходил из долины "чемодан" или "кирпич" — кабина фуникулера человек на сто, которая, несмотря на метель, до сих пор курсировала. На этой станции был магазин лыжной амуниции, центр катания на собачьих упряжках, спасательная служба и кафе, где остались мои приятели, не склонные к спортивным подвигам, а склонные к глинтвейну. Мне надо было всего лишь добраться до этой станции, чтобы опять оказаться в условиях самого комфортного горнолыжного курорта в мире. Но я не мог преодолеть этот чертов километр вниз по склону против ветра.

С каждой секундой на трассу, которая была идеально выровнена с утра, ветер наметал всё больше и больше свежего снега. Практически подо мною была уже снежная целина. Я подумал, что легче, наверное, будет катиться не по самой трассе, а по распадку вдоль нее — по крайней мере, меньше ветра. Я спустился в распадок и тут только понял, какую совершил ошибку.

Этот распадок, лощина или, не знаю, как назвать, представлял собою что-то вроде аэродинамической трубы. Если наверху на трассе ветер просто тормозил движение лыжника, то на дне распадка ветер выл, как тысяча волков, и сбивал с ног. Я упал. Довольно быстро надо мной стал образовываться сугроб. "Идиот!" — подумал я. На трассе можно было хотя бы надеяться, что меня заметят и приедут за мной на снегоходе. А тут, на дне оврага и под сугробом, кто тебя заметит, придурок?

Нелепее всего было то, что эта моя смерть в снегах происходила не в диких Гималаях, не в Арктике, а всего лишь в километре от самого комфортабельного, самого обустроенного и самого лакшери-лакшери горнолыжного курорта на свете.

Сугроб надо мною рос. Я попытался воспользоваться телефоном, но телефон не ловил сеть. Попытался выкарабкаться из сугроба, но лыжи служили мне якорем, и всё никак не получалось их отстегнуть.

Тем временем совсем рядом, на расстоянии ружейного выстрела, вились причудливо по цветущим склонам мостовые, вымытые с мылом. Сверкали витрины бутиков. Фланировала респектабельная публика. Мужчины, одетые не теплее, чем в пиджак. Женщины, не нуждавшиеся в одежде теплее шали. А я лежал под сугробом, как Умка — белый медведь, и над моим носом от теплого еще дыхания протаивало в снегу окошко. Я, который накануне и сам фланировал по вымытым с мылом мостовым Санкт-Моритца.

Мы пошли с приятелем купить мне пиджак. Готовясь к горнолыжному отдыху, я как-то не подумал, что в отеле "Бадрутц" ресторан с мишленовскими звездами и что неплохо бы выходить к ужину в пиджаке.

Ходили из бутика в бутик, примеряли на меня одежду, болтали про всякие глупости, приятель придирчиво меня оглядывал, расстегивал мне пуговицы на обшлагах... А приказчицы, слыша, что мы разговариваем по-русски, позволяли себе обсуждать нас по-итальянски: *"Guarda come sti finocchi son dolci! Sto vecchio che scieglie la giacca al suo moroso!"**

Наконец мне удалось отстегнуть лыжи. Я вылез из-под сугроба, но двигаться без лыж по глубокому снегу было почти невозможно. Пришлось выудить из сугроба и лыжи тоже. Кое-как мне удалось прицепить их обратно. И расстегнуть ботинки. Пережидая порывы ветра, я двинулся к станции, шагая на горных лыжах, как шагают на беговых. С моей скоростью идти до станции было не меньше суток. Каждые двадцать шагов ветер валил с ног и принимался растить надо мной сугроб.

Когда я упал в десятый раз или в двадцатый, вдруг показалось, что под сугробом моим тепло и спокойно. Я припомнил вдруг во всех подробностях вкусов и запахов, как накануне вечером мы ужинали местной достопримечательностью — пиццей с трюфелями. Причем тесто в этой пицце было не толще

---

* Какие эти голубые всё-таки трогательные! Как этот старичок выбирает пиджак для своего дружка! (*ит.*)

бумаги, а трюфелей, нарезанных прозрачными ломтиками, лежала на пицце целая благоуханная гора.

Заметаемый в сугроб, я лежал и чувствовал запах трюфелей почти физически. Еще мне виделся раклет, который готовили нам на закуску в беседке у входа в ресторан. На огромной раскаленной стальной доске, по которой расплавленный сыр стекал примерно с тою же скоростью, с какой я теперь спускался вниз по склону. Впрочем, я и не спускался больше. Упал, сбитый с ног очередным порывом ветра, и лежал под сугробом, явственно ощущая запах трюфелей, теплого сыра, крохотных картофелин, оттаявшей земли, апельсиновых духов соседки, лепестков миндаля, летевших над садом, и глициний, обвивших перголу...

Стоп! Встать! Подъем! Банзай! Джеронимо! Какие глицинии?! Какой миндаль?! На высоте Санкт-Морица в апреле еще слишком рано для миндаля и глициний! Ты просто спишь, идиот! Лежишь под сугробом на леднике и замерзаешь! Встать! Шагай вниз! Семьсот метров!

Благодушные и смертельно опасные грезы о Санкт-Морице сменились вдруг в моей голове паническим чувством опасности, которое придало мне силы. Я выкарабкался из сугроба, выпростал из-под снега лыжи и зашагал против ветра вниз, поминутно падая и вставая снова.

Минут за двадцать (впрочем, мне трудно оценить, много ли времени прошло) я преодолел метров триста (хотя и расстояния в горах обманчивы). Я несомненно приблизился к спасительной станции — и всё же был от нее слишком далеко, чтобы дошагать до темноты.

Снег летел в глаза, и спустя какое-то время мне померещилось даже, будто из снега складываются смертные видения. Мне всерьез казалось, что по распадку мне навстречу скачут белые, сотканные из снега собаки. Они бежали молча, вздымая снежные буруны, а в голове у меня летели обрывки мыслей про лютого пса Фенрира, срывающегося с цепи и несущего смерть.

Я даже был не очень против Фенрира, всё-таки какая-никакая загробная жизнь казалась мне предпочтительнее, чем затеряться на леднике мороженой консервой.

Собаки подбежали вплотную и оказались вовсе не загробными, а вполне материальными, способными повалить меня и тыкаться в лицо влажным носом. Только тут я разглядел сквозь метель, что собаки волокли нарты. И на нартах стоял каюр в красной шапке и куртке, размахивал руками и кричал на дурном английском:

— *You lost, mister. Lost, sir. Dogs hear you. Don't worry. Take you seat on sleigh. Oh, you have ice on you cheeks. Dangerous!**

С этими словами каюр отломил лед, намерзший у меня на щеках, усадил меня в нарты, прикрикнул на собак и повез меня к спасательной станции. Собаки бежали так весело, словно встречный ветер совсем не мешал им. Только каюр за моей спиной присел и скрючился, чтобы уменьшить парусность и не мешать собакам.

Через десять минут мы были на станции. Друзья отпаивали меня грогом, совали каюру чаевые и качали головами, слушая мой рассказ.

Остаток дня до ужина я провел в спа отеля "Бадрутц", пытаясь согреться. Сунулся было в сауну. Там телу моему было тепло, но отмороженные щеки болели так, как будто на них непрестанно лили кипяток. Компромисс со щеками достигнут был в хамаме: руки, ноги, грудь и спина там постепенно оттаивали, а щеки жгло не сильнее, чем жжет горчичник.

За ужином заместительница директора, составлявшая нам компанию, качала головой, ужасалась моим похождениям, причитала, что у меня белые пятна на щеках, советовала не-

---

* Вы потерялись, мистер! Потерялись. Собаки слышать вас. Не волнуйтесь. Садитесь в сани. О, у вас лет на щеках! Опасно! (*англ.*)

медленно воспользоваться целебным кремом, но вместо крема угощала "Кир роялем".

Впрочем, общего разговора о моей пропаже в горах хватило на четверть часа. Вскоре мы стали обсуждать повара, который уверен, что если в рыбе найдется хоть одна косточка — ужин безнадежно испорчен. Потом перешли на "Мадонну" Рафаэля, полотно, висевшее в большой гостиной. По словам заместительницы директора, картина эта была не копией, а вариантом знаменитого цвигнеровского шедевра. Новая наша приятельница клялась, что отель привозил самых уважаемых экспертов и те подтвердили — картина написана если и не самим Рафаэлем, то, во всяком случае, при жизни Рафаэля и художниками его мастерской...

А я сидел и думал, что простил бы повару даже и десяток костей в рыбе. Думал, что меня бы устроило, даже если бы "Мадонна" оказалась и копией.

Всё лучше, чем лежать под сугробом на леднике.

Для меня, безусловно, это был самый вкусный ужин, самая приятная компания и самый уютный отель в жизни.

ЗЕЛЕНЫЙ ИСТОЧНИК

Долговязого господина лет пятидесяти с седою шевелюрой, огромными руками и венами, перекрученными на предплечьях, как моток пеньковой веревки, я приметил в самый день своего приезда. Дело было неподалеку от городка Сан Кашиано дей Баньи в провинции Сиены. В отеле *Fonteverde* ("Зеленый источник"), перестроенном из медицейской виллы семнадцатого века. Местность эта славится целебными водами. Медичи строили здесь виллу ради лечения фамильной подагры. А я приехал в "Фонтеверде", чтобы лечить нервы. И неизвестно еще, что больше умиротворяло меня: купание в минеральной воде, от которой неснимаемое серебряное кольцо на моем пальце обретало марсианский фиолетовый цвет, или созерцание тосканских холмов, поросших виноградниками, оливковыми рощами и дикими лесами, где немудрено встретить кабана или братца его дикобраза — итальянцы называют дикобразов *porcospino*, игольчатая свинья.

Долговязый господин, которого я про себя прозвал Папой Карло, отдыхал в "Фонтеверде" с женой, миловидной пышечкой лет сорока пяти или больше, женщиной, у которой за годы совместной жизни любовь к мужу совершенно мутировала в заботливость. Так, во всяком случае, я думал, глядя, как перед ужином у входа в ресторан Пышечка поправляет Папе Карло явно непривычный галстук.

Супруги вместе выходили к завтраку. Пышечка получала от шефа Сальваторе Куарто бог знает какой кулинарный шедевр, напоенный ароматами тосканских холмов, но напрочь лишенный калорий. Папа Карло получал изрядную яичницу с ветчиной из локального дикого кабана, верного союзника упомянутой уже подагры.

Потом следовали процедуры. Облачившись в халаты, Папа Карло и Пышечка прилежно ходили из кабинета в кабинет — массаж, пилатес, шатсу, ватсу… Встречались в коридоре или в бассейне. Перебрасывались короткими фразами типа *Com'e andata?* ("Ну, как прошло?"). И опять расходились по кабинетам на ватсу, шатсу, массаж, пилатес…

Я не разделял их любви к разнообразию. Для себя я раз и на весь срок в "Фонтеверде" выбрал ватсу и трекинг. Процедура ватсу сводилась к тому, что молодая красивая женщина в купальнике брала меня за голову и полоскала в бассейне, как полощут белье. Трекинг был очень быстрой прогулкой с палками по холмам, красивее которых нет ничего на свете.

Папа Карло тоже любил трекинг. По окончании процедур каждый день Пышечка обедала низкокалорийными ароматами тосканских холмов одна, ибо муж, вооружившись альпенштоками, отправлялся на многочасовую прогулку.

Иногда маршруты наших прогулок пересекались. Я встречал Папу Карло то в городке, то в виноградниках, то в лесу. Он шагал по холмам почти до самого ужина. А Пышечка коротала сиесту, свернувшись клубком на шезлонге в саду. С книгой "Пятьдесят оттенков серого", из которой, судя по закладке, она прочитывала в день не больше двух страниц.

Так прошла неделя. В субботу утром над "Фонтеверде" застрекотал маленький вертолет и опустился на вертолетную площадку. Пилот был такой же долговязый, как мой новый знакомец, только атлетически сложенный и с шевелюрой цвета воронова крыла. С пассажирского сиденья выпорхнула подобная стрекозе девушка ростом не менее двух метров, но совершенно пропорциональная. Папа Карло уже спешил им навстречу, размахивая огромными руками. После объятий и радостных возгласов юноша взвалил вертолетный хвост себе на плечо и отволок машину в ангар, чтобы освободить площадку. Как я потом выяснил, эти великаны были старшими детьми Папы Карло — Мариеттой и Маурицио.

Почти одновременно к воротам отеля подъехал автомобиль, за рулем которого сидела девушка, разительно похожая на Пышечку. А все пассажирские места в автомобиле заняты были разновозрастными детьми, младшему из которых, по-моему, было лет пять. Вокруг автомобиля опять случились объятия и возгласы — семейство Папы Карло собралось наконец в полном составе.

Их было семеро — детей у Пышечки и Папы Карло. Весь день они резвились в саду, играли в петанк, плескались в источнике. А Мариетту я застал в теплом бассейне за целомудренным соитием со струей массажного душа. Девушка была увлечена оргазмом и, кажется, не заметила меня.

За ужином их стол был самым веселым и шумным. Ради приезда молодых и прожорливых гостей шеф Куарто допустил в свое меню несколько килокалорий. Во всяком случае, глава семьи и старший сын ели стейки, а шалунья Мариетта восстанавливала силы посредством крупной форели, которую ловят где-то здесь неподалеку, в бурных речках, текущих с холмов Мареммы.

После ужина играли в карты. Папа Карло выглядел совершенно счастливым. А Пышечка лучилась заботой.

Ближе к полуночи продувшиеся в прах Маурицио и Мариетта улетели на вертолете, а оставшиеся в умеренных барышах младшие дети уехали на автомобиле, весьма довольные тем, как навестили родителей.

Была ясная осенняя ночь. Я сидел, укутавшись в плед, на террасе. Передо мной стояла рюмка граппы, изготовленной из того самого винограда Санджовезе, что идет на приготовление "Брунелло ди Монтальчино". Огромный мотылек атаковал лампу, едва освещавшую мой столик. В черных пиниях ухала печальная неясыть. По небу щедрой рукой Творца рассыпаны были звезды, блестевшие, как висюльки старинной хрустальной люстры, когда заботливая хозяйка вымоет их к празднику.

— Не побеспокою вас? — сказал кто-то у меня за левым плечом.

Я обернулся и увидел Папу Карло со стаканом виски в руке.

— Да-да, садитесь, конечно!

Мы прежде только здоровались в бассейне и в лифте, кивали друг другу при встрече в городке или на трекинговых тропах. Я не искал знакомства, но был рад поболтать с человеком, семейное счастье которого только что наблюдал с нескрываемой симпатией.

Мы разговорились. Оказалось, что Папу Карло действительно зовут Карло, Карло Скарпелли. Ему было шестьдесят с лишним лет, а не пятьдесят, как я было подумал. До прошлого года он занимал довольно высокую должность в международной нефтяной компании. В прошлом году вышел на пенсию со значительным опционом. Он был изрядно богат, но не тем лихорадочным богатством, каким бывают богаты русские, а богат по-тоскански — дом на холме, перестроенный из средневековой башни, вертолет в гараже, старинная библиотека... Дети в университетах Лиги плюща... Акции *Enel* и немного рискованных акций Илона Маска...

Некоторое время наша беседа была вежливым обменом ни к чему не обязывающими сведениями друг о друге, но потом Карло вдруг выпалил, как будто давно готовился выпалить эту фразу:

— Пойдемте со мной завтра рано утром собирать трюфели?

— Трюфели? А как их собирают? Я слышал, что с какими-то свиньями?..

— Нет, с собаками, — мой новый приятель заметно волновался. — Завтра в шесть утра за мной придут со специально обученной собакой, и мы... Ну, одним словом... Пойдем собирать трюфели! Соглашайтесь!

Я немного помолчал. Перспектива гулять в поисках трюфелей казалась мне заманчивой, но вот необходимость вставать в шесть утра...

— Давайте так, Карло. Если я проснусь, то с удовольствием составлю вам компанию. Но меня мучают бессонницы, совсем не исключено, что к пяти часам я только и угомонюсь. Если ровно в шесть в лобби меня не будет...

— Нет-нет, пожалуйста! Я не справлюсь без вас! Это очень важно!

После этих слов, заикаясь, перескакивая с одного на другое и трепеща, как влюбленный юноша, успешный во всех отношениях пожилой богач Карло Скарпелли рассказал мне свою историю.

Всему виной — трекинг. В первую же свою прогулку здесь по холмам Карло зашел в Сан Кашано в маленькую тратторию, чтобы попросить стакан воды, и там познакомился с владелицей, женщиной лет двадцати пяти, рыжей и голубоглазой. Они поболтали немного. Карло отвесил трактирщице пару приличных комплиментов. Красавица, разумеется, кокетничала. Тем дело и кончилось.

На следующий день Карло встретил свою рыжую уже в отеле. Она оказалась поставщицей то ли ветчины из дикого кабана, то ли трюфелей. Бедняга поймал себя на том, что в одночасье превратился вдруг в отчаянного любителя трюфелей и дикой кабанятины.

С третьего дня весь его трекинг, все его многочасовые прогулки стали походами к ней, свиданиями с нею. До близости не дошло, но только потому, что вокруг нее в городке вечно были бесчисленные кумушки и тетушки. Губы болели от украдкой сорванных поцелуев. Назавтра она должна была прийти за ним с ученой собакой и повести на поиски трюфелей в лес — общепринятый способ местного заработка. А там, в лесу, наверняка ведь какая-то хижина, и уже нельзя будет остановиться, и пойдет прахом вся его налаженная жизнь, Пы шечка, дети, вертолет, старинная библиотека...

— Милый Карло, — пытался я резонерствовать. — Мне кажется, вы преувеличиваете значение краткого соития в лесной хижине. Здешние воды, говорят, не только лечат подагру и не только успокаивают нервы, но еще и отчетливо пробуждают либидо... Просто не говорите жене...

— Если бы! Если бы! Много бы я отдал, чтобы это было простой интрижкой. Нет! Старый дурак ухитрился всерьез влюбиться!

— *Na moi zakat pechalny blesnet liubov ulybkoyu proshalnoy...* — продекламировал я.

— Что?

— Не обращайте внимания. Русская поэзия. Дорогой Карло, не думали ли вы о том, что эта ваша трактирщица может вовсе не отвечать вам взаимностью? Вы — богатый постоялец "Фонтеверде". Она — трактирщица. Роман с вами в худшем случае принесет ей дорогие подарки, в лучшем случае она станет женой миллионера. Чистый расчет... У них, у молодежи, знаете, сильно проще с сексом, чем было в наше время. Она сделает трогательную запись в фейсбуке, тем страдания и окончатся.

— Я думал об этом. Я пытался остановить себя этой мыслью. Но нет. Я уверен...

— Черт, Карло! Вы уверены, что она в вас влюблена и что секс свяжет вас неразрывными узами? Окститесь! Двадцатипятилетней красавице не за что полюбить старую корягу вроде вас или старую жабу вроде меня. Вы, похоже, и вправду опасно влюблены. Немедленно позвоните ей и отмените завтрашнюю прогулку.

— Я не могу, — Карло потупил глаза.

— Черт! Пошлите ей эсэмэску!

— Я не могу. Пожалуйста. Завтра в шесть утра. Единственный способ мягко остановить всё это...

Ровно в шесть наутро я стоял у дверей отеля в прорезиненном плаще и веллингтонах, которые за ночь где-то добыл для меня консьерж. Бедняга Карло топтался рядом, не знал, куда пристроить огромные свои руки, и опять не понимал продекламированных мною строк *"Kak zhdet lyubovnik molodoy minuty vernogo svidanya"*.

— Что?

— Не обращайте внимания. Русская поэзия. Я бы на вашем месте выпил сердечных капель, Карло.

В одну минуту шестого на дороге в лучах восходящего солнца показались светящаяся рыжая женщина и светящаяся рыжая собака. Карло даже зажмурился, видимо, опасаясь, что этот огонь сожжет его дотла.

Немного приблизившись, женщина, вероятно, поняла, что возлюбленный ждет ее не один, а с товарищем, — и погасла. Собака продолжала светиться, предвкушая радость лесной прогулки. А женщина — погасла.

Карло представил меня своим приятелем, большим любителем трюфелей. Мы вежливо поздоровались. Я пожал ее совершенно безвольную руку. Несколько часов в лесу мы старательно искали чертовы трюфели. Потом вежливо распрощались, и Карло дал женщине денег за услуги трюфельного гида. Так здесь принято.

Вечером за ужином этими самыми трюфелями были обильно сдобрены все блюда в наших тарелках. Пышечка заботливо подливала мужу вина и причитала, что свежий трюфель — это, дескать, совсем не то, что трюфель, купленный в магазине.

На следующий день Карло с Пышечкой уехали. Я тоже уехал к вечеру.

В аэропорту я купил себе сувенир — магнитик на холодильник со строчкою Вергилия *"Omnia vincit amor"*. Вергилию было тридцать пять лет, когда он написал это.

Людмила Петрушевская

Жизнь-копейка

Рассказ

ын Федя, уезжая из Гоа, поселил меня в новом, с иголочки, отеле, где всё было, как доктор прописал, — никакого общего коридора с переговорами уборщиц, бубнящим всю ночь телевизором за стеной и воем пылесоса по утрам.

Второй этаж, четыре балкона, два из них выходят в тень, в сад, немного жестяной и замусоренный, но всё-таки. Морс в десяти минутах ходу. Две спальни и общая гостиная метров сто площадью. Где у фронтальной стены размещается длинный прилавок с электроплитой и всей необходимой утварью на полках (я никогда не завтракаю в отелях и всегда прошу снять мне номер с кухней).

Федя всё оплатил и в компанию мне оставил свою подругу К. Но она вела поначалу отдельную жизнь, и только обедали мы вечером вместе. Готовили по очереди.

Собственно говоря, Федя вообще не разрешал мне плавать одной, тем более что волны тут были порядочные. Войти вы войдете, но при попытке бегства возвратный прибой кидается вам под колени, подрубая все попытки выскочить.

И в первый же общий день я пошла на море с К., дождавшись, когда она соберется. Не хотелось ее запрягать в эту повинность. Сама поймет, если что. Пошли купаться радостно, кинулись в волны, всё чин чинарем. Когда я решила, что с меня хватит, я ей крикнула, что выхожу, а вы? Она помахала мне рукой и закричала, что поплавает еще. Дальше мне выпала тяжелая доля, пришлось несколько раз отступать, падать в прибое и т. д. Однако всё-таки я выбралась, разумеется, если сейчас пишу об этом. Но песок прибойный представлял собой как бы цемент, вот в чем дело, а падать пришлось. Короче, я поняла, что на море ходить мне придется самостоятельно.

Но волны были день ото дня всё шибче. А плавать входило в мою задачу, имелись проблемы с суставом, и врач-артролог, какой-то гений, на прием к которому я стояла в очереди полтора месяца, сказал, что единственное лечение — это плавание и велосипед. Зачем, собственно, Федя меня сюда и привез.

Плавать было надо, а выбираться из прибоя приходилось с подбитыми коленями.

Вечерами мы угощали друг дружку изысканными блюдами, по утрам нам привозили буйволиный йогурт, молоко и творог, фрукты лежали под кухонной секцией, манго, арбузы, дыни, груши и папайя, бананчики и мандарины и какие-то еще местные кукиши и груди.

Дальше мы расходились по своим спальням к компьютерам, я работала над романом, К. сочиняла текст оперы для четырех контратеноров и раздраженно переписывалась с родней, цитируя мне наиболее интересные обвинения той стороны. Я привезла с собой пинг-понговую ракетку и шарик и днем тренировалась в нашем зале об стену (гимнастику и йогу не выношу). Надо было возрождаться, а то мне грозила инвалидная палочка.

Но где плавать? Море становилось всё более сумбурным, именно так.

Я пошла искать место — и вдруг нашла. Вдали имелись две песчаные косы в ста метрах друг от друга, уходящие от пляжа в море. Между ними слегка плескалась водичка. Я пошла ее исследовать, глубина была до колен. Прекрасно! Тут же я стала плавать на спинке. Пятками я иногда била по песку, но процесс шел. Интересно, что мимо моей головы по воде ходили люди и из вежливости не смотрели мне в лицо.

Вода оказалась свежая, прозрачная, теплая. Если бы не мешало дно, вообще бы было чистое удовольствие. Руками я изображала брасс, плыла быстро вон от берега, вошла в раж —

и вдруг через какое-то время поняла, что больше не задеваю песок! Повернулась на живот, поплыла как человек. Всё дальше и дальше. А потом опять на спинку. Летела, любуясь тонким маревом, покрывающим небеса, вуали и тюли перемещались в вышине с большой скоростью, то есть там, на море, был, видимо, шторм. Вдали гремело. А тут я в безопасности, в прохладе, на глубине, буквально в невесомости, хитрая лиса, которая ни от кого не зависит, ибо нашла то место, которое никто не нашел. Никого ни о чем не надо просить. И глубоко, и нету шторма! Вот везет же мне иногда.

Я плыла с какой-то огромной скоростью, с какой никогда не плавала. Перевернулась, посмотрела на пляж. По берегу семенили два старичка с кривым стволом пальмы на плечах. На него была намотана яркая голубая сеть. Пора было возвращаться. Возвращаюсь я всегда на спине, работая руками как профессионал. Это брасс, господа. Лечу быстро, вся в пене морской.

Летела, летела, повернулась посмотреть, а берег еще дальше. Что за дела. Энергично взялась работать руками-ногами. Опять обернулась, посмотрела. Вдали крохотные старцы вступили на косу со своей голубенькой сетью величиной с горошину. Так.

Меня уносило в открытый океан. Уже приближались острые концы обеих песчаных кос. Я гребла, гребла, задыхалась, оставаясь хотя бы на месте, но бороться с этим водяным потоком было трудно. Я закричала: "Хелп!". На пляже никто не услышал. Пара мелких, как мураши, прохожих вдали как ползли по песку, так и ползли. А вот два старичка с голубой горошиной, которые упорно шли, приближаясь к моему пункту пребывания (а я оставалась на месте, молотя руками-ногами), вдруг замахали мне со своей косы, изменили направление и ступили в воду мне как бы навстречу. На помощь.

Я уже знала, что местные плавать не умеют, ну не могут. И никогда не заходят в воду дальше чем по пояс.

Тут я повернулась и поплыла навстречу им, параллельно берегу, крича во весь голос: "Ноу!" — и что-то вроде: "Донт кам ту ми!" Я даже отрицательно замахала рукой. Утонут же, они не знают, что тут провал! Думают, что вода по пояс, как везде в этом заливе.

Как ни странно, мне удалось сойти со своего тормозного пути и повернуть параллельно берегу. Я плыла! Плыла навстречу старичкам! Они остановились. И вдруг я коснулась дна ногтем большого пальца. Зацепилась, рванулась, встала на цыпочку одной ноги. Разрывая собой воду, оперлась на полную ступню другой ноги. Угнездилась. Орала: "Сенк ю! Нот кам!"

И пошла, раздвигая всем туловищем воду, к их берегу. Когда стало мелко, повернула в нужную сторону, на пляж. Плыть уже не могла. Сил не хватало. Вода была плотная, как надутая ткань.

(Потом я прочла, что погиб журналист Дейч, который попал в такое же мощное течение вместе с девочкой. Ее он спас как-то, а сам утонул, царствие небесное. И есть только одно средство выбраться — надо плыть поперек этого течения.)

Но вот тут, когда я вышла наконец на берег (полежав в мелкой воде, чтобы наладить дыхание), я поняла, что со мной происходит ужасная вещь. Это было просто по грубой формулировке одного кандидата в солдаты, прибывшего к военкому уклоняться от армии, — "я ссусь".

Из меня текла вода.

Я вспомнила: такое происходит с повешенными — они испускают из себя всё, что есть в организме. Отсюда легенда, что они испытывают оргазм, так как всегда вытекает сперма. Но это неправда. Это же чудовищное страдание, рвется спинной мозг, и открываются все сфинктеры брюшной полости.

Видимо, то же самое происходит с утопленниками. Только вода приемлет в себя всё...

Я не могла встать и пойти. Лежала в воде до вечера. Представляла себе свою жизнь дальше. Так живут оперированные, с мочеприемниками, страдальцы, инвалиды. Черная сторона жизни. Но привыкну, люди же привыкают...

Потом я натянула на себя свою длинную легкую юбку и пошла к отелю по боковой дороге, где не было асфальта. Пройдя метров десять, оглянулась. Песок сразу впитывал в себя капли, что текли из юбки. Прохожих не было, только проехала машина. А мне ведь теперь и на машине не ездить... Не говоря о самолете.

Как-то дошла до площадки, на которой стоял наш отель. Большое мусорное пространство, открытая земля, конечная остановка какого-то дальнего автобуса. На этой площади, в центре ее, топтались четыре собаки морда к морде. Хвосты их торчали параллельно земле, в напряжении. И я услышала задушенный хрип и визг, исходящий от собачьих морд. Нет, это не они пищали. Они тянули, каждая к себе, что-то живое! Я тут же схватила ком земли и замахнулась. Собаки виновато прыснули в стороны, залегли в кустах. Они знали, что делают подлое дело. На земле после казни лежало что-то облепленное землей, маленькое, с пятью перекрученными черными веревочками, отходящими от комка этой грязи.

Я нашла неподалеку пустой пакет, подняла им крошечное обслюнявленное собаками тельце и понесла его в отель. Во дворе, за воротами, стояло под краном ведро. Я налила в него немного воды и макнула туда неподвижный грязный комочек. И подумала: "Назову его Копейка. Столько стоит его жизнь".

Пустила еще воды. Под струей Копейка полузадушенно завопила.

"Будет жить", — довольно сказала я себе, кажется, вслух.

Осторожно помусолив в водичке это существо, я достала из ведра малюсенького грязного котенка.

Ножки и хвост его висели как веревочки.

Видимо, собаки вытянули ему — каждая в свою сторону — конечности из суставов, а хвост висел себе как обычный мокрый хвост.

Я поднялась в наши чистые мраморные хоромы, налила теплой воды с фейри в миску, осторожно, кончиками пальцев, промыла шерстку Копейке, отнесла под тепленький душ, сполоснула, завернула котенка в полотенце и положила на коврик и на еще одно полотенце под кресло. Подумала, что это существо надо покормить. Воду из блюдца Копеечка пить еще не могла, я намазала водичкой ей рот. Она слизнула каплю, больше не стала. Я сварила яйцо, покрошила теплый желток перед ее мордочкой и стала ждать. Копейка, не открывая глаз, ткнулась носом в желток и съела несколько крупинок. О! Будет, будет она жить!

Сняла сырое полотенце, накрыла ее сухим.

И тут пришла моя К.

Я объяснила ей, кто лежит в полотенцах на коврике под креслом. Мы приподняли полотенце.

Котенок со слипшейся шерсткой спал.

Я сказала: "Как тряпочка, совсем без сил".

К. полюбила мою Копейку мгновенно, тут же назвала ее Тряпочкой и хотела взять на руки. Но я не разрешила, сказала, что она истерзана собаками, у нее шкурка болит.

Был уже вечер пятницы. В субботу Копеечка съела еще несколько крошек желтка и попила водички. Я большую часть времени сидела на четвереньках перед ней. К. сменяла меня в этой позиции, как только я поднималась. Ее опера для четырех контратеноров и мой роман сдвинулись во времени.

В понедельник мы поехали в зоолечебницу. Сидели в очереди, видели, как хозяин повел облезлую, старенькую, тяжело переступающую псину в кабинет. И ушел один. "У нас такого не будет, не допущу", — подумала я.

Потом пригласили нас. Врач сказала, что это девочка (мы с К. покивали), ей один месяц, что у нее под шерсткой сплошные нарывы. Жить ей осталось три дня.

"Еще чего!" — подумала я. К. возвела очи в потолок и с иронией покачала своей многоумной башкой. Мы были с ней на одной волне. Но можно, сказала доктор, делать ей уколы антибиотиков и поить лекарствами.

В ветеринарной аптеке К. встала в очередь к фармацевту, а я потолклась в толпе и увидела коробки с детским кошачьим питанием. На коробке был изображен здоровенный котенок. Наша была много изящнее. В данный момент она лежала в моей пляжной плетеной сумке в полотенцах.

По приезде я насыпала перед носиком Копейки горстку котеночкового корма. Она вдруг подняла голову (с огромными пушистыми ушами) и подползла к корму. И стала хрустеть.

Победа!

К. ловко делала уколы Копейке, называя ее Тряпочкой, я держала малявку в полотенчике, потом нажимала ей на щеки (рот открывался), и К. капала в проем лекарство.

Через неделю Копейка поползла на передних лапках и одной задней. Вторая задняя волочилась как веревочка.

Мы предъявили нашу красавицу врачу, она ее похвалила и велела продолжать лечение. У врача Копейка не сплоховала. Встала на четыре ножки.

Еще через неделю мы уже играли с ней в шарик от пингпонга. Копейка ловко, передними лапками, гоняла его и отфутболивала под шкаф. Потом ждала. Я лезла под шкаф, доставала шарик, и история повторялась.

А мне-то надо было скоро уезжать!

Однажды я вернулась с пляжа (я упорно плавала там на глубине примерно пятьдесят пять сантиметров) и увидела, что дверь в наш номер открыта, а горничная тарахтит пылесосом.

Как дверь открыта?! А где Копейка? Она же выскочит и опять попадет к собакам!

Я закричала, заплакала даже, горничная стала метаться по двору, ничего не нашла, горестно вернулась. Я уже держала Копейку на руках. Она, бедная, испугалась пылесоса и сидела под кроватью в уголку.

С этого момента горничная зауважала Копейку. И сказала, что идет на новоселье. Ее сестра построила дом. И, может быть, им понадобится кошка.

Вскоре я уехала.

К. через неделю вернулась в Москву и доложила, что Тряпочку принесли на новоселье в тот дом, а там были гости, еще одна сестра из большого города, из Мумбаи, с семьей. И ее маленькая дочь как взяла Тряпочку на руки, так больше никому не отдала. И все знают, что котенка зовут Пенни (Копейка), но та семья ее увезла и назвала по другому. Почему это копейка, пенни? Такая красавица! Живот белый и кудрявый, глаза раскосые изумрудные, обведены, как у всех девушек Индии, черной тушью. Задние лапы длиннее передних, это так полагается, и она иногда сидит перед телевизором на корточках, как заяц, смотрит футбол, а передние лапки держит на груди. Хвост черный. На спине узор, как будто силуэт кота. Что-то немыслимое.

А я выздоровела моментально, как только взяла ее в руки, — тогда, на той пыльной площадке перед отелем.

Элла Райх

Он, его женщины и *Ritz*

Рассказ

Как же она не хотела никаких празднований и чествований.

— Нет, нет, только не это, — повторяла она, приводя тысячу аргументов, почему это не стоит делать ни в коем случае.

Во-первых, она терпеть не может никаких тостов, подарков, вообще быть в центре внимания. За столько лет пора было бы ему с этим смириться. Во-вторых, пресса. Им так счастливо удавалось весь год скрываться от всех этих настырных гиен с фотоаппаратами. Они ни разу нигде вместе не засветились. И что же теперь? Все усилия насмарку? В-третьих, почему *Ritz?* Если ему так приспичило праздновать ее пятидесятилетие (просто мороз по коже от этой цифры!), неужели нельзя выбрать другое место, потише, поспокойнее? Посидели, выпили, задули свечки и домой. Ее бы вполне устроил такой вариант.

Он плеснул ей в бокал джин, медленно добавил тоник и лед — всё как она любит. По его отработанным жестам сразу понятно, что обряд этот он может осуществить даже с завязанными глазами.

— Спасибо, дорогой! — сказала она, беря ледяной бокал из его рук. — И потом, ты разве ты не понимаешь, как это ужасно звучит? Не понимаю, зачем давать повод, чтобы нас обвинили в бестактности?

— Что ты имеешь в виду? — спросил он, удивленно нахмурив брови.

— *Ritz!*

Они оба любили главный отель Лондона. Разумеется, каждый по-своему. Для нее это было детство, неизменный воскресный бранч, на который собиралась вся родня, чтобы отведать йоркширского ростбифа. Нигде больше такого не подавали. Его подвозили к столу на специальной тележке, а потом нарезали наточенным ножом кусок за куском. Кровавое и прекрасное зрелище! А пятичасовой чай под арфу с первой клубникой и девонскими сливками? Опять же, единственное место в Лондоне, куда нельзя было приходить без шляпы и перчаток. Девочкой она ненавидела их люто, но ради матери и соблюдения приличий приходилось эту светскую амуницию на себя надевать. При этом ни единой крошки не должно было попасть на юбку или белоснежную скатерть с вензелем. Бедняжка, никогда у нее это не получалось. То она проливала чай, то обмазывалась в креме, то оставляла пятна в самых неподходящих местах.

Бывают люди, от природы лишенные всякой грации. Наверное, надо просто смириться, а еще лучше, научиться подтрунивать над собой и своими *faux pas*, чтобы у других не возникало искушения смеяться у тебя за спиной. Во времена ее детства пятичасовой чай в *Ritz* еще не стал обязательным мероприятием для провинциалов и состоятельных туристов, как сейчас. Это была церемония под стать королевскому чаепитию в саду Букингемского дворца. Даже еще изысканнее. Во всяком случае, традиционные сконы и сэндвичи с огурцом были точно вкуснее. Как давно она там не была! Наверняка всё стало хуже, проще, вульгарнее. Хотя, по слухам, в гардеробной ресторана по-прежнему имеется большая коллекция пиджаков всех размеров и галстуков всех расцветок как раз для простофилей, успевших подзабыть, где они вознамерились отобедать или выпить чаю.

Для него *Ritz* был еще одной резиденцией, знакомой до мельчайших подробностей. В сущности, это был филиал Букингемского дворца. С той лишь существенной разницей, что кутить здесь было гораздо комфортнее. Никакого государственного официоза, никаких длинных речей и скучных тостов. Он любил главный зал с его фальшивым мрамором, помпезными колоннами и видами на *Green Park*. Здесь всегда доминировал цвет свежеразделанной семги: розовый-розовый. Бабушка считала, что он идеально подходит для дам ее возраста. "В *Ritz* выглядишь на двадцать лет моложе", — утверждала она. Особенно после третьего бокала *Dom Pérignon*! Странное дело, никогда на их дворцовых вечеринках не было такой атмосферы легкости и бесшабашности, как здесь. Даже когда *maman* была в настроении и, сбросив туфли, отплясывала вместе со всеми под *"Simply the best"*, как на его тридцатилетии в Виндзоре, всё равно там всегда что-то давило, душило: прошлое, история, музейная мебель, великие полотна, присутствие секьюрити? И только в *Ritz* все могли расслабиться и побыть самими собой. К тому же здесь служит легендарный Майкл де Козар — последний из великих консьержей Лондона. Кажется, он был тут всегда с своими аксельбантом и белоснежной перчаткой, выглядывающей из-под погона на плече. Вот уж кто знает всё, но при этом умеет хранить чужие тайны. Почему-то сейчас вспомнилась история, которую Майкл рассказывал ему на прошлое Рождество об одном американском миллионере, который захотел принять морскую ванну у себя в номере. Пришлось Майклу тащиться в Брайтон, набирать воду в канистры, а потом их везти в Лондон. За это он, кстати, получил сто фунтов.

— И что ты с ними сделал, Майкл?

— Половину пожертвовал в благотворительный фонд по борьбе с прогрессирующим склерозом, а другую — на помощь детям в Бирме.

— В Бирме?!

— Совершенно верно, сэр! Удачей полагается делиться с другими. А большей удачи, чем служить в лондонском *Ritz*, быть не может.

Все рождественские вечеринки для слуг много лет подряд устраивались здесь. Их привозили сюда на автобусах из всех резиденций. Получалось что-то вроде корпоратива с елками, подарками, смешными конкурсами и танцами. Диана тоже их любила, хотя сам отель терпеть не могла.

Странно, но он так и не удосужился спросить почему. Самое простое объяснение: она ненавидела всё, что было мило ему. Это была какая-то детская, свирепая ревность, которую он ощутил в полной мере с первых же дней их брака. Поначалу это ему даже льстило: такая безумная любовь! *Amour Fou*, как говорят французы. Потом он стал от нее уставать, всё больше раздражался на ее манеру никогда на завинчивать колпачки у зубной пасты и разбрасывать свои вещи. А потом их семейная жизнь стала адом. Он так отчетливо помнит день, когда впервые это понял, увидев ее перекошенное ненавистью лицо, еще минуту назад сиявшее ангельской улыбкой. Когда с тревогой узнал ноту безумия в ее голосе.

— Я вас всех уничтожу.

Кого всех? За что? Задавать вопросы в такие минуты было бессмысленно. Можно было только вжать голову в плечи, моля Господа, чтобы тайфун поскорее пронесся и пощадил его, детей и посуду. В эти моменты она была неуправляема. Наверное, если бы он любил ее больше, надо было вести ее самому к психиатру, как с самого начала советовала бабушка. Может быть, тогда бы удалось избежать этих страшных сцен между ними, и тогда, кто знает, она была бы еще жива? И вообще, всё могло бы сложиться совсем иначе? Нет, не могло бы.

Он закурил сигару, меланхолично поглядел в окно.

Они бы всё равно расстались. Он много раз представлял себе, как это будет. Как, пересилив и задушив былые обиды, они начнут нормально, по-дружески общаться. И даже иногда ходить вместе с детьми в ресторан. В тот же его любимый *Ritz* или ее *San Lorenzo*. Чтобы все видели, что у них всё нормально, что обиды и ненависть остались в прошлом. Почему у них это не получилось?

— Потому что ты с самого начала врал мне, что ее не будет в нашей жизни. А она была, есть и будет всегда, пока вы все не сдохнете. Но в любом случае ты можешь быть спокоен, я сдохну раньше вас всех.

Зачем он опять вспоминает эти ее слова, прокручивает в памяти их мучительные объяснения? Почему она всё время кричала про смерть, желала смерти ему, себе, всем? Теперь он понимает, что обижаться на это было бессмысленно, как на проклятия, которыми обмениваются дети во время игры. Они же тоже кричат "сдохни", "сдохни"... Наверное, она и в тридцать оставалась маленькой брошенной девочкой, которой она не переставала себя чувствовать с тех самых пор, как ее мамаша сбежала из родового поместья от мужа и четырех детей. Та еще была семейка! Надо было думать об этом раньше. Но, когда они поженились, ему уже было тридцать два. Отец требовал пресечь нехорошие слухи, которые о нем распространяли недоброжелатели. Тем более ему тогда стало окончательно ясно, что он никогда не сможет жениться на той, которую по-настоящему любил, ему стало всё равно. И он просто сдался под напором отца: "Женись, женись! Тебе нужна своя семья, нужен наследник. Это твой долг". Вот они и стали оба заложниками долга. Что из этого получилось, все знают. Двое детей и много разных неприятностей.

— Ты что-то загрустил? — услышал он у себя за спиной любимый голос. — Теперь понимаешь, почему я так не люблю свой день рождения. Одни проблемы!

Если бы тогда постоянно он не слышал этот голоса, он бы повесился. Она была рядом, даже когда оставалась далеко. Все думают, что она была причиной его развода. В разгар скандала, когда она случайно зашла в универсам, какие-то сумасшедшие бабы забросали ее булочками. Ужасно! Два года она не могла нигде появиться, чтобы не стать объектом проклятий или злобных выпадов. Ей в лицо бросали оскорбления, в глаза называли разлучницей. А она только улыбалась, глядя на обидчиков своими пронзительными серыми глазами, отмахиваясь от журналистов, как от назойливых мух. Держалась прекрасно.

Как умеет только она держаться в седле на охоте: спина прямая, осанка, поводья натянуты, шпоры позвякивают. Никаких обид, ни единого слова раздражения или неудовольствия. Кто бы мог за ней угнаться? Кому дано было ее приручить?

Поначалу Диана даже пыталась с ней сразиться. Ведь она была моложе и красивее. Но она была неумехой, боялась лошадей, препятствий. Не умела общаться с людьми их круга. Ее любимый контингент — блаженные, больные, геи. Те, кто находится на самом дне. Тут ей равных не было: само участие, доброжелательность, терпение. Только в ночлежках и хосписах она чувствовала себя королевой. Он много раз задавал ей один и тот же вопрос: зачем ты всё время туда ходишь?

— Мне надо видеть, что кому-то хуже, чем мне, — огрызалась она.

В полной мере он сможет оценить ее слова, когда будет стоять в отделении морга Парижского госпиталя в Нейи над ее бездыханным телом. Она лежала на цинковом столе красивая, спокойная и безмятежная, какой в жизни никогда не была. Может быть, только однажды, когда родился их старший сын и им казалось, что теперь, когда их трое, всё пойдет совсем иначе и они смогут быть счастливы. Напрасные иллюзии. На самом деле стало всё только хуже.

По иронии судьбы свой последний вечер Диана провела с другим мужчиной в парижском *Ritz*. Когда-то он там тоже бывал. Любимый отель его прапрадедушки. Есть фотографии, как он туда подъезжает в экипаже, а вся Вандомская площадь запружена людьми под завязку. Лондонский *Ritz* ему всегда казался более уютным, домашним, больше приспособленным для нормальной жизни. А в Париже даже официанты выглядели как премьер-министры в изгнании. Слишком много пафоса, французского высокомерия и буржуазного лоска. А он любил потертые вещи, потускневшее сияние старой позолоты, идеально начищенную, но чуть потрескавшуюся от старости мебель, скрип дубового паркета.

Диана задыхалась от старых вещей. Она всё время норовила что-то выбросить, куда-то их спрятать или отдать прислуге. Тогда ей становилось как будто легче. Она снова могла дышать, улыбаться, ворковать по телефону. Но длилось это недолго. Он научился угадывать приближение новой грозы по визгливым интонациям в голосе или нервному подъему, который невольно передавался ему, заставляя быстрее ретироваться из дома под каким-нибудь предлогом. Увы, не всегда это было реально, особенно во время их зарубежных вояжей или поездок по стране, когда они были принуждены по многу времени проводить вместе. В какой-то момент появились раздельные спальни. Но и это не спасало от ее бесконечных придирок, истерик и скандалов.

И всё же зачем в тот последний августовский вечер она поехала в *Ritz*? Неужели во всём Париже не нашлось места укромнее, если уж ей так надо было спрятаться от всех, став невидимой для папарацци? Но в том-то и дело, что быть невидимой она ни секунды не собиралась. Ей надо было по-прежнему присутствовать в его жизни. Как угодно! Обложками глянцевых журналов, новостью в ежедневных СМИ, глядеть на него укоризненным, волооким взором с экранов телевизоров и мониторов. Казалось, что Диана стала всепроникаемой и вездесущей. Особенно после своей смерти. Парижский *Ritz* станет ее мавзолеем. Наверняка там до сих пор витает ее дух, а в бесчисленных зеркалах мелькает ее загорелая красота. Никогда в жизни он не переступит его порога. Как, впрочем, и вряд ли когда-нибудь доберется до того острова в центре искусственного озера, где ее похоронили, сделав могилу совершенно неопознаваемой даже для противоминных искателей. Так распорядился ее брат. Дети там несколько раз бывали. Он нет.

А вот лондонский *Ritz* — это его территория. Территория жизни и любви. Именно здесь он решил праздновать юбилей любимой женщины. Именно тут они впервые появятся вместе рука в руке для прессы, публики и всего мира. Пусть говорят и пишут что хотят! Если кому-то их история еще интересна. Больше он не будет ни с кем ничего обсуждать, а сделает так, как считает нужным.

…Взглянув на него, она почувствовала по его непроницаемому, замкнутому лицу, что любые ее доводы бессмысленны. Надо просто уступить и подчиниться. Сейчас действовать должен мужчина. А там — пусть будет что будет!

Он приблизил свой бокал к ее стакану с джином.

— За что пьем? — весело отозвалась она, просияв улыбкой.

— За *Ritz!*

И они медленно чокнулись, глядя друг другу в глаза.

Максим Аверин

Первый запрет

Личный опыт

В 1979 году мы с мамой поехали на съемки к отцу. Съемочная группа кинофильма "Похождения графа Невзорова" находилась в Махачкале. Сезон отпусков и массовый выезд советских граждан к морю, гостеприимный народ...

Всеобщий интерес к важнейшему из искусств — кинематографу взбудоражил весь город. Кинематографисты были желанными гостями в каждом доме; им любезно предоставляли всё необходимое для работы, а также всюду угощали, любили и восхищались.

Вот поэтому мы и отправились на съемки — чтобы за всей этой широтой гостеприимства, мы не "потеряли" папу. Это сейчас, в эпоху продюсерского кино, натуру, предполагающую экзотическую страну снимают в Подмосковном пансионате, а тогда — экспедиция к морю, да еще и в лучший сезон! Вот тебе и фрукты-витамины да шашлычок под коньячок (между прочим). И госбюджет позволял распластаться смете вдоль всего каспийского побережья. Режиссеры при появлении хоть малейшего облачка, долго раздумывая, заломив руки за спину, мучительно принимали решение о съемке или об отмене смены, и, к всеобщему ликованию, все отправлялись гулять, и кутить, и наслаждаться и морем, и всеми достопримечательностями города. Подолгу засиживаясь в ресторанчиках и кафе и, конечно же, рассуждая о кинематографе и обо всём искусстве в целом.

Это особое время нашего кино. В стране уже приближались иные времена. И у моего папы были записи Высоцкого. И отец даже с ним был лично знаком.

———

Съемочную группу разместили в гостинице "Каспий". И все ее обитатели тут же зажили своей обычной, никому не понятной кинематографической жизнью. Зашумели, закипели кастрюльки и чайники на доморощенных электрических плитках. Декораторы стали заполнять номера и балконы каким-то хламом, костюмеры — развешивать повсюду белье, стирая его и тут же добиваясь фактурности, реквизиторы отправились по восточным блошиным рынкам в поисках антикварной утвари. Все эти оголтелые и одержимые кино люди, ко всеобщему изумлению и удивлению, тащили всё в номера, постепенно вытесняя обычный уют и спокойствие советской здравницы.

Я всегда был любопытным, и, конечно, оказавшись на съемочной площадке, был страшно захвачен этим духом кинематографа. Целыми днями я пропадал на съемках, к радости своей, следя за съемочным процессом, и к спокойствию моей мамы, что вот и папа при сыне, никуда не денется, как говорится, отец с обременением.

Мои родители были удивительной парой: красивые и статные. Мама любила папу за его поэтичность и яркость. Он же ее — за настоящую русскую красоту и умение всё прощать.

Мое постоянное присутствие на съемках в виде шнурка, волочащегося за отцом, скоро заметил режиссер фильма Александр Панкратов-Черный. И вскоре, под умиленные ахи и охи тетушек-костюмеров, было принято решение снимать меня в кино.

Мне было почти пять лет. Но в эту минуту, когда меня поставили перед камерой, прозвучала команда режиссера "Камера! Мотор!", я принял для себя решение, что обязательно стану артистом! Не знаю, что мной тогда овладело, но эта мысль была настолько отчетливой, что я до сих пор помню это свое ощущение.

Закончились съемки моего эпизода, и мне, как артисту, полагалось выплатить гонорар. Монеты туго заполнили спичечный коробок и в общей сложности составляли сумму два рубля пятьдесят копеек. Мне срочно нужно было потратить эти деньги хоть на что-нибудь, но очень особенное. И родители разрешили мне самостоятельно потратить весь свой первый гонорар. Фантазия моя разыгралась, и я попросил купить краски, целый набор красок, что и было сделано. Бочонки с гуашью в коробке были в моем полном распоряжении, и я отправился рисовать мир.

Бордюр возле гостиницы мне показался достаточно скучным. И я решил, что добавить ему красоты и изящества не помешает. Я принялся за работу, смешивая краски и расписывая его, придумывая и создавая свою "эстетику" красоты. Я был страшно доволен результатом. Таким образом я расписал весь бордюр возле гостиницы. Но тут, к моему удивлению, сбежались взрослые дяди и тети, как позже я выяснил — работники гостиницы, а также милиция, и начался страшный скандал: "Что за безобразие? Чей это ребенок? Вот уж эти кинематографисты! Мало того, что всю гостиницу захламили, так еще и ребенка заставляют своими художествами промышлять!"

И как писал Маяковский:

Ругань металась от писка до писка,
И до-о-о-о-лго
Хихикала чья-то голова,
Выдергиваясь из толпы, как старая редиска.

Ничего не понимают эти взрослые. Странно, но я ведь хотел, чтобы было красиво и чтобы все вокруг улыбались. Ко всеобщему позору и осуждению, я был изгнан из художников-импрессионистов, был понижен до простого дворника, которому было наказано администрацией гостиницы немедленно стереть "все эти художества".

Спустя почти сорок лет я оказался на гастролях в Махачкале. Я играл свой моноспектакль "Всё начинается с любви". Был полный зал. Публика принимала прекрасно. Выйдя на сцену, в одном из монологов я сказал, что именно здесь, в Махачкале, я начал свою кинематографическую карьеру. И многие подумали, что это шутка. А после спектакля я попросил отвезти меня к той самой гостинице "Каспий". В моей памяти снова так живо возникли воспоминания: моя первая любовь к кинематографу, мама и папа, мое детство, счастье и мои "художества". Это было свиданием с той жизнью, когда сформировалась моя мечта, и я поклялся себе, что обязательно стану артистом. Я стоял напротив этого уже постаревшего и обветшавшего здания, где прежде кипела жизнь, и подумал, как бы сейчас ему подошел мною раскрашенный в детстве бордюр!

Елена Колина

А я еду за туманом?

Рассказ

Гостиницу я выбирала не тщательно — раз-раз и выбрала, а что тут долго думать? Всего две ночи: два дня, две ночи. В Booking.com всё удобно устроено: расположение — исторический центр, бассейн — не нужен, тренажерный зал — не нужен... Вот эта, к примеру: "Этот вариант находится в самом сердце города Флоренция. Оценка за отличное расположение: 10... Хотите хорошо выспаться? У этого варианта высокие оценки за очень удобные кровати". Отзывы: "Этот вариант — отличный выбор для путешественников, которые интересуются шопингом, едой и музеями", "Мистер Фредерико радушный и отзывчивый хозяин", *"Mister Frederico is a true gentelman"*. Ну, хорошо, пусть будет этот отель на *Via delle Terme*, в трехстах метрах от галереи Уффици с мистером Фредерико.

...На стене за стойкой висел козел. Да, козел собственной персоной, в сюртуке и галстуке, — курит трубку, читает книгу. Прекрасный козел! Это был старый плакат, рваный по краям, зашитый в полиэтилен для сохранности, чтобы дальше не рвался. Мистер Фредерико сказал, что это плакат 1889 года, реклама книги, которую читает козел, и как приятно, что мне нравится козел, а вот некоторым туристам не нравится *(not all tourists like goats)*, некоторые туристы считают, что козел — это насмешка.

Мы с Фредерико обсудили человеческие странности и комплексы *(inferiority complex)*.

Слово за слово вышли на то, что козел этот с плаката мне не чужой, — я как писатель вообще за широкую рекламу книг, и вот этот козел мне очень близок, и я прямо налюбоваться на него не могу. И так мы подружились.

Хотя в этой поездке я не собиралась ни с кем дружить. Англичане в путешествиях не общаются, даже не знакомятся, в фамильярности не входят. Я сказала, что путешествую одна, посмотрю в одиночестве Дуомо, Галерею Академии, Уффици и в одиночестве же двинусь дальше.

…При чем здесь англичане? В этом путешествии я хотела почувствовать себя старой англичанкой. Так редко я бываю одна, в такой обособленности, отдельности от своего мира, — так почему бы не поиграть, ну, наверное, во времена Агаты Кристи. Держусь надменно, обдаю всех холодом, два-три формальных слова, и у всех тут же пропадает желание со мной общаться.

Фредерико, считая, что мы с ним сблизились благодаря общей приязни к козлу, спросил, что я особенно люблю в Италии, и я сказала: "Что это у вас там, за козлом, винтажная сумка *Gucci*? А я вот особенно люблю старые сумки *Gucci*".

— О-о-о, какая вы изысканная, — воскликнул Фредерико *(not ordinary but refined)*, — у нас тут был один русский, Александр Васильев, он тоже любит винтажные сумки *Gucci*. Он у вас знаменитость, наши постояльцы из России брали у него автографы.… Вот вам ключ от номера, это наш лучший номер, специально для вас, окнами во двор, чтобы вам было комфортно *(drop off to sleep)*.

Что было в лучшем номере специально для меня? В нем было прекрасно всё — и окна во двор, и кровать, и тумбочка, и бюро, и сундук старинный… или новодел? В Италии часто так: скажешь, ах, какой красивый сундук эпохи Возрождения, а сундук стоит сто евро; и наоборот, — ах, какая прелесть, я бы купила такой сундучок на дачу, а это XVI век.

Я вышла в холл, попрощалась с Фредерико и отправилась по своему маршруту: музей Барджелло — Уффици — Дуомо — Пьяцца Сан Марко — Пьяцца Либерта.

Пьяцца Либерта — последний пункт, там нужно было посылочку передать. Посылочка (книжка и блок коротких тонких ментоловых сигареток) была легкая, поэтому я и взяла ее с собой. Лучше в первый же день передать, иначе забудешь, или времени не хватит, или... всякое может случиться. Однажды я посылку съела. Ночью проснулась, а рядом посылка, шоколадом пахнет, вот я себя не помня и съела... Ну потом, конечно, носилась, искала шоколад, — повезло, что такой шоколад был на каждом углу, всё же подсознание знает, что можно съесть, а что нельзя.

Кому посылочка? Да так, кому-то... Я знала, что адресат посылочки немолода, много лет живет во Флоренции, и больше ничего не знала — мне недосуг обо всех знать, я путешествую по своему плану и не отвлекаюсь.

Вечером я приехала в такси на Пьяцца Либерта, от площади улица направо, потом прямо, и будет улочка из трех домов, последний — мой, то есть ее. От моего отеля на такси десять минут, и пешком, наверное, тоже десять минут. Я сверилась с адресом, записанным в телефоне, позвонила в звонок под табличкой с ее именем, и мне ответил низкий хриплый голос — очень низкий, очень хриплый — "ну, это вы?!" Это прозвучало как-то лично, словно для нее я — не просто почтальон, а я это я.

Главное при передаче посылок — улыбаться, улыбаться, но не проходить в комнату, отказаться от чая, если сходу начнут говорить о политике, вяло отвечать "ну да, у нас вот так...". Тем более тут, во Флоренции, когда — Дуомо, Галерея Академии, капелла Медичи... скажу "вот книжка, вот сигаретки", и пулей вниз, и вежливая улыбка сотрется только внизу, на улице.

Лестница крутая, лифта нет, этаж второй, но как будто третий, а всего в доме этажей три, маленький такой флорентийский дом. На втором этаже дверь открыта. Из квартиры веет сигаретным дымом, меня прямо сбивает. Не дымом сбивает, не дымом, а завистью — вот же курит человек, всю жизнь курил, и сейчас, в 80+, курит. А я курила тридцать семь лет и бросила, и жизнь моя стала не так полна красками, и чувствами, и ощущениями.

Хриплый, очень низкий голос: "Ну, привет! Какая вы хорошенькая!" — было приятно, как будто я первоклассница и она похвалила мои банты.

Я сказала: "Вы так хорошо выглядите", — она отозвалась неожиданно горячо:

— Это оскорбительно! Говорить старому человеку, что он хорошо выглядит!

Ну да, я понимаю: она считает, что это заигрывание, что ей, как ребенку, говорят "ой, какие мы уже большие"... Дальше было как будто снимают кино, классику итальянского неореализма: антиквариат, полутемно, накурено и разговоры, сценарий не готов, диалоги переписываются при съемке.

У окна за компьютером, в полутьме и сигаретном дыме, — красивая старая женщина. Лицо тонкое, сухое, без единой лишней складочки, вздыбленные черно-седые кудри, глаза огромные, профиль четкий и строгий... Красивая, старцы бы встали.

— Вы торопитесь? Будете пить чай или побежите?

Я не тороплюсь. Не хочу уходить. Там Флоренция, здесь она, в клубах дыма. Не хочу вообще во Флоренцию. Чего я там не видела? Я сто раз видела Дуомо, Галерею Академии. Я буду пить чай, долго.

В этой квартире было много старой жизни, это был семейный дом с долгой жизнью, мебель не собрана по стилю, а куплена по надобности: самые старые — шкафы, как были куплены в конце XIX века, так и стоят, бюро начала XX века, и рядом тонконогие стулья шестидесятых годов. Много картин, картинок, фотографий семейных, которым уже сто лет и больше, — видно, что семья живет здесь, в этой квартире, уже почти сто лет. Почему она здесь? Это ее семья? Она вышла замуж? Или это ее родные с "до революции"? Неловко спросить.

Мы пили чай в ее комнате, она в кресле у компьютера, с сигаретой, я напротив, на кровати. Она ничего не рассказывала... Как бы это объяснить? Некоторые и "здрасьте" не говорят без "Бродский мне то, а ему это" или "А вот Довлатов мне сказал...". Здесь было совсем не то. Представьте, что вы с кем-то разговариваете, и речь, конечно же, заходит о прошлом и, к примеру, о вашей учительнице или школьной подружке, ведь они были важной частью вашей жизни. Вот так и она говорит, например, "Люся с Андреем, Люся с Андреем", — но вдруг понимаешь, что это Елена Боннэр и Андрей Сахаров. Но для нее важно не кто они, а что они ее друзья. Думаю, вы понимаете, о чем я.

Она говорит и курит, курит одну короткую тонкую сигарету за другой.

— На проводах Бродского Рейн у меня просил прощения: упал на колени и говорит: "Прости, что я тебя называл спортсменка из народа; ты не похожа на из народа".

— Почему он называл вас "спортсменка из народа"?

— Я часто ходила в тельняшке и с гитарой за спиной.

— Вы были на проводах Бродского, вы дружили?

— Дружили? Да нет... я Осю устроила в экспедицию.

Ах, вот оно что, она геолог! Вот где всё началось! Она училась в Горном, а в то время — в эпоху смычки физиков и лириков — в Горном существовало знаменитое ЛИТО Глеба Семенова: и физики, и лирики кучковались где ни попадя.

— Андрей Битов ведь классик, как по-вашему?

— Конечно.

— А тогда был такой поэт, Леня Аронзон, он умер рано. Вы о нем небось и не слышали.

— Конечно, я знаю Аронзона.

— Вы Леню знаете?..

— Нет, он же умер, когда я была ребенком, но как поэта, конечно...

— А Женя Рейн, как думаете, — классик? А Толя Найман?

Они обидчивые, люди этого поколения, и очень за своих. Для нее все, кого она упоминает, — прекрасные, и Люда, и Женя, и Эра, и Толя. Людмила Штерн, Евгений Рейн, Эра Коробова, Анатолий Найман. У них-то между собой очень непростые отношения, а у нее все они — прекрасные.

За окном Пьяцца Либерта, а у нас тут — в полутьме, в сигаретном дыму — ЛИТО Глеба Семенова, Битов, Аронзон. Я-то играю, что я старая англичанка, путешествую не заводя знакомств, а меня всё это нашло во Флоренции, всё это наше, питерское...

— ...Я научила его играть на гитаре. Я сама не профессионально играла, но ему хватило, он потом всю жизнь так и играл на семи аккордах. Я его научила, и он стал песни писать.

Кого — его?.. "А я еду, а я еду за туманом, за туманом и за запахом тайги..." Вот кого, Юрия Кукина.

Это же было время расцвета бардовской песни! У нее, красавицы-геологини, был роман с Кукиным. У нее гитара, и у него гитара...

— Так это вы?! Это вы?.. Это вам — "а в тайге по утрам туман, дым твоих сигарет"?..

Вот эта седая красавица за компьютером с хриплым голосом в клубах дыма в комнате, увешанной картинами и старыми фотографиями, седая красавица во Флоренции — она?!

А вот это уже мистика. Все знают "а я еду, а я еду за туманом". Но не все имеют особые отношения с песней "А в тайге по утрам туман, дым твоих сигарет, если хочешь сойти с ума, лучше способа нет...". Я слушала это, когда была девочкой, и представляла этих двоих — сложные, красивые люди, он суровый, в свитере, она красивая, с усталыми глазами, тоже в свитере, у них сложный роман, оба они такие непонятые в своих свитерах... И вот — она! — сидит рядом со мной. Ну, не знаю, как бы вы на моем месте, может быть, вам это было бы нипочем, а я сентиментальная слишком, меня совпадение моего детства с этой реальной ментоловой сигаретой сильно тронуло.

Она — геолог, упрямая, с взрывным темпераментом, мужчинам с ней неуютно было — сильная слишком и во многом не такая, как все. А тут вдруг узнала, что беременна, и подумала: ну вот, теперь буду как все: семья будет, муж (песни будут сочинять и вместе петь), ребенок, обед. Потом подумала: а вот обед-то я готовить не умею, хорошо бы научиться. Купила мясо и поднялась в квартиру наверху, к подруге, чтобы та научила котлеты делать, — и они там сделали котлеты.

И вот она приносит котлеты домой и — в новой своей хозяйственно-семейной ипостаси — заворачивает кастрюлю с котлетами в полотенце и кладет под подушку. Чтобы не остыли. Чтобы Юра, муж и отец ребенка, пришел домой, а она ему — раз, и котлеты! Пристроила кастрюлю под подушку и сама сверху прилегла, осторожно, чтобы кастрюлю не свернуть, а под подушкой что-то лежит, мешает, колется. Посмотрела — а там ключи. От ее квартиры ключи, он от нее ушел, а ключи оставил. Ну, вы опять, может, скажете, что я сентиментальная, но в этом месте я заплакала. Потому что мне было ее жалко, она ему котлеты и мечты о том, что будет как все, а он ей ключи. Нет, не быть тебе как все...

Я еще потому заплакала, что всё это, эта сцена с ключами, — совершенно кино шестидесятых. Значит, они в кино не врали, а так и было. Дочка ее и Кукина, Маша, с отцом так и не познакомилась. "Не гляди назад, не гляди, только имена переставь...", "перевесь подальше ключи, адрес поменяй, поменяй, а теперь подольше молчи, это для меня"...

Мы с ней Клячкина и Городницкого вспомнили, и она удивилась, откуда я эти песни знаю.

— Вот я понять не могу, откуда вы всех знаете? Бардов, песни наизусть? Вы же вообще другое поколение.

А я удивилась, как она не может понять, откуда я знаю.

— Я же дочка! Я дочка вашего поколения! В книге Бобышева "Я здесь" про моего папу написано, он с вашими друзьями тоже дружил, и меня с пяти лет мама с папой в ДК пищевиков на концерты водили, и Высоцкого, и Клячкина, и Кукина, может быть, мы с вами видели друг друга... — сказала я и глупо добавила, — но я тогда не знала.

Чего я тогда не знала? Что через пятьдесят лет встречу ее во Флоренции? Мы разговаривали, смотрели новости, пили чай, разговаривали, она меня не пустила идти ночью в отель, и я осталась ночевать на разложенном в соседней комнате диване для гостей, а утром мы выпили кофе и я ушла от нее во Флоренцию.

Пришла в отель, взяла на рецепции ключ — номер 302, — а Фредерико тут как тут.

— Как вы? Я беспокоился! Вы не ночевали! У вас же здесь нет знакомых, где, где, ГДЕ вы ночевали?! *(I wanted to call the police!)**

Фредерико вел себя как строгий муж, и я, как неверная жена, что-то невразумительное пролепетала — да вот, я встретила знакомых и...

— И? — спросил Фредерико. *(Have you met friends? Do you know them well? And where did you go?)***

Через полчаса, когда я уходила гулять и сдавала ключ, Фредерико спросил:

— Может быть, вам что-то нужно? Вам удобно в номере?

— Очень! Очень удобно! — я, как неверная жена, уверяла, что всем довольна.

— Постойте. Желание гостей для нас закон. Вы ведь любите старые сумки *Gucci*, так ведь? Вот, я принес для вас. Красивая?

— Да, прекрасная!

— Тысяча пятьсот евро *(one thousand and five hundred euros)*. Вы сказали "Я так люблю старые сумки *Gucci*", и я принес.

— Ну, я... Я не так люблю.

---

*   Я уже хотел звонить в полицию! *(англ.)*
** Вы встречались с друзьями? Вы их хорошо знаете? И куда вы ходили? *(англ.)*

Ругала себя за всё: за то, что я сказала, что люблю старые сумки *Gucci*, за то, что выгляжу незнайкой, которой неизвестно, что винтажные сумки *Gucci* стоят очень дорого (но мне это известно), за то, что мне стыдно выглядеть незнайкой в глазах Фредерико, — кто он мне?.. Хотя нет, Фредерико мне очень даже кто, он беспокоился, когда я не пришла ночевать.

Уффици — Дуомо — Галерея Академии — Пьяцца Сан Марко — Пьяцца Либерта — улочка из трех домов — третий дом слева, второй этаж, хриплый голос: "Ну, рассказывайте, где были". На этот раз мы с ней говорили о настоящем — обо мне. У нее какое-то особое свойство, надежность, рядом с ней человеку становится легче, она — такой помогатель по жизни, такой "держись, геолог, ты солнцу и ветру брат". Нужно ли говорить, что я осталась ночевать на диване?..

Рано утром мне нужно было в отель за вещами, потом в аэропорт, в Рим. Я надеялась застать Фредерико — попрощаться, я даже была готова услышать его строгое "ПОЧЕМУ не ночевала дома?!" — но на рецепции был другой человек, чужой. А в моем номере появилось кое-что — розы! Я уверена, это Фредерико принес мне розы, чтобы я ночевала дома...

Я хотела поблагодарить Фредерико, но его не было в холле. И только сумка *Gucci* ждала меня на рецепции как тайный знак, как конспиративный цветочный горшок на подоконнике, знак того, что Фредерико думает обо мне. Это чувство, как будто меня выбрали, как будто из безликой массы туристов я одна для него — друг и любительница козла, это чувство обманчиво, конечно, но приятно же обольщаться... В следующий свой приезд во Флоренцию я непременно остановлюсь у Фредерико, на *Via delle Terme*, уже не в образе старой англичанки, а в каком-то ином, мне кажется, что не я одна путешествую в каком-нибудь образе и не я одна еду за туманом.

Филипп Киркоров

Звезды Элунды

Личный опыт

Вся моя жизнь — это бесконечная череда гостиниц. Какие-то из них я могу сразу узнать по запаху в лобби. Какие-то — на ощупь или просто по одному тому, как заправлены в номере кровати. Терпеть не могу эти вечные накрахмаленные "конверты", которые любят сооружать старательные горничные. Якобы для уюта. Какой уют! Сражаешься с этим уютом полночи, пока не вытащишь пододеяльник, засунутый под матрас, а там и сон прошел. Раньше я бы прямиком направился к холодильнику, чтобы хоть как-то заесть тоску и бессонницу. Но после того, как однажды мне пришлось сбросить двадцать четыре килограмма, больше себе этого никогда не позволяю. Для меня есть на ночь — слишком дорогое удовольствие. Лучше буду голодать перед телевизором. Ночью там, как правило, показывают еще больший ужас, чем днем. Сериалы какие-то стародавние, люди как на подбор все страшные-страшные. Но это даже немного расслабляет. На самом деле всегда приятно посмотреть на тех, кому еще хуже, чем тебе. Для меня номер без телевизора — сирота. Что там делать, если его нет? А так у тебя всегда есть друг, товарищ и брат. К тому же, если очень надоест, его всегда можно выключить.

Что еще мне важно в номере? Хороший *Wi-Fi* — это теперь просто *must*! Я же отец-одиночка. У меня маленькие дети. Их всё время надо контролировать. Из любой точки мира или нашей необъятной Родины мне надо быть с ними на постоянной связи. Вечером они ждут от меня своей законной сказки или песенки. Иногда я думаю: бедные дети, как они меня воспринимают? Кто я для них? Голос из телефонной трубки, прорывающийся к ним сквозь шумы и помехи? Лицо по скайпу, так часто искаженное и постоянно исчезающее, что лучше на него вообще не смотреть?

Вот и маюсь всю дорогу с этими гаджетами. Извожу гостиничный персонал одним и тем же вопросом: что у вас с Wi-Fi? То сяду на подоконник, то пристроюсь на балконе, то залезу куда-то под потолок. Только не отключайтесь, пожалуйста! Папа еще здесь, с вами! Тут просто очень плохая связь… Но разве для них это может служить оправданием? Чтобы связь была хорошая, надо просто сидеть дома, всё время быть с ними рядом, держать их за ручки. А это у меня получается редко. И зачем мне сейчас объяснять почему.

Итак, как мы выяснили, номер для "короля российской эстрады" — это прежде всего идеальный Wi-Fi, удобная кровать и телевизор-плазма со скучными сериалами. Что еще? Если за окном нет моря, то вид для меня не имеет значения. Просто задергиваю шторы, опускаю жалюзи и зажигаю настольную лампу. Таким образом проблема решена. Джакузи? Да, это приятно. Но иной раз пока разберешься со всеми кнопками и программами, желание расслабиться в мыльной пене само собой пройдет. Рум-сервис? По мне, обслуга должна уметь одно — быстро шевелить ногами, а потом уже интересоваться, как мне спалось, или желать хорошего дня. Обойдусь без их фальшивого участия пятьдесят раз.

Впрочем, в отелях, где я обычно останавливаюсь, как правило, знают, что я человек нетерпеливый, вспыльчивый, могу под горячую руку сказать что-нибудь резкое. И лучше им поторопиться, если мне от них что-то надо. Ведь, как правило, мне не надо ничего, а точнее, только одно — чтобы меня оставили в покое. Гостиничная табличка со словами "Do not disturb" — моя заветная мантра, ежедневная молитва, девиз многих лет. Если бы я верил, что это может помочь, я бы повесил ее себе на шею и ходил бы с нею по улицам, как живая реклама пиццы или поддельных дипломов о высшем образовании. Но пока эта табличка срабатывает только в пятизвездочных отелях, когда ты ее предусмотрительно вешаешь с ночи на дверную ручку номера.

В общем, куда ни кинь, получается, что, несмотря на райдер, которым мой директор любит потрясать воображение журналистов из провинциальных СМИ, я не слишком привередливый и довольно скучный постоялец. Это раньше, лет двадцать назад, я бы мог поведать разные живописные подробности. Тогда с моей бывшей женой мы заезжали в президентские люксы, устраивали шикарные тусовки, а наши гости исправно опустошали все мини- и макси-бары в округе. А сейчас один из ключевых вопросов современности, который приходится каждое утро решать: "Вам овсянку на молоке или на воде?" И каких таких занимательных историй про гостиничную жизнь можно после этого от меня ждать?

Впрочем, если уж я согласился рассказать про любимый отель, то слово надо держать. Тем более такое место существует реально. Просто для меня это не отель в привычном смысле слова. И, конечно, не дом — там нет моих вещей, и я могу провести там не больше недели в году. Но каждый раз, когда я произносу его имя, то ощущаю невероятный прилив жизненных сил, какое-то предвкушение счастья, которое можно попробовать на цвет и вкус. Нигде в мире нет такого звездного неба, такого чистого моря, такой блаженной тишины и отъединенности от посторонних звуков и голосов. Это мой личный тайный остров, куда бежишь ото всех, чтобы творить, сочинять, фантазировать. Невозможно объяснить, что вдруг с тобой там происходит. Вся житейская пена куда-то отступает. Ее буквально смывает соленая морская вода, и ты становишься тем, каким должен быть, а точнее, каким тебя задумал Бог.

Нет, это не ашрам где-нибудь в Гималаях, куда устремляются в поисках духовного перерождения. Для этого я, наверное, слишком прагматичный и земной человек. Речь об Элунде, маленьком уголке на острове Крит. Представляю, как бы сейчас возмутилась, услышав мои слова, г-жа Элаина Кокотос, хозяйка отелей *Elounda:* "Филипп, тебе сто тысяч квадратных метров мало!"

Она тут абсолютная царица, фантастическая женщина из породы великих красавиц прошлого. Ее тема — постоянная экспансия. Она так и говорит: *"Luxury is a territory!"* Для нее, как и для меня, наикрутейшая роскошь заключается в том, чтобы по дороге к морю не встретить ни единой души и чтобы из окна твоей виллы или номера не было видно других окон. Над этой непростой задачей всю жизнь, не зная устали, трудится ее муж, знаменитый архитектор г-н Сипрос Кокотос. Собственно, "Элунда" — это в прямом смысле его рук дело. Будучи большим любителем и знатоком критской культуры и античности, он придумал, спроектировал и выстроил в одном стиле сразу три гостиничных комплекса — *Elounda Mare, Elounda Golf & Spa Resort* и мою любимую *Elounda Peninsula.* Получился небольшой городок, где всё близко, но при этом тебя не покидает ощущение какой-то приватности, отдельности. При каждой вилле, например, есть свой персональный бассейн. А в номерах бассейнами оборудованы все террасы. Плескайся и плавай, сколько твоей душе угодно. Кстати, при отеле есть и потрясающая яхта *"Elaina K-IY".* Ее всегда можно арендовать, когда возникает желание отправиться в открытое море. В честь кого названа яхта, думаю, объяснять не надо? Г-жа Элаина тут ключевая фигура. Под ее неусыпным контролем здесь все, включая мужа, детей, постояльцев, прислугу. Как человек, много лет занимающийся шоу-бизнесом и поставивший немало концертных программ, я знаю, какой концентрации требует любое дело. Особенно гостиничное! Чтобы всё сверкало, как на витрине, и работало как часы, надо быть одержимым идей совершенства, как Элаина.

При этом сама она — женщина потрясающего достоинства, внутренней элегантности и породы. Я никогда не слышал, чтобы она повышала голос. Ей достаточно одной удивленно приподнятой брови, чтобы все бросились наперегонки выполнять ее поручения или исправлять допущенную ошибку.

Единственный человек, кто позволяет себе время от времени вырываться из-под ее неусыпного контроля и вести самостоятельную, отдельную жизнь, это ее младший сын Эллио. Кстати, он и открыл мне "Элунду" в 2004 году, когда я приехал в Грецию на фестиваль Евровидение. Деликатный, тонкий, одухотворенный человек, он буквально живет музыкой. У него потрясающая интуиция и слух на всё новое и подлинное. Не будучи профессиональным музыкантом, он превосходно разбирается в музыкальных стилях, мгновенно слышит любую неточность и фальшь, умет безошибочно угадать в еще безызвестных исполнителях будущих звезд. Есть унылое племя продюсеров, которые готовы из всего качать деньги и ни о чем другом даже думать не хотят. А Эллио — творец, художник, который помогает артисту найти себя, открыть свой подлинный талант, обрести свой голос. К тому же у него западная ментальность, он четко понимает, что может иметь успех, а что нет. С ним даже Аня Нетребко советовалась по поводу обложки своего диска "Верди", за который ее потом номинировали на *Grammy*.

Но при этом он не может забросить и гостиничные дела. Всё-таки семейный бизнес! Эллио отвечает за коммуникации, отношения с туристическими компаниями и пиар. И, похоже, у него это получается тоже неплохо, если который год "Элунда" возглавляет строчку самых престижных отелей Греции. Ну и я по мере собственных сил и возможностей стараюсь в этом помогать. Кажется, всех своих звездных родственников и друзей сюда вывез. А ведь это особая публика, которой угодить в принципе невозможно. Ой, там жарко! Ой, далеко! Ой, от аэропорта надо ехать целых сорок минут! Но у меня разговор короткий. А вы не хотите полтора часа простоять в тоннеле Ницца — Монте-Карло? Или тащиться полдня на жаре по серпантину где-нибудь по Амальфийскому побережью?

Те, кого мне удалось заманить, остались довольны. И моя падчерица Кристина Орбакайте была в полном восторге, и ее всегда невозмутимому мужу Мише тоже понравилось. И Сережа Лазарев, которому мы с Элиасом поставили номер для Евровидения в 2016 году, просто за два дня там расцвел и возродился на глазах. Или, например, Данила Козловский. Вот уж кто сноб из снобов! Но и он был абсолютно тут счастлив. Говорил мне, что "Элунда" — лучшее место на земле. Вот только Аллу мне до сих пор не удалось уговорить. Но она, как известно, летает только в песне, а так всегда со своим прицепом на лето в... Юрмалу. Но, может, еще соберется?

С детьми в "Элунду" я выбрался всего один раз, когда они были совсем маленькими. Алле-Виктории — два года, а Мартину — один. С нами была моя тетя, женщина исключительной доброты и контактности. В том смысле, что любой может к ней подойти, и она со всеми будет разговаривать так, будто знает этого человека всю жизнь. Что называется, "душа нараспашку". А тут смотрю, всё время рядом с ней и детьми ходит какая-то абсолютно незнакомая дама. Ну, у меня, конечно, первая мысль: "Журналистка из *Life News*". Наверняка приехала сюда всё выведать и состряпать какой-нибудь гнусный материальчик обо мне. А что ей тут делать? В общем, зову тетю и строго-настрого приказываю, чтобы больше она с этой дамой не общалась и детей моих к ней не подпускала. Как говорится, от греха подальше, а от *Life News* тем более! Тетя смиренно подчинилась и больше на пляж с детьми не выходила, чтобы избежать ненужных контактов и моего гнева.

Прошло два месяца. У меня сольный концерт в Сочи в зале "Фестивальный", куда пожаловала Светлана Медведева, супруга премьер-министра. После концерта позвали на чаепитие в директорской ложе. Всё, как полагается по протоколу. Чаем напоили, про погоду поговорили. И тут Светлана восклицает: "Ах, Филипп, у вас такие дети!" Я даже поперхнулся от неожиданности: "А вы-то их откуда знаете?" — "Мне о них столько рассказывала моя свекровь! Вы не представляете, в каком она была восторге от них и от вашей тети. Она вместе с вами отдыхала в «Элунде». О господи! За что мне это! Не хватало мне ко всем моим неприятностям поссориться с мамой премьер-министра! А ведь для этого были все шансы. Я даже не поленился потом Эллио спросить: "Как же так! Почему не сказал, кто тут с нами отдыхает?" А он божится, что сам не знал. Знала только его мама. Но она в таких случаях молчит как партизан на допросе. *Privacy* гостей — превыше всего! Жесткач такой, что ни один папарацци сюда за километр не приблизится. Конспирация и контроль — строжайшие. К тому же боги хранят "Элунду".

Я это особенно остро почувствовал, когда снимал здесь клип на свою песню "Я отпускаю тебя". Был апрель 2011 года. Еще довольно прохладно, не сезон. Только что накануне мы простились с Людмилой Марковной Гурченко. Мы были с ней знакомы, даже дружны. Она была первой, кто позвонил мне в очень плохой момент моей жизни, когда многие мои коллеги от меня отвернулись и даже требовали объявить мне бойкот, а меня самого поливали грязью буквально на всех углах. И вот именно тогда я услышал ее голос, требовательный и страстный: "Не сдавайся, не дай себя затоптать, не впадай в отчаяние. Давай я буду приходить на твои концерты, дарить тебе цветы. Пусть публика видит, что я в зале, что я рядом. Пусть они знают, что всё это клевета". Люся буквально вытащила меня тогда из депрессии. Потом мы общались и даже вместе записали для новогоднего "Огонька" ее коронную песню "Пять минут", только с новыми словами, — последнее ее появление на ТВ. И вдруг ее не стало. Не стало той, которая была всегда. Как с этим можно было смириться? Как впустить это в свое сознание? Как справиться с ледяной пустотой, которая поселилась в душе?

В общем, я уехал в "Элунду". И там вместе с ее любимым фотографом и стилистом Асланом Ахмадовым мы сняли наш клип, в котором нам хотелось материализовать и свою тоску, и нежность, и нашу любовь. И чтобы на мгновенье она возникла снова. Ну, не она — это было невозможно. Но хотя бы ее тень! Все эти ее перышки, вуалетка, профиль... Я почему-то верил, что именно здесь, в "Элунде", которую я так люблю, она обязательно пошлет мне какой-то знак: "Я здесь, я рядом, я никуда не ушла". И в то же время я отдавал себе отчет, что нельзя ее бесконечно удерживать печалью, слезами, воспоминаниями. Мы сняли клип. И действительно что-то отпустило. Будто белый ангел улетел. И теперь, когда я думаю о Люсе, о всей нашей безумной, странной и прекрасной жизни, я закрываю глаза, запрокидываю голову вверх и представляю себе ночное небо Элунды, где, я знаю точно, есть и моя звезда.

Валерий Бочков

Звездная пыль

Рассказ

Номер в сутки стоил двадцать восемь долларов. Самый дешевый. Полина прикинула, оказалось, что это даже дешевле, чем снимать квартиру в том же Бронксе. Она набрала номер; бодрый, почти радостный женский голос ответил сразу:

— "Стардаст" к вашим услугам!

"«Звездная пыль», — перевела Полина и улыбнулась. — Вот именно такого оптимизма мне и не хватает".

※ ※ ※

Мотель "Стардаст" напоминал длинный одноэтажный сарай, крашенный салатовой краской. Торцом он упирался в глухую стену склада. Все двери мотеля выходили на дорогу и были синими. На каждой по трафарету была набита лимонная звезда с номером комнаты, всего девять. За десятой дверью, со звездой и надписью "Контора", обитала хозяйка. Полине достался седьмой номер. Из ее окна был виден кирпичный угол склада, кусок эстакады и рекламный билборд над шоссе. С выгоревшего щита драными обоями свисали клочья старых реклам. Шел дождь. Полина, упершись кулаками в подоконник, разглядывала трещины в мокром асфальтс, мелкий мусор, застрявший в решетке стока.

Машину, ее дряхлый "форд", вскрыли в первую же ночь. Брать там было нечего, шпана выгребла всю мелочь, даже медяки. "Форд" стоял за мотелем на бетонной площадке, усыпанной окурками и использованными иголками для шприцов. Там собиралось местное хулиганье, подростки-пуэрториканцы. Трусливые, но опасные, парни лет пятнадцати, вооруженные бритвами. Они были коренасты и жилисты, в мешковатых штанах и тупорылых солдатских ботинках. Они вились вокруг мотеля и возле складов, высматривая, чем бы поживиться. Караулили фуры на разгрузке, налетали стаей и грабили. Запросто могли полоснуть бритвой.

Дорис, хозяйка мотеля, она же портье, она же оптимистичный голос в телефоне, на деле оказалась теткой за пятьдесят, с желтыми, как у куклы, волосами и крепкими мужскими руками. На правом бицепсе синела татуировка — голова тигра и слово "Джаг". Слово оказалось именем, Джаг был ее мужем, он в феврале по третьему кругу отправился в Афганистан.

Полина перечитывала "Жизнь Арсеньева", курила и каждые полчаса подходила к компьютеру. Прошло две недели, ни одного ответа, ни одного интервью. Надежда, что всё решится и какая-то работа появится сама собой, постепенно рассеивалась, сменялась тревогой, переходящей в тихую панику. К тому же проклятые деньги просто таяли.

Полина вытащила сумку, порылась в бумагах. Нашла список, начала звонить. Через коммутатор добиралась до отдела кадров, спрашивала про свое резюме. Ответы можно было поделить на три группы: да, получили, но место уже не вакантно; нет, не получили, но посылать ничего не нужно, позиция занята. Ответ номер три — лицо, с которым нужно говорить, находится в отпуске, в командировке во Флориде или на Аляске, обедает, проводит встречу или просто страшно занят в настоящий момент. Полина записывала имена, фамилии, время, когда надо перезвонить, — постепенно бумага покрылась неразборчивой тайнописью, состоящей из жирных пятен, слов и цифр разнообразного калибра.

Телефонные разговоры выматывали. Говоря, Полина нервно ходила по комнате, жестикулировала. Через час у нее уже раскалывалась голова. Она курила, от курева голова болела еще сильней.

Незаметно стемнело, она опустилась на край кровати, потом устало повалилась на бок и тихо заплакала. Ночью она проснулась от стрельбы, казалось, что стреляют совсем рядом, за шоссе. Полина лежала на спине, боясь пошевелиться. Потом завыли сирены, жутко и протяжно. Сначала вдали, едва различимо, сирены постепенно приближались. Под конец истеричный вой уже раздавался под самым окном. Полина накрыла голову подушкой.

Утром она босиком подошла к окну, чуть отодвинув занавеску, с опаской выглянула наружу. Ничего. Там не было ни полиции, ни трупов, ни пятен крови на асфальте. Лишь на кирпичной стене склада появилось яркое граффити, похожее на узкое лицо с длинными ушами. Рисунок был набрызган по трафарету розовой аэрозольной краской. Полина поплелась в душ, открутила до упора горячий кран, вода полилась ледяная, потом чуть потеплела. С зубной щеткой во рту, она не мешкая влезла под слабые струи, зная по опыту, что если упустить момент, то вода снова пойдет холодная.

Страшно хотелось кофе. Намотав на голову мотельное полотенце, серое, с подозрительными ржавыми пятнами, Полина собралась в "Контору" — хозяйка поила жильцов кофе с семи до десяти. Кофе был дрянной, но горячий, а главное, бесплатный. Никелированный термос с краном стоял на табурете у двери.

Пристроив картонный стакан на бордюрный камень, Полина достала сигарету.

— А мой дедушка умер от сигарет, — раздался за спиной ехидный голос.

Полина повернулась. Девчонка лет девяти, в соломенной шляпе с лентами и бумажными цветами, смотрела на нее хитрыми глазами и улыбалась. Глаза были как перезрелые вишни, почти черные.

— Тебя как звать? — спросила Полина, сунув сигарету обратно в пачку.

— Меня? — удивилась девчонка. — Меня зовут Глория.

— Ух ты! Вот это я понимаю, имя! А сколько тебе лет?

— Мне? — снова удивилась Глория. — А дай мне кофе. Глоточек. Ты не бойся, я слюней не напускаю!

— Точно? — Полина сняла крышку со стакана, протянула девчонке. Та сделала глоток. Хитро глянула из-под шляпы.

— А можно еще?

Полина засмеялась:

— Валяй, допивай.

— Не, я только глоточек. Мне ж кофе нельзя. Бабушка если узнает, она меня знаешь как накажет! И тебя тоже. Хоть ты и взрослая.

Глория протянула стакан, вытерла ладошкой губы.

— А ты ангела видела?

Полина присела на корточки, поглядела ей в глаза.

— Опять хитришь? Какого ангела?

— А вон! — Глория вытянула руку в сторону склада.

— Так это ангел, — Полина засмеялась. — А я думала, что это уши. А это…

— Крылья! — Глория тоже засмеялась. Вдруг перестала и серьезно сказала:

— Это ангел Индалесио, моего соседа.

Дверь конторы распахнулась, на пороге появилась Дорис.

— Опять? А ну давай домой! — она грозно уперла руки в бока.

Полина вздрогнула, потом сообразила, что это не ей. Девчонка, придерживая рукой шляпу, припустила вдоль мотеля, бумажные ленты разноцветно вспыхнули и скрылись за углом.

— Как успехи? — спросила хозяйка.

Полина тоскливо махнула рукой.

— Ты это брось кукситься! — Дорис большими руками взлохматила свои яичного цвета кудри. Мужская линялая рубаха была ей велика, Полина подумала, что это рубаха Джага.

— А когда ваш муж возвращается? — спросила она первое, что пришло в голову. Говорить о себе ей совсем не хотелось.

Дорис оживилась, сбивчиво стала перечислять какие-то географические пункты — Карабастан, Забарастан, Абсурдистан, — они звучали одинаково нелепо и напоминали заклинание дервиша из арабской сказки.

— Обычно один тур — шесть месяцев, при учете военных действий, а если без, то девять, но кто сейчас соблюдает, могут загнать и на год, с них станется. Людей-то нет... — Дорис нервно вдохнула, словно ей не хватало воздуха. — Война десять лет идет, а всем плевать, даже и не замечают: "Что, где, какая война? А, эта..." Всем плевать. Только если у тебя там муж. Или сын. А так... — Дорис вдруг осеклась, развернулась и скрылась в конторе, хлопнув дверью.

Полина постояла, глядя на лимонную звезду. По краю желтый цвет смешался с синим и стал ядовито-зеленым. Из конторы послышался грохот, словно уронили буфет с посудой. Полина вздрогнула и, тихо ступая, пошла к себе. В восьмом номере тоже проснулись, из-за двери женский голос с тупой настойчивостью повторял: "Ну? Ну? Ну?". Полина прислушалась. Женщина перешла на "Да! Да!", потом застонала.

Полина сглотнула, сунула руку в карман, ища ключ. Ключ оказался в другой руке. Ее интимная жизнь приближалась к нулю. Она попыталась вспомнить — да, последний раз это было с Саймоном, когда она забыла проклятые серьги на ночном столике. Замок заедал, она вынула и снова вставила ключ, повернула.

✳   ✳   ✳

День на Манхэттене прошел отвратительно. Две пустые встречи, на третью она опоздала. Телефон сдох, и она не смогла позвонить и предупредить. "Это просто заговор какой-то!" — Полина зашла в кафе, посмотрела на цены и вышла. Чуть не плача, она спустилась в подземку на Сорок второй. Вот и Бронкс. "Чертова дыра!" — она вышла из метро, нацепила черные очки, прижала сумку к животу и, не обращая внимания на оклики попрошаек, перебежала на другую сторону улицы. Черный парень в бейсболке и в грязной бельевой майке попытался ухватить ее за запястье. Полина увернулась, парень заржал и весело выматерился вслед.

У мотеля что-то происходило, толпились люди, на обочине нос в нос стояли два полицейских "форда". "Будто секретничают", усмехнулась Полина и тут увидела, что дверь в ее номер распахнута настежь. Она подбежала, протиснулась.

— Ну вот! — закричала Дорис. — Я звоню ей, звоню! Эй, офицер! Тут она!

Замок был вырван с мясом, из двери веером торчала желтая щепа. В проеме на корточках сидел полицейский, он снимал отпечатки пальцев. На полу в раскрытом стальном чемоданчике блестели разные банки, тюбики, в ячейках лежали кисточки, похожие на макияжные. "Точно как в кино", — растерянно подумала Полина, пытаясь заглянуть в комнату.

— У вас есть документы? — толстый мулат в мятом сером костюме выглянул из комнаты. — Я — детектив Льюис. Сэм, пропусти ее.

Обе створки шкафа были раскрыты настежь, тряпки валялись по всей комнате, с лампы свисал черный лифчик с лиловыми кружевами. Подарок Саймона. Полина протянула руку.

— Не трогать! — рыкнул толстяк. Он переписывал данные из ее водительских прав в блокнот. — Посмотрите как следует, что пропало. Деньги, украшения, электроника. Только не трогайте ничего.

Холодильник был распахнут, на двери у ручки чернела пудра для снятия отпечатков. Продукты валялись на полу, бутыль кетчупа, купленная вчера, была разбита вдребезги о край мойки.

"Как кровь", — подумала Полина. Она с отвращением посмотрела на вываленное в красную жижу нижнее белье, майки. Ее замутило, захотелось немедленно уйти отсюда, всё оставить и никогда не возвращаться.

— Не знаю... — она пробормотала. — Вроде всё тут. Не знаю.

Исчезли черные джинсы и два совершенно новых платья. Почему-то сказать об этом показалось стыдным.

Толпа рассосалась, наступало время ужина, да и всё интересное уже показали. Строгий детектив Льюис уехал, Полина держала в руках его визитку с тисненым, приятным на ощупь полицейским значком города Нью-Йорк. Второй полицейский продолжал возиться с отпечатками. Полина присела на корточки рядом.

— Можно?

— Без проблем, — полицейский поднял голову. Он оказался молодым парнем ее возраста с нежным румянцем во всю щеку.

"Да он не бреется еще, — подумала Полина. — Милый какой".

Они сидели в проеме двери, парень возился с какой-то белой пастой, похожей на сливочный пломбир. Он размешивал ее деревянной лопаткой, такой врачи смотрят горло. Паста постепенно густела.

— Как в кино... — сказала Полина первое, что пришло в голову.

— Ага... Вот тут они, родимые... — парень начал намазывать пасту на дверной косяк. — Мне нужно ваши пальчики снять тоже. Чтоб исключить.

— Я с удовольствием, — кивнула Полина.

Из конторы выскочила всклокоченная Дорис, желтые патлы торчали дыбом; увидев Полину и полицейского, она замешкалась, махнула рукой и вернулась к себе.

— Теперь нужно подождать, когда подсохнет, — полицейский закончил с пастой и теперь любовался работой. — Латексная основа. Резина. Можно использовать ленту — удобней, быстрей, но результат не тот.

"Наверное, гей, — подумала Полина, разглядывая маленькие руки полицейского. — Господи, ну почему, как симпатичный мужик, так непременно голубой?"

Он взял ее кисть и палец за пальцем прокатал по черной подушке, а после отпечатал на глянцевой, как пластик, бумаге. Парень всё делал старательно, руки его были теплыми и мягкими, как у детского доктора. От него слегка пахло одеколоном, чем-то горьковато-цитрусовым. Полина почувствовала, что начинает краснеть.

— Я вот только не понимаю... — начала она, голос получился в нос, противный. — Это ж не какой-то матерый взломщик, это ж шпана. Вон они, все там. — Она мотнула головой в сторону пустыря за мотелем.

Полицейский убрал ее отпечатки в пластиковый пакет, пакет надписал и спрятал в чемодан.

— Просто столько сил... — Полина продолжала говорить тем же противным голосом, хотела замолчать, но почему-то не могла. — Столько денег, времени. И всё на какое-то обдолбанное хулиганье. Вот что совершенно непонятно...

— Конечно, непонятно! — неожиданно резко перебил ее парень. — Раньше суд вот за такое, не моргнув, давал три года, а сейчас — месяц колонии, а если малолетка, так вообще на поруки отпустят. Вон они — малолетки, с бритвами. Глотку за пару баксов перережут.

— Ну так что делать? — спросила Полина растерянно.

— А что тут делать? Я вот собираю пальчики. Он завтра, сучонок, вскроет тачку или попадется на взломе. Мы пальчики его снимем, сравним с этими. Совпадет — сразу пойдет по совокупу. А это уже три года минимум.

— А потом?

— Что потом? Потом выйдет, а мы его снова упрячем. Они ж больше месяца не гуляют. Главное, его, сучонка, в систему ввести, чтоб на коротком поводке был. — Полицейский выпрямился, подмигнул, закончил почти весело. — Вот я этим и занимаюсь. Вот салфетка, вытрите пальцы.

"Нет, пожалуй, не гей", — Полина улыбнулась.

Из конторы высунулась желтая голова, скрылась снова. Полицейский щелкнул замками на металлическом чемодане, протянул Полине руку. Они вместе вышли, он сел в машину.

— Телефон хоть дала? Видела, как на тебя пялился! — Дорис подмигнула, зашла в комнату. — Бог мой Джизус и мать его Мария! Вот ведь уроды! Ну что ты будешь делать... Слышь, у меня третий номер пустой, здесь ночевать нельзя. Да и замок только завтра, я Фрэнку позвонила, а он уже в ауте, такого тут навставляет. Хоть и мастер на все руки... Был бы Джаг, мигом бы... — она вздохнула. — Собери, что надо, я дверь сейчас заколочу.

Полина нашла пластиковый пакет, сунула туда шампунь, зубную щетку. Всё вокруг казалось грязным, она с отвращением дотрагивалась до своих вещей, словно боялась подцепить заразу. Полина подумала, что надо оставить всё, теперь каждая вещь отсюда, даже отмытая, простиранная, будет напоминать об этой мерзости. Она вышла, прикрыла дверь.

Дорис вернулась с доской и молотком. Ловко вбила трех-дюймовые гвозди, сунула молоток под ремень:

— Дуй в третий. Вот ключ.

* * *

На другой день у седьмого номера на корточках сидел жилистый краснолицый мужик в комбинезоне. Вокруг, в светлых завитках свежей стружки, валялись инструменты.

"Фрэнк, — подумала Полина, проходя мимо. — Мастер на все руки".

Тот подмигнул и ухмыльнулся. С лицом крепко пьющего человека, без переднего зуба и со сломанным носом, Фрэнк был одним из тех неудачников, кого черные презрительно кличут "хонки", а свои называют "белый мусор".

— И как же такую фифу занесло в эдакую помойку? — Фрэнк почесал небритое лицо. Он уже врезал новый замок, теперь подгонял личинку, аккуратно тюкая молотком по косяку.

Полина хотела пройти, но повернулась и сухо ответила:

— Я тут временно.

Очевидно, Фрэнк только этого и ждал — любого ответа. Он усмехнулся:

— Ага, конечно! Временно! — довольно проворчал он. — Ну да, а то как же! Конечно, временно. Я тоже — временно. Уже тридцать с лишним, и всё, мать твою, временно!

Он сплюнул. Полина повернулась и пошла.

— Эй, краля! — крикнул Фрэнк ей в спину. — У тебя курева, случаем, нет?

Полина хотела сказать "нет", но почему-то вернулась, вытащила из сумки пачку.

— Ты это, того, вынь сама... А то я тебе перепачкаю там. Руки-то...

Полина протянула сигарету, дала прикурить. Подумав, закурила тоже.

— Я ж не хотел обидеть... — мужик глубоко затянулся, выпустил дым вверх. — Место тут гиблое. Да и не только тут... — он многозначительно прищурил глаз. — Поломалась Америка.

Фрэнк прислонился к стене.

— Все эти черномазые да пидоры... Вся эта нелегальная сволочь мексиканская. Раньше знали свое место, а теперь — свобода! Теперь жопники и ковырялки по закону жениться могут. В церкви! Это ж... — он взмахнул темными, словно прокопченными, руками, затянулся. — А латиносы — эти вообще что тараканы. Так и прут! Семьями, деревнями целыми. Я ж помню, когда в шестом округе их вообще не было. Вообще! А сейчас — вон! Щенки их, выродки тринадцатилетние, с ножами! И наркоту толкают.

Он кивнул в сторону стоянки за мотелем. Там и сейчас крутилось несколько парней, тупо ухала музыка. Полина молча курила. Она не изменила своих либеральных взглядов, просто после вчерашнего отстаивать их казалось не совсем логичным. Тем более не хотелось спорить вот с таким Фрэнком.

— Вчера еще одного пацаненка подрезали — видала?

— О чем вы? — недружелюбно спросила Полина.

— Ну как же? Ангела видала?

— Ну... — Полина брезгливо пожала плечами. — При чем тут ангел?

— Это ж "Ангелы Бронкса", ты что, не слышала?

— Я на Манхэттене жила, — сухо проинформировала Полина.

— У этих щенков, — Фрэнк мотнул головой в сторону парковки. — У них там в банде ритуал такой — инициация. Вроде как экзамен. Новичков когда принимают. Вроде как клятва на крови. Новенькие должны найти жертву и... того. А после ангела рисуют. И имя.

Полина выронила сигарету:

— Да что вы несете? Это ж дичь какая-то! Какое-то средневековье — тут Нью-Йорк, полиция... Что вы чушь городите!

Фрэнк, снисходительно щурясь, кивал и ухмылялся.

Полина быстро пошла к третьему номеру. Ключ в руках ходил ходуном, она никак не могла попасть в замок. Наконец открыла, повернулась и крикнула:

— Вы дурак! Америка у него сломалась! Вот такие уроды, как вы, ее и сломали!

Полина хотела еще что-то сказать, что-нибудь хлесткое, обидное и злое, но в голову приходили только ругательства, и она с грохотом захлопнула дверь.

* * *

Выходные прошли бездарно. Субботним утром Полина составила список одежды и белья и отправилась за покупками. Она добралась до "Мелроуз-Мега", бросила машину на бескрайнем поле парковки и пошла по магазинам. Убив шесть часов и истратив раза в два больше, чем планировала, Полина, навьюченная разноцветными пакетами и коробками, с трудом отыскала свой "форд" среди сотен других автомобилей. В багажнике оказался пляжный шезлонг, забытый после поездки на Кони-Айленд, все покупки пришлось втискивать на заднее сиденье. На обратной дороге, сдуру свернув на Пятое шоссе, она угодила в пробку у стадиона. Поток бейсбольных фанатов схлестнулся с потоком любителей субботнего шопинга. Квинтэссенция Америки — развлечение и потребление, стадион и универмаг, всё остальное лишь скучное приложение к главному. Страна, начавшая свою историю поджарым, мятежным подростком, с Библией в одной руке и кольтом в другой, доползла к финалу ленивым брюзгой, заплывшим жиром, с телевизионным пультом в одной руке и гамбургером в другой.

Полина продвигалась со скоростью пешехода, потом и вовсе встала. Духота стояла страшная, она включила кондиционер на полную катушку, в конце концов ее "форд" закипел. Пришлось ждать, пока машина остынет и пробка рассосется.

За мотелем поперек тротуара стояла полицейская машина с зажженными фарами, на дальнем конце парковки еще одна. Полина нервно дернула дверь в контору, вошла. За стойкой было пусто. Сняв свой ключ с доски, она позвала Дорис, прислушалась, крикнула еще раз.

— Куда они все запропастились... — пробормотала Полина, кусая губы. От скверного предчувствия ее замутило.

На парковке четверо полицейских теснили группу пацанья в угол между мусорными баками и стеной склада. Полина узнала следователя в штатском, он, вытянув из окна полицейского "форда" витой шнур, говорил по рации.

Раздался гортанный крик, смуглый парень, жилистый и юркий, вскочил на баки и, пригибаясь, побежал, гремя жестью крышек. "Стоять!" — заорал кто-то, Полина увидела пистолеты. Пацаны отпрянули, бросились ничком. Беглец ловко соскочил на асфальт и, звонко топая, понесся вдоль стены: белые подошвы кед так и мелькали. Кто-то снова заорал: "Стоять!" — хлопнул выстрел, за ним еще несколько. Полина вскрикнула: увидела, как парень упал. Она не могла отвести глаз от белых подошв.

Полину трясло, она захлопнула дверь в свой номер, дважды повернула замок. Вжалась спиной в дверь, прислушалась. Потом, зажав ладонью рот, вбежала в уборную, согнулась над раковиной. Ее вырвало.

Снаружи завыла полицейская сирена, Полина пустила воду. У нее дрожали руки, она зачем-то стала стягивать с пальцев кольца. Ее знобило, ей казалось, что у нее жар. "Это всё нервы, нервы…" — пробормотала она, кольца весело зацокали по кафелю. Она махнула рукой, прошла через комнату к окну. Заходящее солнце било в глаза, шоссе превратилось в расплавленную реку. Полина прищурилась, сложила ладонь козырьком, подняла взгляд.

— Господи… Нет, нет… пожалуйста… — Полина раскрыла рот, впилась зубами в кулак и беззвучно сползла на пол.

На пустом билборде над эстакадой был нарисован ангел. Ниже стояло имя "Глория".

Виктория Токарева

Портрет в интерьере

Личный опыт

Каждый год я отдыхаю в Италии, в местечке, которое называется Абано-Терме. Это недалеко от города Падуя. Итальянцы произносят — Падова, а мы — Падуя. Почему? Непонятно.

Абано — маленький городок, состоящий из отелей и магазинов. В этом месте из-под земли бьют термальные ключи с температурой семьдесят градусов. Их остужают до тридцати четырех градусов и посылают по трубам. При каждом отеле бассейн. И в этот бассейн мы погружаем свои бренные тела. Считается, что термальная вода лечит суставы и позвоночник.

Входишь в тугую, тяжелую, теплую воду. Температура воды равна температуре тела. Тело не сопротивляется, а приемлет каждой клеточкой. Счастье — вот оно!

Вокруг бассейна ходит бармен Пабло в белом пиджаке, намекая на бокал с шампанским за отдельную плату. Пабло постоянно улыбается, так положено. В конце дня у него болят скулы. В отеле вся обслуга улыбается — им за это платят.

Главное в отеле — респект и релакс. Отдыхающие должны чувствовать себя как в раю. Никакого напряжения, только положительные эмоции.

Когда выходишь из отеля и гуляешь по улицам — всё то же самое: респект и релакс. Прохожие улыбаются, хотя за это им никто не платит. Просто радуются жизни — здесь и сейчас.

Я вспомнила, как великий итальянец Федерико Феллини двадцать пять лет назад сказал мне: "Итальянцы — беспечные как дети. Их совершенно не заботит внешний долг".

Не знаю, как там дела с долгами, но и сейчас их ничего не заботит. Южный народ. Много солнца. А солнце — это жизнь.

Тогда, двадцать пять лет назад, был Рим и тоже лето.

Федерико был одет в теплую рубашку, под ней майка. Видимо, он мерз. Возраст.

Это было двадцать пять лет назад. Обычно добавляют слова: "А кажется, будто вчера". Нет. Мне не кажется. Это было давно.

Поколение Феллини ушло. Мое поколение не спеша бредет к финишу. Но мы еще шелестим. Любим жизнь. Путешествуем.

Я иду по улочке Абано. Захожу в лавочку, где торгуют очками. Хозяйку зовут Альба. Альба — фигуристая и зубастая. У нее тонкая талия и крупные белые зубы. Она не знает ни единого слова по-русски. Для итальянцев Россия — примерно то же самое, что Африка. Я знаю по-итальянски три слова: "спасибо", "пожалуйста", "сколько стоит?". Еще я знаю "мольто бене", в переводе — "очень хорошо".

И вот я с пятью словами и она без единого начинаем общаться. В ход идут мимика, жесты, интуиция, и каким-то непостижимым образом она рассказывает мне свою жизнь: муж умер, она — вдова с двумя детьми, перспективы на счастье — ноль.

Я не соглашаюсь, мне удается возразить: Альба — красавица, перспективы очень высокие. Всё будет хорошо.

Альба выбирает мне самые красивые очки и нарядный футляр для очков: оранжевый в белую полоску. Подумав, добавляет еще один: золотой в крапинку.

За что? За надежду.

Я говорю: "Грацие" — и ухожу в прекрасном настроении. Расслабленная и уверенная в себе.

Релакс и респект.

По центральной улочке Абано идет молодая женщина без штанов.

Я вижу ее со спины. На ней легкая кофточка и абсолютно голый зад. Некрасивый. Широкий, квадратный, как чемодан.

Я приближаюсь. Нет, я ошиблась. Девушка в брюках, но они белые, тончайшие и просвечивают на сто процентов. Ну, может быть, на девяносто восемь. Всё-таки видны швы по бокам и в середине.

Зачем она надела такие брюки? Чтобы понравиться, ясное дело.

Я обогнала девушку, посмотрела с лицевой стороны. Щекастая, в прыщах. Глазки мелкие, голубенькие. Реснички белые, поросячьи. Некрасивая да еще и с голым задом.

Захотелось подойти и сказать: "Иди в отель, прикройся. Надень другие брюки".

На каком языке сказать? Естественно, на русском. Девушка явно русская. Приехала в Италию искать свое счастье.

Предположим, я подойду и скажу: "Поди переоденься". А она спросит: "А твое какое дело? Тебе-то что?" — и будет права. У меня своя дорога, у нее своя. Кто я ей? Кто она мне?

Я посмотрела еще раз.

Лицо у нее молодое, и прыщи молодые, гормональные. Выражение насупленное, загнанное, она явно стесняется себя. Не свободна. Не счастлива. Не беспечна, как это бывает в молодости, когда всё по барабану и весь мир твой.

Я обогнала ее и пошла дальше.

В природе то же самое, что и среди людей. Есть красивые звери — тигр, например. Тигр — шедевр Создателя: гибкий, пластичный, желтоглазый. А есть некрасивые — носороги. Носорог — это свинья, неповоротливая, тяжелая, да еще и с рогом на носу. Сплошное уродство. Природе одинаково угодны красивые и некрасивые. Все пригодятся.

Может быть, эта, с широкими бедрами, нарожает дюжину здоровых детей и умножит человеческий род. Не последнее дело. И в личной жизни есть преимущества. Она будет благодарна любой самой малой радости, и из маленьких радостей сложится большая счастливая жизнь.

А красивые носятся со своей красотой, как с козырной картой, и постоянно торгуются с судьбой. Боятся прогадать.

Как сказал Константин Симонов: "Красота, как станция, минует". Минует обязательно.

"Так что иди и не парься", — сказала я себе. И пошла себе.

Впереди — вход в мой отель "Дуэ Торри", в переводе — "Две башни".

Здесь, куда ни пойдёшь, всё близко.

Бармен Пабло привел в отель своего сыночка. Мальчику четыре года. Ангел. Вылитый Пабло, и к бабке не ходи, — есть такое выражение. Видимо, в старые времена, когда мужчина сомневался в отцовстве, он шел к бабке. Сейчас существует анализ ДНК. Это точнее, чем бабка.

Пабло привел сыночка в свой выходной, так как в рабочее время ему бы никто не позволил отвлекаться от основной работы. А Пабло захотелось похвастать своим богатством перед публикой отеля.

Мальчика зовут Джованни. Он бегает, носится, энергию некуда девать. Мы, кучка отдыхающих, стоим и вежливо улыбаемся: какой милый шалун.

Надо в это время видеть Пабло. Это его поздний, единственный ребенок. Он от него "тащится", как сейчас говорят. Лицо растянуто в улыбке, и Пабло не может его собрать. Это лицо ликует.

Все стоят и вежливо пережидают. Действительно, мальчик — очарование, Пабло прекрасен в своем отцовстве.

Я вспомнила его служебную улыбку, похожую на гримасу: губы растянуты, глаза холодные. Иногда, когда никого нет вокруг, можно не улыбаться, Пабло расслабляется. Улыбка стерта. Зубы за губами, как положено. Его лицо на какое-то время становится суровым. Он устал. Трудно притворяться восемь часов подряд. Трудно улыбаться, когда не хочется. А сейчас — хочется. И трудно не улыбаться, когда хочется. Счастье рвется наружу, долетает до нас, и мы невольно заражаемся его настроением. Счастье — заразно, как и несчастье.

На рецепцию пришла работать новая девушка, Камилла. Итальянка со знанием русского языка, поскольку половина отеля — русские. Камилла окончила в Риме университет, отделение славистики. Защищала диплом по моим рассказам.

Я не удивляюсь. Я так давно в литературе, что уже стала предметом изучения, как Гончаров.

Камилла увидела в списке отдыхающих мое имя, и ее глаза от удивления стали круглыми как колеса.

— Виктория — гранде скритторе! — завопила она и помчалась по отелю с этой радостной вестью.

Забежала в ресторан, кинулась к Фаусто. Фаусто — главный распорядитель ресторанного зала. Он руководит официантами, он знает, кого куда посадить: русских — в один зал, итальянцев — в другой. Русских он тоже фасует на первый сорт и второй. Те, кто даст хорошие чаевые, — это первый сорт, их он сажает к окошку, с видом на сад. А второй сорт — в середину зала. Пусть скажут "спасибо" и за это.

Я всё время путала его имя, называла Мефисто, хотя он Фаусто.

Камилла налетела на Фаусто с криком:

— Синьора Виктория — гранде скритторе!

Фаусто заморгал глазами: какая Виктория? Вот эта, малозаметная, в старушечьей кофте?

Замечу: кофта дорогая и не старушечья, а очень модная. Просто итальянцы одеваются иначе. К ужину они выходят обязательно в черном и в бриллиантах, при этом натуральных.

Я могла бы себе купить черное, но в черном я похожа на осетинку в трауре. Черный цвет я не переношу. Это цвет космоса, пустоты, смерти. Белый цвет разлагается на семь цветов радуги, а черный не разлагается ни на что. Это конец. Недаром квадрат Малевича — черный. Что касается бриллиантов, я могла бы себе купить искусственный диамант величиной с пуговицу, ценой полтора евро, но ведь это заметно. Подделка тем и отличается, что бросается в глаза. А натурального бриллианта, кольца например, у меня никогда не было и не будет. Я воспринимаю свои руки как рабочий инструмент.

Завтрак и обед — в разных помещениях. Завтрак подавали на первом этаже в скромной обстановке. А обед — в ресторане, который располагался на нулевом этаже, — торжественный, бело-хрустальный.

На завтрак разрешалось прийти в халате, а в ресторан — недопустимо. Форма одежды для ресторана — "элеганто".

Я не сразу поняла разницу и приперлась на обед в халате. Прямо с бассейна — в ресторанный зал.

Фаусто состроил зверское лицо и погнал меня энергично, как козу с чужого огорода, только хворостины не хватало. Он даже прихлопывал руками — я боялась, что он ударит меня по спине или даст пинком под зад.

Ужас… В респектабельный зал ввалилась тетка в халате, как корова, или, точнее, как свинья. Корова не подходит по размерам, а свинья вполне.

Я не обиделась. Удалилась восвояси, осознав свой просчет. Пошла в номер и переоделась, как подобает, в итальянские одежды, купленные здесь же, за углом.

— Гранде скритторе! — щебечет Камилла с испуганным лицом и хлопает ресницами.

Фаусто догадывается, что вот та корова в халате и есть почетный гость, гранде скритторе.

Я вхожу в зал, ничего не могу понять. Фаусто пересаживает меня на самое лучшее место. Обслуживает лично. Спрашивает по-русски:

— Пармезан чуть-чуть?

— Пармезан много-много, — уточняю я. — Гранде пармезан.

Я не понимаю перемены, но как-то очень быстро привыкаю к новому Фаусто.

К хорошему вообще привыкаешь быстро, а отвыкаешь медленно и мучительно.

Мы с Фаусто подружились.

Он поведал мне, что ему шестьдесят лет и уже пора на пенсию, но он так врос в этот отель, а отель в него, что не может представить своей жизни без работы. Рассказал, что у него две дочери, и назвал имена. Я, естественно, не запомнила.

Каждый день к обеду Фаусто ставил на мой стол блюдо с манго. На шведском столе манго не было. Видимо, Фаусто доставал его откуда-то из загашника. По блату.

Я сижу возле окошка в углу, как старая собака, смотрю из-под тяжелых век и понимаю больше чем надо.

У Грибоедова есть строчки: "Желаю вам дремать в неведеньи счастливом".

Неведенье — это действительно составная счастья. Это легче, чем быть всезнающей, как змея.

Но последнее — уже не про меня. Я не всезнающая и тем более не змея. Змея — высокая, стройная и ядовитая. Но разговор не обо мне. А если и обо мне, то чуть-чуть. Портрет в интерьере.

Я забыла сказать, что отправляюсь в Италию с одной и той же любимой подругой Сонечкой. У нас с ней нет никаких противопоказаний, мы легко и счастливо переносим общество друг друга. Иногда даже поем от избытка чувств.

Сонечка — тихая, умная, со стержнем. Она долгое время работала главным врачом больницы (сейчас заведует отделением кардиологии). Лечила, бегала, распоряжалась. Без стержня в таком деле невозможно.

Сонечка свой стержень прячет, а ум и доброту спрятать невозможно. Они видны за версту.

В Москве у меня есть знакомая Рая с тяжелым характером. Она постоянно ищет врагов и находит. А когда враги кончаются и негде брать, Рая выискивает их среди близких родственников и тоже находит. О ней говорят: сумасшедшая. Может быть. Но ее конфликты и выбросы всегда кончаются для нее прибылью. Она скандалит, вымогает и в результате получает всё что хочет. Рая — сумасшедшая в свою пользу.

А Сонечка, маленькая, как птичка, носится по курортному городку, выискивая подарки для коллег. Коллег у нее — человек двадцать, всё терапевтическое отделение. Сонечка подбирает им подарки — практичные и красивые. Чтобы служили и радовали глаз.

Кончается тем, что она ухлопывает на подарки все свои деньги, а себе покупает только бесцветную помаду в аптеке.

Я говорю ей:

— Сумасшедшая...

Она виновато таращит большие глаза и оправдывается:

— Но ведь так радостно дарить... Давать приятнее, чем брать. Разве нет? Я не права?

Конечно же, права. Это нормально. Но норма стала такой редкостью, а патология — такой нормой...

Сонечку интересует всё: концерты, экскурсии. А я на экскурсиях засыпаю, поскольку они после обеда и совпадают по времени с послеобеденным сном.

Я засыпаю прямо в машине и храплю, как вертолет, летящий низко.

Сонечке жалко меня будить, и она уходит с экскурсоводом смотреть замки, соборы с витражами. Для меня все эти соборы слились в один. Я не вижу разницы.

Сонечка с экскурсоводом возвращаются через какое-то время, и мы едем обратно. Когда подъезжаем к отелю, я просыпаюсь — отдохнувшая и просветленная.

Пабло приносит нам кофе. Сонечке эспрессо, а мне капучино. Жизнь удалась!

Но всё-таки мне запомнился древний замок на холме, а к нему лестница вверх — зашарпанная и раздолбанная. И это понятно: ей триста лет как минимум. Лестница длинная, чуть ли не полкилометра, упирается буквально в небо. Я спросила у экскурсовода:

— А почему такая запущенная лестница?

— А кто будет ремонтировать? — в свою очередь спросил экскурсовод. — Надо, чтобы кто-то купил в собственность. Но никто не покупает. Здесь ремонт обойдется дороже, чем покупка.

"Ну прямо как у нас в России", — подумала я. Представила себе, как по бесконечной лестнице шли богатые дамы и подметали подолами ступени.

Мы идеализируем прошлое. Нам кажется: "что пройдет, то будет мило". Представляется, что тогда всё било ярким фонтаном, а сейчас — труба пониже и коптит.

Все всегда бывает в равных пропорциях: и тогда и теперь.

Я запомнила фрески Джотто в Падуе. Каким-то образом понимаешь, что это — гениально.

Что такое талант вообще? Это дополнительная энергия, которая ищет выхода. И находит. Энергия чужого таланта распространяется и на меня. Я ее чувствую. Гениальность — несколько другое. Гений — проводник между Создателем и людьми. Создатель через гения передает свои послания.

Я стою перед фресками Джотто и через семьсот лет принимаю сигнал.

Обед. На моем столе на большом блюде лежит очищенное и порезанное манго, как лепестки огня. Я ела этот фрукт когда-то на Кубе. В Москве его вкуса не знают. То, что приходит в Москву, зреет по дороге и не дозревает, а как-то бездарно твердеет. Есть бессмысленно: ни вкуса ни запаха. А настоящее, созревшее на южном солнце, истекающее соком манго... рассказать невозможно, как невозможно рассказать музыку.

Я догадалась, почему Фаусто ко мне расположился. Вовсе не потому, что я гранде скритторе. А потому, что я смиренно покинула зал, когда он выметал меня каленой метлой. Я не обижалась, не огрызалась, не протестовала, а просто покорно испарилась, втянув голову в плечи. Я понимала: порядок есть порядок и Фаусто ни в чем не виноват. Следить за порядком — его работа, и он добросовестно ее выполняет. За это его не выпроваживают на пенсию, ждут, когда сам уйдет и освободит поляну. Молодая смена уже дышит ему в затылок. Официанты в отеле — все рослые, стройные, без животов. Подбирают таких, на кого приятно смотреть. А постояльцам отеля приятнее смотреть на цветение, чем на увядание.

В отеле появилось новое лицо. Хочется добавить: дама с собачкой. Нет. Без собачки. Просто дама. Высокая, стройная, модная, элегантная, старая. Под девяносто. А может, и под сто.

Фаусто посадил ее рядом со мной, за соседний столик.

Она напомнила мне Софию Лорен, которая недавно приезжала в Москву: откровенно старая и откровенно красивая. Видны не только следы красоты, но и сама красота.

Я назвала свою соседку Белладонна. "Белла" — прекрасная, "донна" — женщина, а вместе — лекарство, не помню от чего.

Я рассмотрела ее наряд. Юбка до колен. Колени — распухшие, артрозные, больные. Ей довольно трудно на них ходить, но прятать под брюками или длинной юбкой она не собирается. Что есть, то есть. Короткий пиджачок в талию и ярко-синяя сумка с изображением черепа, исполненного стразами. Я углядела фирму — сумка дорогущая. Старушка богатая и хипповая. Седые волосы с оттенком старого серебра. Специальный оттеночный шампунь. Косметика сдержанная, духи пахнут морозцем. Я знаю этот запах. Не туалетная вода, нет. Это именно духи фирмы "Герлен". Они продаются в сиреневом флаконе с пробкой. Когда-то мне привезли их из Парижа. С тех пор у меня мечта: купить такие духи. В Москве они есть. Стоят тысячу евро. Здесь не меньше.

Белладонна — крутая. Хочется добавить "старуха", но это слово не вяжется с ней. Дама. Но и дама не годится. Девушка-бабушка. Вне возраста.

Она изучает меню, потом откладывает его в сторону и ждет официанта. Смотрит в зал.

Глаза большие, серые. Взгляд спокойный, бесстрастный. Ей ничего ни от кого не надо. У нее всё есть. У Белладонны маленькое будущее, но большое и яркое прошлое. Плюс деньги. Она живет сегодня и сейчас. Ничего не планирует. Лечит колени.

Есть ли в моей стране такие девушки-бабушки? У нас, у русских, имеет место дискриминация старостью. Если ты старый — ступай на помоечку. Помалкивай. Тебя никто не слушает. Твой опыт никому не интересен. Каждый человек набирает свой опыт, чужой ему не нужен. Всё отжившее — некрасиво, увядший букет воняет. Когда-то букет украшал и радовал, а сейчас — на помоечку. Всё имеет свой срок.

Белладонна не имеет срока. Сидит старая, красивая и независимая. К ней подходит официант, принимает заказ. Белладонна общается с официантом уважительно и спокойно. Официант отходит, ему всё ясно.

Белладонна игнорирует свою старость. Живет как молодая, за некоторыми вычетами: отсутствуют бег с препятствиями и любовники. И то неизвестно.

А есть у нас такие? Есть. В моем дачном поселке проживает вдова Зиновия Гердта — абсолютная "белладонна": высокая, стройная, старая. Возраст не скрывает, а, наоборот, выпячивает. Удивляет. И все удивляются: как? не может быть... А вот может быть.

И Окуневская была из этой серии. Отправилась в восемьдесят восемь лет делать подтяжку. Сделала и умерла. Но в гробу выглядела на пятьдесят. А именно этого она и добивалась (я имею в виду возраст, а не гроб).

Как изменилось время... Я вспоминаю свою бабушку Ульяну. Она побывала в оккупации, и немец ударил ее винтовкой по голове. Парализовало. Лежачий образ жизни. Какие стразы? Какие духи "Герлен"?

Однако, если вспомнить Любовь Орлову, она тоже "белладонна". Просто не дожила до своих девяносто.

Белладонна поймала мой взгляд и задержалась на мне глазами. Потом отвела довольно быстро. Интересно, что она подумала? Я догадываюсь. Она подумала: русская, не итальянка. Бедные итальянки на термальные воды не ездят, а богатые итальянки толстыми не бывают.

Еще она могла подумать: какая милая, какое спокойное лицо, какой умный взгляд, на нее хочется смотреть и смотреть...

На другой день я поехала в Падую и купила себе синюю сумку. Без черепа. С мелкими дырочками. Но цвет — один в один: яркий, радостный, летний. Я ношу ее четыре времени года. Никто не смотрит. Какая кому разница? Духи покупать не стала. Подожду, когда кто-нибудь подарит. Хотя вряд ли...

Мы с Сонечкой часто гуляем по городу. Заходим в кафе. В городе цена за кофе в два раза ниже, чем в отеле.

К нам подошла незнакомая девушка, по виду молдаванка, приехала на заработки. Услышала русскую речь и захотела поговорить на русском языке. Соскучилась.

— Вы очень хорошо одеты, — сказала она Сонечке. — А вам надо купить кардиган.

— У меня есть, — сухо ответила я. А про себя подумала: "Тоже мне... ложкомойка. Будет советы давать..."

— Купите еще один, — продолжала девушка, — пусть будет два.

— У меня есть два. А вы откуда вообще?

— Я из Милана. Мы с Анджело путешествуем. Анджело! — позвала она.

Подошел Анджело. Как говорили в моем детстве: урод, в жопе ноги. (А где еще быть ногам?)

Анджело сел на соседнее кресло. Он не понимал по-русски, и это было очень удобно. Можно свободно говорить о чем угодно в его присутствии.

— Это ваш муж? — спросила я девушку.

— Я работала у него по хозяйству. Готовка, стирка, а потом он прибавил сексуальные услуги.

— За отдельные деньги? — спросила я.

— Сейчас у нас общие деньги.

— То есть его деньги — ваши, — догадалась я.

— Ну да, он вдовец. Сейчас на пенсии. А раньше был спортсмен. И жена спортсменка.

Я посмотрела на Анджело. Старый, грустный, отсутствующий. Трудно было представить его спортсменом, который борется за первое место.

— А какой спорт? — спросила я.

— Прыжки в высоту. С шестом. А жена бегала на короткие дистанции. Она умерла.

— Давно? — спросила я.

— Год назад. Ей было пятьдесят семь лет.

— Короткая дистанция, — вздохнула я.

Анджело что-то почувствовал и стал прислушиваться, глядя на меня.

— Вы скучаете по жене? — спросила я по-французски.

Анджело понял. Как-то весь преобразился. Ожил, что ли.

— Спасибо за вопрос, — поблагодарил он. — Я скучаю по жене. Но если точнее, я с ней не расстаюсь. Нет ни одного дня, ни одной минуты, чтобы мы были врозь.

Мы с Анджело говорили по-французски, теперь нас никто не понимал.

— Что он говорит? — обеспокоенно спросила девушка.

— Так... — не ответила я. — Ничего особенного.

Мы заказали кофе и пили молча. Но это не было молча. Анджело как будто продолжал беседовать со мной. Нас было трое: он, я и жена.

Девушка тихо переговаривалась с Сонечкой. Мы не мешали друг другу.

У меня пропали из номера бусы. Черный жемчуг.

Я очень любила эту тяжелую жемчужную нитку. Она была длинная, сизая, как голубиное крыло, легко надевалась прямо через голову. Не надо было ковыряться с мелким замком.

Бусы удобные, подходили к любому наряду на все случаи жизни.

Пропали. Я заплакала.

Сонечка позвонила на рецепцию. Строго задала вопрос. Там спросили: кто дежурил? Откуда я знаю? Я этих горничных и в глаза не видела. Они появляются, когда в номере никого нет, делают свою работу и исчезают, как привидения. Непохоже, чтобы горничные воровали. Отель — пять звезд. Городок маленький, найти работу практически невозможно. Кто будет рисковать из-за нитки выращенного жемчуга?

Я погоревала и быстро успокоилась. У меня полная шкатулка украшений. Выкручусь. Не одно, так другое. Я вообще имею способность очень быстро успокаиваться, поскольку горевать долго — бессмысленно, всё равно ничего не изменится.

Прошел год.

Я снова приехала в Абано-Терме и снова отправилась по магазинам. Шопинг — это маленькая жизнь и большое удовольствие. Первым делом я иду в бутик "Марина Ринальди". Только эта фирма шьет на все человеческие размеры. Мой размер — не самый последний, и это рождает во мне смутную надежду непонятно на что.

В бутике работают милые итальянки, очень приветливые. Они радуются приходу покупателей. Полное впечатление, что тебя ждут. Более того, ждут только тебя.

Я открыла дверь и вошла. Продавщица Летиция осветилась лицом, буквально вспыхнула от радости. Проговорила: "Моменто" — и исчезла на пару минут. И снова возникла. С ее пальцев свисала моя черная нитка бус. Оказывается, я ее забыла здесь год назад. Никто не украл. Просто я вошла в примерочную, повесила бусы на крючок, померила то, что хотела, и ушла. А бусы остались. И Летиция их сохранила. Она не знала, окажусь я здесь еще когда-нибудь или нет, и всё-таки сберегла.

А почему не взяла себе? Они ей не понравились? Или у них не принято присваивать находки? Или в Италии этого барахла полно...

Я приняла бусы, буквально потрясенная. На моих глазах появились слезы. Это такое счастье, когда к тебе возвращается утерянная вещь, а вместе с ней вера в человечество.

Я смотрела на Летицию как на посланника свыше, который прощал меня за что-то и возвращал утраченное.

Летиция легким галопом вынесла мне кашемировый кардиган моего размера.

Кардиган мне не нужен, но я его купила, чтобы сделать Летиции приятное. Отщипнуть от своей радости. Пришлось заплатить немалые деньги. Это называется "жертвоприношение".

Я бываю в Абано каждый год. И всякий раз встречаю группу русских адвокатов. Я называю их "адвокатки". Это пять женщин, которые организовали свое бюро. Процветают и отдыхают в Италии. Среди них есть и мужчины, но существенной роли они не играют. Заглавную партию исполняют женщины. Мужчины исключительно для размножения.

Адвокатки сидят в ресторане за одним большим столом. Им весело, они постоянно смеются, но не ржут. Ведут себя как воспитанные люди.

По вечерам они вовлекают меня в свою компанию. Может быть, им хочется меня послушать. Но мне интересно слушать их.

Самой говорить тоже хочется — потребность прокатить себя на новой аудитории и просто "поиграть словами". Но их общение — это что-то "отдельное", как говорил Бабель, а именно: игра ума, способность к анализу, юмор. Я наслаждаюсь. Я испытываю гордость за своих соотечественников и слегка завидую. Чему? Дружбе. Они спаяны, как пальцы в кулак. Каждая сама по себе, а вместе — единое целое.

Дружба — это защита, ни с чем не сравнимая. Заболеешь — вытащат, постареешь — не заметят, ошибешься — простят. Умрешь — похоронят и будут навещать.

Можно быть спокойной всегда, в любые времена, во всех ситуациях и даже на том свете.

Им "свезло", как говорится. Не потому, что фирма процветает, не потому, что они каждый год купаются в термальных водах. Нет. Потому что они есть друг у друга и их невозможно разъединить, как пальцы на руке. Каждый палец для чего-то нужен. И каждый палец — разный и по-своему красив.

Мы с Сонечкой — два пальца. Это не кулак. Это — коза. Двумя пальцами делают козу. А тремя — фигу.

К адвокаткам приехал их итальянский друг Антонио, сокращенно Тони.

Знакомство завязалось десять лет назад. Адвокатки помогали Тони усыновить ребенка из московского дома малютки.

Была выбрана милая девочка Анечка трех лет. Ее родители нелепо погибли в автомобильной катастрофе.

Тони с женой пришли в учреждение забирать Анечку, и в этот момент к Тони подошла незнакомая девочка с челкой и, глядя на Тони снизу вверх, проговорила: "Ты мой папа".

У Тони что-то перевернулось в душе. Он не смог сказать "нет". Не смог, и всё. Он сказал: "Да, я твой папа".

Девочка вложила свою ручку в его руку и застыла рядом.

— Я ее забираю, — решительно произнес Тони. — Я беру двоих.

К Тони кинулись работники дома малютки: врач, директор, воспитатели. Стали хором отговаривать: у нее плохая наследственность, психические отклонения, от осины не растут апельсины. Зачем вам такая морока? Будете мучиться всю жизнь. Подумайте сами: кто сдает своих детей в дом малютки? Только алкоголики и проститутки.

— Я забираю двоих, — настаивал Тони.

Жена Тони — милая и скромная Моника — не возражала.

Действительно, вдвоем девочкам будет веселее, легче адаптироваться в незнакомой среде. Общий русский язык.

Моника поддержала мужа.

Оформление прошло быстро. Адвокатки знали свое дело.

С тех пор минуло пятнадцать лет. За это время у Тони и Моники родилась своя общая девочка. Так часто бывает: когда усыновляют сироту, Бог дает своего ребенка. Благодарит таким образом.

Каждый раз, когда адвокатки приезжали в Италию, они звонили Тони в Милан, и он их навещал в отеле "Дуэ Торри".

В этот раз Тони приехал с женой Моникой, любовницей Беатриче и старшей дочкой Катей — той самой, с плохой наследственностью.

Тони привозил прекрасное вино, оно украшало застолье.

Меня и Сонечку пригласили в компанию. Я присоединилась и с интересом рассматривала присутствующих.

Катя — абсолютная итальянка, никаких отклонений не замечалось. Юная девушка в коротковатых брючках (так модно) и в пиджачке цвета фуксии. Любо-дорого смотреть. Она кое-что понимала по-русски, но участия в разговоре не принимала. Просто слушала.

Я смотрела на нее и думала: вот что значит судьба. Останься Катя в доме малютки, перешла бы дальше в детский дом (вариант тюрьмы), а потом государство выкидывает этих детей из детского дома на произвол судьбы и они пополняют криминал.

Катя водила головкой на длинной шейке, рассматривала окружающую действительность.

Мы сидели перед отелем, сдвинув вместе два столика. Небо над нами начинало быть сиреневым. День клонился к вечеру, но еще светло. Как женщина в пятьдесят лет: еще красивая, но впереди — мало. Сад перед отелем — абсолютно райский. Все виды цветочков, все варианты кустов и улыбающийся Пабло с подносом, в белом пиджаке.

Моника и Беатриче — сочетание для русских странное. Наши никогда не объединяют жену и любовницу. Стараются тщательно развести, чтобы жена ничего не знала про любовницу и даже не догадывалась. А тут — сидят за одним столом.

Объяснение этому имеется. Беатриче — не просто любовница, но еще и переводчица. Она прекрасно говорит по-русски, с легким акцентом. Как латышка, например. Акцент есть, но он не мешает.

Без Беатриче не обойтись. Она необходима.

Я сравниваю этих двух женщин. Они нравятся мне обе. Беатриче моложе, чем жена, на пятнадцать лет. Беатриче — двадцать пять, Монике — сорок. Двадцать пять, конечно, лучше, но за спиной Моники — трое детей, а это серьезный перевес в ее пользу.

Адвокатки рассказывали, что у Тони и Беатриче три года назад вспыхнул роман невероятной силы. Буквально ураган "Оскар". Семья закачалась. Тони хотел уйти из дома, но устоял. Я думаю, не последнюю роль сыграла Катя, которая однажды вложила свою ручку в его руку. И Тони не посмел отбросить эту доверчивую руку.

Моника победила. Беатриче утерлась, что называется, но не перестала любить Тони. Может быть, на что-то надеялась. Напрасно. Ураган "Оскар" улетел в другую галактику.

Я не знаю, чем Тони занимается, но это не имеет никакого значения. Тони знает самый короткий путь к сердцу и знает, как там зацепиться. Войти и остаться.

Я смотрю на двух женщин и думаю: на чьем бы месте я предпочла оказаться? На месте жены или любовницы? Жене досталась его надежность, а любовнице — страсть. Что лучше? Не знаю. Страсть проходит, а надежность — нет. Однако страсть повеселее.

Но вообще-то я не смогла бы вот так спокойно пребывать в присутствии соперницы. Мужем не делятся. А эти две сидят, ведут себя политкорректно, как будто так и надо. Со стороны ничего не заметно.

Они неуловимо похожи: темноволосые, но не черные, тихие, сдержанные, интеллигентные. Видимо, это его сексуальный тип.

Считается, что мир спасет красота. Не согласна. Мир спасет ум и здравый смысл. Моника и Беатриче призвали весь свой ум и здравый смысл. Можно, конечно, вскочить и перебить всю посуду, помчаться в бар, там напиться и переколотить весь бар, бросив бутылку в витрину. И что изменится? Ничего. Только придется заплатить огромный штраф за материальный ущерб. А всё остальное останется как было. Поэтому Моника улыбается, как Пабло на работе, а Беатриче переводит с легким акцентом, как латышка.

Я пью превосходное вино, и райский сад вокруг медленно погружается в сумерки.

Еда.

Не могу миновать эту тему.

Еда — это главное информационное поле. Человек с едой получает информацию Земли и Солнца. Например, помидор. Земляника. Они находятся близко к земле, вдыхают в себя саму землю и напитываются солнцем. И не только помидоры с земляникой. Все овощи и фрукты.

Яблоки — приподняты над землей, но это не меняет дела. Яблоня всё равно пьет корнями соки земли. Всё остальное доделывает солнце.

Еда — одно из главных наслаждений человека, поскольку поддерживает инстинкт самосохранения. Говорят, еда — секс пожилых людей. Грубо, но справедливо.

Итальянцы понимают толк в еде. Французы — тоже. Немцы — попроще. У них главное блюдо — отварное колено и сосиски. Тоже очень вкусно, когда голодный. Непередаваемо прекрасна грузинская кухня, вся в орехах и травах. Однако перейдем к отелю "Дуэ Торри".

Обед начинается со шведского стола. Столов несколько. На одном — дары моря, на другом — все овощи, существующие в природе. На третьем — травы всех цветов и оттенков. На четвертом — фрукты и ягоды. На пятом — сыры. На отдельно стоящем — торты и пирожные.

Я не буду перечислять ассортимент, иначе мой рассказ превратится в меню. Скажу только, что я предпочитаю. Я кладу на свою тарелку: спаржу, цикорий, осьминога, каракатицу, траву рукколу. Больше на тарелку не помещается.

С тарелкой иду к своему столу. Я заметила: у итальянцев на тарелке минимум — веточка петрушки, звездочка морковки. На тарелке моих соотечественников — высокий холм, где навалено одно поверх другого.

Невольно вспоминается анекдот: на приеме возле шведского стола встретились русский и американец. У американца тарелка практически пуста. У русского — гора. Русский доверительно говорит американцу: "Вон там, в углу, — икра". — "Я не хочу", — отвечает американец. "Ты меня не понял, икра…" — "Спасибо, я сыт. Я когда хочу — ем, а когда не хочу — не ем". — "Ну ты прямо как животное", — поражается русский.

Я не как животное. Я ем даже когда не хочу. Как можно отказаться от такой скатерти-самобранки?

Садимся за стол. Открываем красивую карту на русском языке.

Я не буду перечислять, что предлагается. Отмечу то, что меня поразило: конина на гриле.

Я не представляю себе, как можно есть лошадь — такое разумное и красивое создание природы. Это всё равно что есть соседей и друзей. Но я не вегетарианка. Я заказала медальоны из конины.

Конина похожа на мясо косули, которое я пробовала два раза в жизни. Один раз в Париже, другой — в Казахстане. В Казахстане, кстати, я ела и колбасу из конины. Теперь придется объяснять, каково мясо косули... Похоже на говядину, но мясо коровы жесткое и скучное, а у косули мягкое и само устремляется внутрь.

Однажды в меню была предложена тушеная треска. Я заказала из любопытства. Гадость. Это свое впечатление я поведала официанту Денису. Денис из Молдавии. Понимает по-русски.

— Интересно, — сказал Денис. — Все иностранцы в восторге, а все русские плюются.

Наверное, для русских треска — рутина. Ее полно в России. Это довольно дешевая, сухая рыба.

Больше я треску не заказывала, да ее и не предлагали. Возможно, в итальянские воды треска заплывает редко.

Довольно часто в меню стоит рыба сибас. Денис подвозит ее на катящемся столике, на блестящем блюде под овальной крышкой. Крышка сияет, как НЛО. Далее начинается представление, как в цирке. Денис широким жестом сдергивает крышку и принимается колдовать над рыбой. Четким движением отсекает голову и хвост, потом отделяет брюшко. Далее с рыбьего позвонка снимается пластина филе, перемещается на тарелку. Лежит белая, свежая, пахнущая морем, йодом, здоровьем и долголетием. Эту рыбу только утром выловили и утром же привезли. И она еще была в сознании, хоть ничего не соображала. У рыбы мозг маленький, ей необязательно соображать. А может, я ошибаюсь, может, она лежит и думает: "Я хорошо жила, плавала куда хотела, а теперь хорошо умираю. Меня съедят в красивом ресторане под красивую музыку..."

В углу ресторана стоит рояль, на нем кто-то тихо играет. Музыка есть и нет. Хочешь слушать — пожалуйста. Не хочешь — музыка незаметна, не бьет по ушам.

После обеда итальянцы едят сыр.

Я всегда беру рокфор и горгондзолу — это вонючие сыры. Они продаются и в Москве, но в Москве они редко бывают свежими. А когда вонючий, да еще и несвежий — это слишком. Жить будешь, но радости не получишь.

С фруктового стола я, как правило, беру папайю. Говорят, Фидель Кастро посылал ее Брежневу самолетами. Это чудодейственно полезный продукт, не скажу чтобы вкусный. Дыня лучше. Дыня лежит здесь же, всех видов. Ананас уложен золотыми кольцами — спелый, истекающий ароматным соком.

В Москве тоже всё это продается — и папайя, и ананас, и авокадо, и манго. Но в Москве всё неспелое, просто похоже внешне. А когда всё это зреет на южном солнце, наливается спелостью, дозревает до нужной кондиции... можно не продолжать.

Россия — северная страна. Это так. Зато у нас свои преимущества. Например, у нас потрясающие оперные басы, а в Италии их нет. В Италии — преимущественно тенора. У нас теноров меньше. Сказывается недостаток солнца.

На десерт Денис предлагает мороженое с пьяной вишней. Это вишня, вымоченная в коньяке.

Всё! Больше я не рассказываю о еде. Это невозможно читать на голодный желудок.

В ресторане появилась семья из Украины. Муж — шестьдесят лет. Жена — тридцать. Ребенок — пять лет, весьма перекормленный и практически неуправляемый. Он прыгает в бассейн прямо с берега, обрушиваясь на головы, поднимая фонтаны брызг.

Старухи немеют от ужаса. В старости особенно ценят жизнь.

Мальчик весит килограммов пятьдесят и летит с ускорением, как снаряд. Получить такое на голову — и полный паралич обеспечен. Будешь лежать как рыба сибас перед разделкой.

Мальчик в восторге от брызг и от своих впечатлений. Родители тоже в восторге от настроения своего отпрыска. Они победно оглядывают окружающих, как бы приглашая всех порадоваться. Но никто не радуется. Родителям это непонятно. Как можно не восхищаться такой полноценной семьей: папаша — богатый, мальчик — активный, женщина — супер-экстра-класс. Она выходит к ужину в разных нарядах. Например, в платье с глубоким вырезом на спине. Спина обнажена до копчика. Под такое "декольте" нельзя надевать трусы, они будут видны. Значит, мадам — без трусов. Браво. Иногда она появляется в платье с вырезом впереди. Вырез до пупа. Под такой разрез лифчик не надевают. Упругие груди свободно гуляют, будоража воображение.

В термальных водах, как правило, лечат суставы, поэтому основной контингент отдыхающих — от семидесяти до ста. Декольте хохлушки будоражит воображение старичков, и это имеет терапевтическое воздействие, поднимает жизненный тонус. Позиция мужа нейтральна — пусть делает что хочет. Она годится ему в дочки. Он так ее и воспринимает: любовно-снисходительно.

Ее "элеганто" никому не мешает. Мешает другое: она гоняет официанта Дениса по десять раз за ужин. То ей пережарено, то недожарено. Она недовольна соусом: просила белый соус, а ей принесли красный. Просила сливочный, а ей принесли томатный. Она требует вызвать начальство. Приходит Фаусто и выслушивает ее претензии, склонив седую голову. Клиент всегда прав. Он платит за питание и проживание и оставляет в отеле немалые деньги. Можно потерпеть. Но... В России официант — обслуга, на него можно орать, если хочется.

А в Италии официант — это работа. Такая же, как любая другая. Как пианист, например. Или гранде скритторе. Официант работает в полную силу, носится по залу, как фигурист на льду, и орать на него не принято. И даже странно.

Хохлушка этого не знает. Орет. Фаусто слушает, но для себя принимает решение: эту троицу в отель больше не пускать, отправлять в другой отель. Пусть там показывают свой нрав и свои части тела.

У Куприна я читала: "Только шестерки унижают шестерок". Интеллигентный человек никогда не унизится до крика и не унизит другого.

Денис устал от хохлушки. Подошел ко мне подавленный. Принес десерт.

— По-моему, она проститутка, — тихо предполагаю я.

— Фаусто тоже так считает, — кивает головой Денис. — Их больше сюда не пустят.

Я ем десерт и не понимаю: что ей не нравится? Может быть, она видела отели по десять звезд и этот пятизвездочный отель кажется ей бомжатником? Хотя вряд ли. Скорее всего, она видела пыльные кабины дальнобойщиков, а потом срубила богатого дурака... Может, и не дурака. Каждый получил то, что хотел. Он — наследника. Она — статус жены. Флаг им в руки. Но за державу обидно.

Как сказано в одном фильме: "Такие, как ты, позорят нацию".

К адвокаткам приехали очередные гости, муж и жена. Он — неопределенной национальности, для белого — слишком темен, для черного — слишком светлокожий. Она — победительница конкурса красоты в каком-то году. Кажется, лет десять назад.

Они всегда опаздывают к ужину. Адвокатки их ждут и бесятся, поскольку опоздание — разновидность неуважения.

Королева красоты появляется к концу ужина в платье, расшитом драгоценными камнями. Платье тяжелое. Весит килограммов тридцать. Косметика — тщательная. Видимо, на подготовку к выходу у нее уходит несколько часов.

Ее появление не остается незамеченным итальянскими мужчинами. Они вскакивают со своих мест, всплескивают руками и восклицают:

— О-о-о! Перфекто!

Наша королева сдержанно улыбается. А ее мужчина идет сзади, неестественно держа голову.

Адвокатки рассказали по секрету: он упал с лошади головой вперед и сломал себе шею. В Германии ему заменили два позвонка. Он испытывает невыносимые боли. Еще адвокатки сказали, что он неправдоподобно богат. Его кошелек величиной с небоскреб.

Я смотрю на них со своего места. Интересно, а как они занимаются любовью? Через тернии к звездам, через страдания к радости?

Он сломал себе шею из-за денег. Не было бы денег — не было бы и лошади, и никуда бы он не скакал. Вывод прост: богатые тоже плачут. И как...

По вечерам танцы.

Итальянцы танцуют с упоением. И с мастерством. Оказывается, многие берут уроки. Танцы — это полезно, своего рода гимнастика, но не такая скучная.

В больших городах пожилые люди собираются в клубах и танцуют.

Я обратила внимание на старика: благородная лысина, красивая кофта с черепаховыми пуговицами. Он обнимает даму за талию, и они начинают мелко-мелко перебирать ногами, но не оттого, что не умеют танцевать, а наоборот. Высшая степень мастерства. Им бы на сцене выступать. В правительственном концерте.

Рисунок танца выверен — чувствуется, что они танцуют вместе давно, слаженная пара. И чувствуется, что они любят танцевать. И любят, чтобы на них смотрели. Это естественно. Актер ведь не играет сам себе. Ему нужны сцена и зритель.

Фаусто тихо сказал мне, что танцоры — научные работники, семейная пара. У жены рак. Она уже прошла химию и облучение. Они приезжают регулярно два раза в год.

Профессорская пара танцевала каждый танец. Не пропускала ни одного.

Жена седая, моложавая, маленькая. На лице — никакой печали. Нет и фальшивой радости. Просто танцуют. Ей нравится. Муж нежно обнимает ее тонкую спину. Иногда чуть заметно целует ее в голову. Она не реагирует. Привыкла. Люди любят друг друга.

На другой день в бассейне я подошла к профессору и выразила ему свое восхищение. Сказала:

— Вы прекрасно танцуете.

Он бегло глянул на меня и не ответил. Отошел. Наверное, решил, что я к нему пристаю.

Русские тоже танцуют. Обращает на себя внимание некая Анфиса. Она занимается туристическим бизнесом. Предпочитает отель "Дуэ Торри", поскольку здесь самое разумное сочетание цены и предоставляемых услуг. Анфиса — русская красавица, без натяжки. Лицо, фигура — всё кричит: "Люби меня!" Ее и любят, но не ТЕ. Она никак не может найти себе подходящего мужа или хотя бы партнера. То, что вплывает в ее сети, — не годится. Она выкидывает мелочь обратно в море жизни.

В Москве у нее двадцатипятилетний сын и годовалая внучка. Так что "молодая была не молода". Но она действительно хороша и справедливо надеется на личное счастье.

Анфиса танцует, загребая ногами как руками. Полное впечатление, что она загоняет стройного итальянца в свой сачок.

Одевается Анфиса интересно и дорого. Очевидно, что ее туристический бизнес процветает.

Со мной здоровается надменно. Еще бы... Кто я? "Старушка не спеша дорожку перешла". А она — амазонка на сверкающем коне за пять минут до победы.

Сегодня — показ мод. Между колонн ходят манекенщицы, мало похожие на обитателей Земли. Вытянутые — как гуманоиды. И с такими же глазами. Интересно, где рождаются такие человеческие особи? Хотела бы я быть такой?

Однажды я спросила у своей маленькой внучки: "Ты бы хотела, чтобы я стала вдруг молодая и красивая блондинка?" Внучка насупилась, потом сказала: "Нет. Лучше так".

Наука идет вперед, и настанет время, когда можно будет поменять тело, сохранив прежнюю личность.

Кто-то захочет. А кто-то — нет.

После показа мод — танцы. Живая музыка. У микрофона певица — вся в черном и блестящем. Южные народы любят черное.

Танцуют все: Антонио со своей приемной дочкой Катей, Беатриче с Моникой. Танцует украинская троица, ребенок скачет тут же у всех под ногами, сшибая официантов с подносами.

Фаусто пригласил королеву красоты. Они прекрасны.

Анфиса вцепилась в очередную жертву и, похоже, не выпустит. Худосочный итальяшка не сможет противостоять да и не хочет. Он обнимает настоящую славянскую красоту и не верит глазам своим и рукам своим.

Профессорская пара мелко и искусно семенит ногами.

Адвокатки образовали круг, наподобие греческого сиртаки. Пляшут слаженно, синхронно, как будто репетировали. Сонечку затащили в центр круга, и она неожиданно для всех выделывает кренделя под цыганочку. Вот тебе и Сонечка. В ней и начальница, и цыганочка. Но одно другому не мешает.

Меня пригласил кошелек с неподвижной шеей. Я танцую с ним медленно и осторожно, и это устраивает нас обоих.

Белладонна не танцует.

Она сидит за столиком с бокалом шампанского. Над хрустальным краем ее серые глаза. Она видит больше, чем все.

Отдыхающие вертятся под музыку среди колонн. А под их ногами медленно вертится Земля вокруг своей оси. Земля сделает несколько оборотов и стряхнет всех танцующих в неведомую бездну, в другое время и пространство. А на освободившееся место тут же набегут новые и так же будут крутиться под музыку и хотеть любви.

Александр Кабаков

Книга в твердом переплете

Рассказ

П роживание оплачивала принимающая сторона, поскольку конференция происходила в то недолгое время, когда страна наша была симпатична всему цивилизованному миру и даже этим миром любима. Как обычно, в этих чувствах соединялись любопытство, удивление, тщеславие и корысть. Потом, как обычно же, любопытство удовлетворилось, удивление рассеялось в привычку, тщеславие померкло, а корысть достигла желаемых целей. И оказалось, что никто никого не любит за пределами вышеназванных составляющих, которые сделались очевидны... Впрочем, одним они были очевидны всегда, другим стали внятны по мере их проявления, а третьи продолжали упорствовать в идеалистических обольщениях — правда, идеализм этот оказался, как часто бывает с идеализмом, в хорошей цене.

Однако до всего этого было еще далеко, а пока активные творцы новой реальности танцевали карибские танцы в кооперативных ресторанах и ездили по международным конференциям "Карибские танцы как лицо нового русского идеализма" и "Международные конференции как лицо новых русских карибских танцев". И в тех и в других событиях наиболее важное участие принимали специалисты по восстановлению человеческого лица с еще оттепельным стажем, отставные физические академики, поэты, энергичные филологи, журналисты-международники в больших званиях и вообще партработники среднего и высшего звена, а также кандидаты экономических наук и другие дети избранной творческой интеллигенции, которые за отцов отвечали только в дачных ведомственных поселках, занимая там лучшие участки, — ну, не экспроприацию же было снова устраивать...

Затесался в эту компанию и Шорников Юрий Ильич, от рождения беспартийный, да и по пятому пункту того... вроде бы отчасти...

И этого оказалось достаточно, чтобы приехать в небольшую северную страну в составе русской группы участников конференции "Человеческое лицо как лицо нового русского человеческого лица" и поселиться в трехзвездной, как герой-летчик, гостинице мировой сети, проживание в которой оплачивала принимающая сторона.

С утра она оплачивала завтрак в полуподвальном, но крахмально-мельхиоровом зале со столом самообслуживания, названном как раз в честь окружающей страны. За завтраком физический академик здоровался с каждым входящим по-английски "мониг, сэр". Назойливость академического приветствия оправдало только полное незнакомство ученого с английским языком. Юрий Ильич вежливо кланялся, но садился самостоятельно, налегал на яйца пашот, жареные сосиски и бисквиты к кофе.

Позавтракав, интеллектуалы болтались в лобби — которое упрямо именовали вестибюлем. Самые опытные обсуждали местную дороговизну и перспективы субботней поездки на оптовый рынок, пугливые новички напряженно прислушивались и разумно молчали. Потом приходил шикарный автобус с затемненными панорамными стеклами и кондиционированными сквозняками в салоне. Автобус вез всю компанию в университетский городок, где в полупустых аудиториях и происходила битва умов.

Битва эта, как в форме тематических панелей, так и пленарных заседаний, была невыносимо скучна. Синхронист переводил "ускорение" как "увеличение скорости", а докладчики рассказывали русским, среди которых были жители Капотни и других суровых мест, о скором расцвете свободной экономики и еще более свободной культуры. Капотнинские, привыкшие за последние годы спокойно спать и даже писать диссертации под еженощную пистолетно-автоматную стрельбу, верили европейским коллегам на слово. Американцы улыбались, но их улыбкам все знали цену, даже наивные западные европейцы, не говоря уж об изощренных русских, еще заставших выездные райкомовские комиссии старых большевиков. Американцам не верил никто, и все оказались правы.

Потом был быстрый и поразительно невкусный обед, потом уже откровенно сонное продолжение дискуссии, выступление — двадцать минут, ответы на вопросы — пять. Но вопросов, как правило, не было, только один тайваньский китаец приставал ко всем.

В начале шестого автобус возвращался в гостиницу. Одни отправлялись бродить по ближним к отелю улицам, рутинно удивляясь чистоте священных европейских камней, другие просто дремали по номерам в ожидании дружеского ужина (оплачивает принимающая сторона), к которому выносили очередные две бутылки обобществленной для таких случаев водки "Русская демократическая" с винтом.

Время до ужина Юрий Ильич проводил в нравственных муках.

Дело в том, что номер в этой гостинице, как и во многих других по всему миру, был как бы специально устроен для мук русской интеллигенции. И не постоянное наличие горячей воды, и не свежие полотенца каждое утро, и даже не унизительно бесплатный шампунь, всегда не вовремя выпадающий из сумки, подвергали наибольшему испытанию духовную прочность граждан страны побежденного социализма. Нет.

Величайший соблазн заключался в Священном Писании.

Напомним: сегодняшний день от времени действия нашего рассказа отстоит не менее чем на двадцать пять, а то и тридцать лет. Отношения тогдашних начальников с религией и особенно с церковью были осторожными. На праздниках они еще не стояли со свечками в неловких руках и крестное знамение клали с натугой... Крестили многих по домам, особенно взрослых, которые тогда, будто прозрев разом, прямо толпами и крестились; крестные ходы допускались только внутри церковных оград, а в колокола звонить и вовсе запрещалось, чтобы население не беспокоить; крестик, хотя бы медный, купить было негде, и некоторые многосемейные батюшки, склонные к рукоделию, сами и крестики выколачивали, и даже образки нагрудные небольшие чеканили — для приработка, а где металл брали, это особый вопрос... Ну и, само собой, Святую Библию продавали в подсобке единственного такого на весь город книжного магазина по предъявлении ксивы не ниже секретаря райкома или доктора наук типа философских. Можно было еще купить у прохиндея карманную, в пластиковой обложке и на почти папиросной бумаге, изданную по-русски Библейским обществом, — но это, ввиду явной контрабандности товара, отдавало уже идеологией. На границе таможенная дама так и спрашивала одним словом: "Библиюпорнонаркотики везем?" Так что на внутреннем рынке такая Книга стоила четвертной — и еще надо было найти продавца.

Это — с одной стороны.

С другой — Европа и даже Америка были тогда еще почти христианскими. В некоторых школах перед началом занятий читали молитву ко Христу. Детям не запрещалось и крестики носить на груди. Ни в одной европейской столице не было и даже быть не могло никакого мэра, кроме христианина... Вот до чего доходила дикость, пока всех не победила политкорректность, всесильная, потому что верная, — что было сказано по слегка иному поводу.

Словом, как это от веку водилось в европейских гостиницах и даже сейчас кое-где не вывелось, в тумбочке рядом с гостиничной необъяснимо широкой кроватью лежала Библия. Русский перевод! То есть соответственно постояльцу — вот гостеприимство! Не карманного, но вполне удобного формата, помещающаяся в меньшее отделение сумки совершенно незаметно. В едва ли не шелком обтянутом твердом переплете с едва ли не золотым тиснением — Святая Библия.

Спросят — да, везу, подарили коллеги, я, между прочим, историк, кандидат, извините, наук, мне по работе надо иметь.

А не спросят — и будет дома Книга. В твердом переплете.

Но в первый вечер совать Книгу в сумку не стал.

Взял в постель, почитать перед сном.

Просто так.

Нельзя сказать, что раньше не читал.

Но и нельзя сказать, что читал.

Содержание, конечно, знал в общих чертах, но как-то так, из воздуха.

Открыл на середине — и только утром закрыл, когда уже было пора принимать душ к завтраку. В голове шумело, не то от давления, не то от непривычных мыслей. Пересказывать всё, что Юрий Ильич передумал в ту ночь и продолжал думать утром, никакого времени не хватит, скажем только, что получалось "в сухом остатке", как любил говорить вышеупомянутый академик, будто Юрий Ильич Шорников страшный грешник, страшнее не бывает, гореть ему в адском пламени, и пусть еще спасибо скажет, что не придумано для таких, как он, ничего пострашнее ада. Выходило, что все заповеди, сколько их ни есть, он нарушал злостно и постоянно. К примеру, ближних своих не то что не любил, как самого себя, но многих вообще терпеть не мог, да и себя тоже не больно жаловал.

Тут надобно сообщить для полноты картины, что полгода назад покрестился он в православную веру. Прежде ни к какой религии не принадлежал, будучи ребенком партийных родителей, а теперь стало как-то неудобно, вот он и пошел в православные. Всё ж естественнее, чем, например, в кришнаиты, зимой поражавшие публику синими голыми ногами из-под оранжевого облачения, или, не дай Бог, в пятидесятники...

И в качестве начинающего верующего Юрий Ильич переживал прочитанное особенно глубоко. Он стоял под душем, не замечая текущей по его телу воды, не замечая текущего времени, не замечая ничего.

Результатом его размышлений стал вот какой поступок: он вышел из-под душа, вытерся и голый, как праотец наш Адам, пошел к постели, взял оставленную там Книгу и вернул ее в ящик прикроватной тумбочки. А на ни в чем не повинную сумку посмотрел с осуждением и даже отвращением.

День прошел незаметно. Шорников уже совершенно не слушал выступавших, мысленно выдвигая один за другим аргументы против категорического запрета "не укради" — откуда-то он знал, что в этом контексте правильное ударение в глаголе приходится на второй слог… Аргументы в основном напирали на то, что ему Книга нужна для дальнейшего нравственного развития, а здесь, в ящике, она никому не нужна. Стандартные воровские оправдания.

Вечером, вернувшись слегка перевозбужденным после очередного дружеского ужина (оплаченного муниципалитетом, плюс две "Русских демократических" из общественного фонда), он еще в лифте подверг полностью разрушительному логическому анализу все заповеди за исключением запрета убивать. Насчет прелюбодеяния вышло особенно убедительно, потому что иначе пришлось бы расстаться с близкой подругой, а она ни в чем не виновата… Ну и главное — с Книгой решилось: не раскрывая, он переложил ее из тумбочки в сумку.

То есть не сразу в сумку, а взял опять почитать перед сном.

И читал снова до рассвета.

И посреди чтения заплакал, и нельзя сказать, что это просто хмель дружеского ужина выходил — не без этого, но не только.

А на рассвете положил Книгу опять не в сумку, а на место, в ящик тумбочки…

Гостиница у них была заказана на три ночи, до полудня четвертого дня. Так что в одиннадцать, по местному времени, утра этого последнего дня Юрий Ильич Шорников стоял у стойки рецепции с целью расплатиться за дополнительные, не предусмотренные принимающей стороной услуги. Ну, международный телефон, бутылочку-другую из мини-бара... Однако это он просто для порядка подошел к рецепции, потому что по международному он не звонил и тем более из мини-бара ничего не брал. Не до того было: Книгу читал.

И возле рецепции произошло поэтому вот что: молодой человек, похожий на нашего кавказца, а на самом деле наверняка их араб или другой какой-нибудь приезжий — они уже были тогда, но не в таких количествах, как теперь, и мирно работали, вот, например, в рецепции, — этот молодой человек обратился к Шорникову на очень плохом английском, хуже, чем у самого Шорникова, и поэтому совершенно понятном.

— Зе Холи Байбл, — сказал он, — ю мэй тэйк ит фри, тэйк ит фри...

И молодой человек показал на сумку Юрия Ильича, стоявшую на полу в порядочном отдалении.

Вот, собственно, и всё. Такое обслуживание в номерах.

Как-то не верится, что у них уже тогда были в каждой комнате скрытые телекамеры.

Но если не было таких камер, то как же получилось?..

Бесплатная Библия уехала в Россию, тогда еще Советский Союз, куда ей ехать, как гостиничному имуществу, с одной стороны, и религиозной пропаганде — с другой, совершенно не полагалось.

И таможенная дама ни о чем не спросила — вероятно, надоело ей спрашивать одно и то же.

Библия с тех пор лежит у Шорникова под подушкой.

Лежит себе и лежит, есть не просит.

Зато никогда больше он не подвергал и не подвергает сомнению заповедь "не укради".

А с некоторыми другими, надо признаться, есть проблемы.

Федор Павлов-Андреевич

Или всё-таки Р.

Личный опыт

К онечно, это так важно — как начинается любовь, но ведь и очень важно, очень, как всё завершается, как в конце концов накрывается односпальным одеялом. Такое одеяло накрыло меня не так давно, оставшись каким-то зарубком в моей многолюдной памяти. Причем это было в городе, в котором неприлично не то что делать, но даже говорить про л., даже шептать о ней, настолько этот город избит для такого рода штук. Еще в этом городе довольно часто холодно (даже когда тепло), поскольку такие у этого города холодные старые стены, такая в нем везде зашита и спрятана старость — в общем, этот город для л. хорош еще и тем, что там можно всё время ходить обнявшись, согревая друг друга, растапливая заиндевевшие места и части. Ну и потом, под вечер, прямо в одежде уронить другого человека в гостиничную кровать. Да, мы приехали в Венецию зимой, Бродский сказал на эту тему всё, на тему неисцелимости, но мне ничего не остается, придется продолжить.

Венеция — запрещенный для л. город. К нему сами по себе, не сговариваясь, примыкают все влюбленные, это город торчащих палок для селфи, палки торчат даже из-под воды, перед каждой палкой два человеческих лица, они хотели бы оставить след от своей л. в этом городе, как оно всё было на этих узких улицах, как дул пронзительный ветер, как восходило небольшое солнце (откуда там? из-за Лидо?) и как призраки этого города не давали спать головой на груди, а потом и на животе, шебурша по углам старого дома, завидуя. В старом доме гостиница. Гостиница называется *Bauer*. Приезжаешь и сразу замечаешь, что везде и повсюду спрятаны разные экраны, маленькие и большие. На экранах повсеместная блондинка. Чувствуется, что блондинка говорит правду. Блондинка рассказывает про то, что будет, если пойти направо, прямо и налево, — и какие приключения кого там ждут. Экран в лифте. Экран в спальне. Экран в ванной. И только потом ты понимаешь, что блондинка-проводник — владелица "Бауэра".

Мы радуемся и смеемся, что она такая умелая объяснительница и, обнаруживая всякий новый экран (они есть много где, это явно признак какой-то черты характера), встречаем ее как далекую, но нужную для дела родственницу, как тетушку, приехавшую из далеких краев, четверо суток на поезде, слегка громоголосную, но зато какой борщ, и может остаться с детьми, когда нужно.

В конце-то концов мы же и не знали, чем дело кончится, выходя из гостиницы и обратно входя в нее. Мы ходили по Венеции, держась друг за друга, даже и не размышляя, долго ли или коротко ли продлится это держание. Поэтому и экраны, и обволакивающий тебя сразу на входе портье, как всегда в Италии, немолодой синьор с громким низким приятным голосом, высокий и с большой улыбкой, да и чайки, залезающие своими носами, которые у них как ножи, в самые узкие проулки, умеющие напугать своим непредвиденным воплем в три часа ночи, когда, казалось бы, чайкам полагается спать, не говоря уж про венецианских крыс размером с собаку, доедающих историю этого города с хрустом и наслаждением, в общем, всё это, всё это было только к лучшему, нам всё это подходило, и особенно то, что найти нашу комнату в гостинице было совсем-таки не простым занятием.

То есть комната была где-то наверху, совсем высоко, там, куда и чайки-то долетают лишь по особенной какой-то прихоти, так как дела у них водятся по большей части понизу.

В Венеции никакие обычные принципы и никакая земная логика не работают. Потому-то затеи и данности, в другом месте считавшиеся бы странностью или же несправедливостью, тут работают признаком роскоши.

КАК ДО НАС ДОБРАТЬСЯ

Искать нашу комнату нужно было так: сперва заходишь через главный вход "Бауэра" и идешь через все колонны и канделябры. Потом сворачиваешь на нежданную лестницу. По ней три пролета вверх. Затем длинный красивый коридор. Потом лифт — три этажа. Ну и другой коридор, не хуже. Тут уже полтора пролета еще одной лестницы и полэтажный небольшой лифт. А я ведь вообще никогда не помню дорогу домой, даже если живу в этом конкретном доме семь лет. Всегда путаюсь. Поэтому я чувствовал себя частью этой роскоши, этого спрятанного убежища, добираться до которого было так сложно, так интересно и всегда так непредсказуемо. Там был, конечно, покороче путь, не через канделябры, а просто через потайной вход, где два других консьержа, помоложе и не такие обволакивающие, а просто деликатные, сразу вдвоем и очень ловко распахивали одну и ту же тяжелую дверь, и не четыре лестницы, а полторы, и меньше лифтов. Но мы так уже пристрастились к этому приключению — к тому, как добраться в наш самый роскошный в гостинице номер, — что уже и не хотели ходить через потайную дверь.

В общем, конечно, не надо ни от кого скрывать, что "Бауэр" — гостиница с призраками, что уже и было упомянуто. Но тут всё становится значительно серьезнее, поскольку призраки эти хотят участвовать. Они внедряются в ваши ласки, хотят быть между вами двумя каким-то третьим образом, захлопывают шкаф в важный момент, сливают набранную ванну (а эта ванна розовая, что тем более обидно), куда-то девают очень приятно пахнущий крем для тела (я хотел его своровать каждый день, чтоб увезти с собой в память о том, как мы пахли в эти дни и ночи). Но рассказав об этом, я тотчас же должен вспомнить другую важную историю.

ОБСЛУЖИВАНИЕ
В НАШИХ НОМЕРАХ

Я жил в гостинице *Adlon* в Берлине, это такая очень большая и очень нарядная гостиница в довольно пустой части Берлина, где только днем туристы, а ночью ничего, одни фонари, глухие отзвуки Марлен Дитрих, у самых Бранденбургских ворот. Я тогда был журналистом, и мне дали самый большой, наверное, номер, о трех комнатах и двух ванных и даже с камином, горевшим без дров.

Но самой главной ценностью этого президентского номера были шампуни и всякие пены для ванны, кажется, марки *Acqua di Parma,* ну или в таком духе. Обычно ведь какие дают в гостиницах шампуни? Такие неважные, в смысле, незначительного размера, и девать их потом совершенно некуда, разве что подарить каким-то совсем бедным людям. Тут же шампуни и кремы были исполинские. Три таких бутылки можно было положить в подарочный пакет и преподнести какому-нибудь хорошему, но не очень близкому знакомому на день рождения. Поэтому в первый же вечер я ради эксперимента сгреб шампуни, гели, бальзамы и кремы из двух ванных комнат в пакет, а пакет в чемодан, а сам ушел ужинать.

Расчет был такой. Если они сейчас не положат новые шампуни, ну, или положат половину, то на их тихом гостиничном языке будет означать, что эти флаконы полагались на всё время вашей жизни в этом номере, дорогой любитель всего бесплатного, и будьте добры достать добро оттуда, куда вы его спрятали, и мыться заныканным. Ну, а если всё же положат столько, сколько было, то я победил — и подарочный фонд на год вперед обеспечен.

Сбылся второй вариант, и я очень, конечно, обрадовался, и тут же сгреб и эти все ночные шампуни вслед за вечерними.

А дальше я приходил в номер пару раз в день, зная, что хаускипинг не дремлет и является то пополнить мини-бар, то зарядить фруктов с запиской от генерального менеджера, а то и убрать кровать по-вечернему. Всякий раз перед всеми этими церемониями я опорожнял шампунно-гелевые запасы, но они тут же магически восполнялись.

На третий день моей волшебной жизни в "Адлоне" я явился непоздним вечером домой, чтоб успеть до ужина спрятать в чемодан десять очередных недетских флаконов, но уже на пороге мне пришлось остановиться и почти провалиться под пол. Потому что ровно в прихожей, на аккуратном круглом столике, меня ждала огромная, я не преувеличиваю, огромная корзина. Она была вся укутана в шебуршащую прозрачную бумагу. Под бумагой скрывались примерно полсотни этих флаконов. Сверху прилагалась записка: "Драгоценный Федор! Мы надеемся, что вам понравится наш небольшой подарок. Ваш генеральный менеджер Ханс-Петер такой-то".

Мне стало сразу стыдно и приятно. Стыдно — что́ подумал Ханс-Петер, которому, видать, нажаловались на меня невидимые убирашки. Приятно — какое количество подарков я привезу в Москву!

И еще одновременно с этим стыдом и с этой приятностью я вспомнил про одну мою подругу — жену знаменитого и довольно-таки богатого пианиста. Она мне всегда жаловалась: представляешь, Игорек-то (предположим) прилетает с гастролей, вот он отыграл в Карнеги-холле, приезжает домой из аэропорта, а карманы-то у него все топорщатся! Кило каких-то леденцов из бизнес-лаунджа, десять шапочек для душа из гостиницы и даже три пары тапочек из самолета!

Неистребимый вечный прекрасный синдром советского командировочного. Передается по наследству.

Моя мама ездила за границу в советское время с кипятильником и пачкой геркулеса — а на суточные покупала нам подарки.

Ничего ни капли не изменилось.

Но про ласки.

Самые главные ласки — тайные.

СОВЕТЫ НАШЕЙ
КОНСЬЕРЖ-СЛУЖБЫ

Мы приплыли в *Bauer* в 11 вечера. В лодке мы просто смотрели друг другу в глаза. Мы знали, что для еды уже поздно, и готовились к супу из рум-сервиса. Но нет. Консьерж с улыбкой в пол-лица (тот, что постарше, на главных дверях), отправил нас в нежданный-негаданный ресторан (!), в Венеции (!), где кухня до полпервого ночи (!). Ресторан оказался прекрасный, старый. Старым, прекрасным и еще тяжелым на вид было всё: какие-то заиндевевшего мрамора колонны, огромные толстые тарелки, такие же вилки, доставшиеся этому ресторану, что ли, от рыцарей? Ну и тяжелые официанты, тоже большие и старые, добрые, их забота была такая, как будто они нас сразу, не сговариваясь, втроем усыновили (их там оставалось трое, в этой позднотé, трое их и еще только мы среди колонн), а дальше мы играли в игру, которой меня научила Марина Абрамович.

ЗНАМЕНИТОСТИ
У НАС В ГОСТЯХ

Марина познакомилась со Сьюзен Зонтаг, когда Сьюзен уже про себя всё знала, но они сразу так стали обожать друг друга, что быстро договорились пойти ужинать. По идее договориться было им непросто. Потому что Абрамович всегда ложится спать в десять вечера, ведь в шесть утра у нее тренер по боевым искусствам. Зонтаг, пока была жива, никогда не ложилась раньше пяти утра. У Абрамович не дом, а одна пустая огромная комната, никаких вещей: кровать и простой длинный стол, огромные окна. У Зонтаг вереница бесконечных комнат, в некоторых из них занавески закрыты навсегда. Абрамович работает по часам. Приходит помощница, ей диктуются имейлы, приходят кураторы, им рассказывается их будущее, приходит массажист, ему дается спина и ноги, приходит Бьорк, ей даются утешительные слова. Всё по порядку. Всё по минутам. У Зонтаг было как: в каждой комнате по компьютеру. В каждом компьютере по книге. Зонтаг переходила из комнаты в комнату каждые полчаса или каждый час, а то и пять минут. Так она писала пять книг сразу. Но часто ее сбивали, отвлекал свет лампы, говорящая водопроводная труба. Часто она не знала, это два часа дня или два часа ночи на дворе?

Этим двум как было договориться об ужине?

Но вот десять вечера, рань для ужина Зонтаг, невозможное возможно для Абрамович, уже заранее перенесшей своего тренера на десять утра. Они сидят за столом в, что ли, "Бальтазаре" и рассказывают друг другу свои детства. Подходит официант. Обе решают ему одновременно шепнуть на ухо что-то из меню. Через десять минут обеим приносят по яблочному пирогу. Обе в детстве прибегали на кухню, когда яблочный пирог готовился и, пока матери не видели, воровали куски и уносили в домик.

Тут Абрамович обнимает Зонтаг.

Через год Сьюзен умерла от рака, причем ее жена Энни Лейбовиц очень подробно это задокументировала.

РАННИЙ ЧЕК-АУТ
У НАС В ОТЕЛЕ

Мы играем в ту же игру: шепчем доброму семидесятилетнему официанту в разные уши каждый по блюду. Надежда небольшая. Ведь Р. ест всё, что бывает в меню. А я ем всё без ничего, как Андрей Бартенев, который однажды попросил в ресторане: "Пожалуйста, грибную лапшу без лапши и без грибов". Мой случай. Мы не угадываем одно и то же блюдо, но это предсказано судьбой, мы уже знаем, чем всё кончится, мы, наверное, знаем это с той самой лодки, в которой смотрели в глаза, с того самого момента, как глаза стали отражаться, один в другом, все четыре.

Это и происходит примерно к пяти утра следующего дня, когда вместо одной подушки у нас вдруг их становится две, когда мы понимаем, что на самом-то деле наша очень широкая кровать с очень нежными простынями как будто оказывается сдвинутой из двух (а простыни больше не ласкают, а так, служат), когда узкая улица, где может поместиться либо один человек, либо два в одном (этим самым мы были позавчера), больше нас не вмещает.

Утром, пока я собираюсь, Р. приходит с блошиного рынка в промокших кедах, один из них хоть выжимай (Г. — жертва наводнения), я его выставляю сушиться в окно, хотя что тут, в Венеции, может высохнуть за окном, спрашивается, при всеобщей мокроте, но понимаю, что внутри кедовой подошвы вложен супинатор, чтоб быть на два сантиметра повыше. В другой ситуации это бы ничего не значило, подумаешь, многие хотят быть повыше (а некоторые, так и пониже, — например я, когда не помещаюсь в самолете), но так как мы с Р. уже всё понимаем, то я записываю еще один пункт в список по свою сторону кровати, в список несовпадений и непопаданий, и да, я стремлюсь этот список удлинить, чтоб было меньше ощущений, когда наступит конец.

Мне нравится это ужасное слово "ощущения". Его используют врачи-урологи. "А ощущения там есть?" — спрашивают они с чудовищной интонацией добродушия людоеда. То есть я не хочу ощущений, но так не бывает.

КОМПЛИМЕНТ ОТ НАШЕГО ОТЕЛЯ ПРИ ОПЛАТЕ СЧЕТА

Они останутся во всех местах, где внутри меня удалось поселиться Р.

Первое. У меня навсегда мелко закудрявились волосы, как у Р. (это, оказывается, заразно).

Второе. Теперь я знаю, что мне можно не бриться пять дней, и это выглядит хорошо и привлекательно, а на шестой становится некрасиво, считает Р.

Третье. Я могу заснуть в ресторане, положив голову на колени к Р.

Четвертое и главное. Когда Венеции у нас больше не стало и каждый вышел через свой отдельный выход этой торжественной и грандиозной гостиницы "Бауэр", последнего пристанища наших с Р. растаявших надежд, и поехал на свой самолет, то через через час я заглянул в инстаграм Р. и обнаружил, что наших общих фотографий, на которых мы совершенно одинаково кудрявые и на которых мы стали одним человеком, — в общем, этих фотографий там больше нет.

Мне, конечно, немного печально писать об этом, но дело в том, что я уже упаковал — сперва в шуршащую бумагу, потом в пупырчатый целлофан — и уложил всё наше общее важное счастье в тот чемодан, который я обещал себе никогда больше не открывать, но зачем-то залезаю в него каждый вечер, прежде чем лечь спать и накрыться односпальным одеялом, и рассматриваю отдельные куски нашей общей памяти.

Чаще всего мне попадается тот самый крем для тела. Я открываю крышку и нюхаю.

Но поскольку Р. мне больше никогда не снится, то теперь уже я не знаю, кого я помню больше.

Тот запах крема или всё-таки Р.

Жужа Д.

Примите наши искренние извинения

Рассказ

Какой неприятный писк. Что это? Нудный, гадкий. Как звук сверла в стоматологическом кабинете, только на порядок выше. Свистит и свистит микроскопическая дрель, вкручивает свое жало тебе в мозг. В самую его сердцевину. С трудом открываю глаза. Звук ползет из-под ног, стучит мелкой дрожью. Тяну на себя простыню.

Так. Это рация. Который час? Семь! Уже семь. Проспала. Ужас. Второй раз за неделю. Так дело не пойдет. Что со мной? Система дала сбой. Так. Успокойся. Ничего страшного. Всего лишь семь. Если потороплюсь — успею.

Босые ноги липнут к плитке в ванной. Почему здесь такой холод? Так, теперь оксидон. Пора заказать еще. Маленькая розовая таблетка выскальзывает из рук. Черт! Прекрати, наконец, так трястись. Вот она, на коврике. Здесь некуда закатиться. Нужно было растолочь ее вчера — сейчас в спешке делать это крайне неудобно. Не торопись. Помельче. Где обрезок соломинки? Так. Здесь. Не торопись, еще есть несколько минут. Какая милая розовая дорожка. Одной ноздрей, другой. Немного дрожат руки, но это пройдет. Тошнит — это нормально. Так. Зубы. Почистить зубы. Вот щетка и крошечный тюбик пасты. Не торопись. Успеешь, а нет — придумаешь что-нибудь. Быстро в душ. Вода стреляет холодом в ладони, но сразу нагревается. Ненавижу утром холод. Не могу его терпеть. Совсем. Вытираюсь. Крем, где этот чертов крем? Всё в порядке. Не нервничай. Сейчас начнется действие таблетки. Немного трясутся руки, но это пройдет. Тошнит — это нормально. Дезодорант. Проспала. Ужас. Почему не сработал будильник?

Почему он не звонил? Так. Причесаться. Консилер. Убрать круги под глазами. Пудра. Румяна. Есть. Хорошо бы иметь тушь. Так. Значит, нужно заскочить в кладовку. Докраситься придется в офисе. Непорядок. Ну да ладно. Так. Быстрее. Всё свое в сумку. Поправить постель. И чтобы всё на месте. Быстрее. Уже десять минут восьмого. Главное — ничего не забыть. Какое же бледное лицо. Просто как лепнина на потолке. Одевайся быстро, но не торопясь. Завтра нужно сдать костюм в чистку. Так. Цепочку с ключом — под блузу. Вроде всё. Застегнуть сумку. Очки. Так. Зеркало. В очках — почти нормально. Выпиваю залпом трехсотмиллилитровую бутылку воды. Хватаю сумку, подхожу к дверям, снимаю цепочку и выхожу в коридор.

К лифтам лучше не идти — безопаснее спуститься к себе по пожарной лестнице. Так больше шансов никого не встретить. Сильно кружится голова, срочно нужно что-то съесть, но сначала — занести сумку и накрасить глаза.

В кладовке нужно навести порядок. Кто навалил сюда ящиков с рекламными открытками? Так. Где у нас забытое? В столе. Тюбики, коробочки, склянки. Есть и тушь. Отлично! Еще беру карандаш для глаз, на всякий случай.

Новенькая на регистрационной стойке стоит спиной. Раскладывает почту. Сегодня она особенно старается — вчера утром я застала ее спящей на рабочем месте, в то время как напротив стоял клиент и молча ждал, когда она проснется. Высокий брюнет в длинном кашемировом пальто, со свежей стрижкой и холеными руками. Рядом с ним — чемодан из натуральной кожи, а перчатки он аккуратно положил перед собой на стойку. Стоял ровно, опустив руки, и спокойно ждал, не делая ничего, чтобы ее разбудить, чуть улыбаясь. На мои шаги обернулся, рассмотрел меня своими зелеными глазами и прижал к губам палец. Тогда я ушла к себе и оттуда позвонила в регистратуру — она ответила хриплым голосом:

— Доброе утро, чем могу вам помочь?

Я положила трубку, пусть думает, что ошиблись номером, — главное, что она проснулась. Но вечером пришлось с ней поговорить — понимаю, это конец смены, через полчаса домой, но спать на рабочем месте нельзя.

Поэтому сегодня она старается. Проскакиваю в свой кабинет никем не замеченной. Так. К зеркалу. Здесь при дневном свете тушь оказывается темно-синей. Ну, это и неважно. Мигает кнопка автоответчика. Что уже произошло? Кто меня разыскивал? И что с мобильным телефоном? Почему не сработал будильник? Так. Он разрядился. Непростительная оплошность. Хорошо, что рация была со мной. Больше такое повториться не должно. Как же меня тошнит! Нужно выпить еще воды. И быстро пойти поесть. Но сначала проверить, кто меня искал. Видимо, что-то произошло. Так точно. Значит, утро начнется с моей обычной фразы. Ее я повторяю тысячу раз в день. Эта фраза давно стала частью меня. Если меня разбудить среди ночи и попросить что-нибудь сказать, я скажу именно ее: "Примите наши искренние извинения".

Мужчина в мятом пиджаке сидит, вжавшись в самый угол дивана, так что ноги едва достают до пола. Он очень неспокоен — одергивает рукава рубашки волосатыми, трясущимися пальцами. Для начала его нужно расслабить. Я улыбаюсь, но безо всякого вызова — улыбкой матери, поддерживающей своих детей во время испытания или соревнования, улыбкой, которая не означает ни превосходства, ни подобострастия, а скорее дружескую заинтересованность старшего по возрасту человека. Предлагаю рассказать всё с самого начала. Мол, что такое могло случиться с ним здесь, в нашем замечательном отеле, где обычно так безопасно и комфортно. У него дефект речи, его трудно понять. Он сразу начинает разговор на повышенных тонах, всё время сбиваясь на свою высокую должность в компании, что означает только одно: он возглавляет небольшой отдел, состоящий из нескольких человек, и даже эта позиция досталась ему не так легко. Никак не приступая к делу, он выкрикивает недовольства, но язык запутывается у него между зубами. Я терпеливо смотрю на него со всей доброжелательностью, на которую способна в такую рань, но он не успокаивается, под подбородком у него надувается зоб, а под ним вверх и вниз ездит кадык.

— Не волнуйтесь и объясните, пожалуйста, что же у вас произошло.

— У меня плопала сенная вещь, — шепелявит он, звуки съезжаются в один длинный шелест.

— Так.

— У меня уклали субы.

— Что? Извините.

— Субы. Мои субы. Я оставил их... — он вертит головой, но никак не может припомнить, где он их действительно оставил.

— Может, они в ванной?

— Посему в ванной? Нес. Я осавил их гзе-со зесь. Думаю, на сумбоске. Да, сосно, зесь, на пликловасной сумбоске, а сегодня их зесь нес.

На тумбочке действительно ничего не было, кроме телефона и маленькой записной книжки.

— А вы искали где-нибудь еще?

— За, искал. Но их в комнасе нес. Зумаю, они их заблали.

— Извините, кто они?

— Ну, эти... Васы.

— Извините?

— Лабосающие в оселе.

— Я уверена, что просто нужно внимательнее поискать. Если вы разрешите, я сейчас вызову горничную, и она постарается вам помочь.

— Не ухозисе, я хосу, чтобы вы лисьно за всем плослезили.

— Если вас это успокоит, я ей помогу.

Я вызываю самую хорошенькую горничную утренней смены. Когда она наконец приходит, мужчина всё еще ворчит, но уже не так агрессивно, и я жалею, что у персонала недостаточно короткие форменные платья.

— Пожалуйста, постарайтесь найти в комнате зубы этого господина.

Горничная на минуту застывает, оценивая фразу, но, что удивлена, вида не подает. Молодец — нужно это запомнить и обязательно позже похвалить.

Мужчина встает, стягивает с себя пиджак, поворачивается к нам спиной, вешает его на спинку стула, и я, пользуясь моментом, стучу пальцем по своим зубам, а потом делаю движение рукой, будто вынимаю челюсть и кладу в сторону, помогая горничной понять, что происходит. Она кивает мне и принимается за поиски. Чтобы не сидеть без дела, начинаю ей помогать.

— Я всё же проверю в ванной на всякий случай, иногда память нас подводит.

В ванной всё перевернуто вверх дном. Полотенца свалены на полу мокрой кучей. Что, интересно, он здесь делал? И почему они такие мокрые? Проверяю раковину, полочку для мыла, по одному трясу эти тяжелые махровые полотна, с них течет вода, но ничего не выпадает, складываю их в пакет для грязного белья. Тщательно осматриваю пол, столешницу вокруг раковины, там почему-то рассыпан молотый кофе, убираю фен в шкаф, заглядываю во все ящики, лезу в коробку с салфетками. Мусорная корзина, слава тебе господи, пуста. В слив раковины зубы не проскочили бы, там есть сетка. Проверяю на всякий случай и под весами. Пусто. Скорее всего, зубы выпали в унитаз. Выхожу и выключаю за собой свет.

Возвращаемся в комнату — теперь мужчина устраивается в кресле, а горничная, стоя на четвереньках, шарит под кроватью. Ему явно приятно на это смотреть. Если бы не его дикция, я бы подумала, что и зубов никаких не было. Проверяю чашки, блюдца, заглядываю в чайник и в ведро со льдом. Горничная разбирает кровать. На подоконнике за тяжелой двуслойной занавеской тоже ничего нет.

— Скажите, а когда в последний раз вы их видели?

Горничная отворачивается, сдерживая смех. Мужчина смотрит на часы.

— Вчела после узина.

— А где вы ужинали?

— Зесь.

— Вы заказывали еду в номер?

— Ну конесно. Сколее всего, именно согда и уклали. Когда пливолокли ссол, тогда навелное и плихватили их с собой.

— Я уверена, что их никто не украл, и мы непременно их найдем, и пожалуйста, если вас это не затруднит, не могли бы вы проверить ваш чемодан. На всякий случай, мало ли что.

— Бозе мой, — он тяжело поднимается, выжимая из себя стон.

— Я опрошу всех работающих сегодня. Всех, кто входил в вашу комнату, и дам вам знать.

Он только безнадежно машет рукой, и я увожу за собой горничную. За дверью прикладываю палец к губам, чтобы девушка не рассмеялась, и та бежит вниз по лестнице, зажав рукой рот.

На кухне резкий запах моющего средства перебивает аромат корицы. Почему они моют полы утром, а не вечером? Тогда бы эта химия уже выветрилась и было бы куда приятнее. Но это не мое дело: кухня — чужая территория. Навстречу мне, улыбаясь, выходит шеф в белой куртке и чепце. У него нет правого резца — от этого кажется, что он очень болен. Я не люблю, когда что-то не так с зубами. Хорошо, что он никогда не покидает кухни и его не видят постояльцы. За ним выходит менеджер. Останавливается в проеме двери; ресторанная кухня — как внутренности металлического кита: ребра, кишки, сухожилия. Я говорю очень быстро потому, что мне неприятно бывать на кухне. Мне почти всегда неприятно думать о еде. От этого меня еще больше тошнит. И от запахов. Хочется скорее уйти, потому я тороплюсь.

— Кто вчера увозил посуду из сто семнадцатой?

— Новенький.

— Пригласите его, пожалуйста, подняться ко мне.

— Вы уже завтракали?

— Нет.

— Давайте мы вас покормим?

— Нет, спасибо.

Шеф строит гримасу незаслуженной обиды.

— Ну хорошо, хорошо. Просто у нас, как всегда, аврал, но мне будет приятно, если мне занесут кофе в кабинет. Хорошо?

— Может быть, круассанов?

— Нет, спасибо, я скоро спущусь к вам поесть.

— Вы еще похудели.

— Ну, если хотите, занесите и круассанов.

Тороплюсь к себе. Мне нельзя опоздать — иначе я пропущу посыльного.

На бегу набираю горничным:

— Проверьте, кто пылесосил в сто семнадцатом и каким пылесосом, перетряхните фильтр и свяжитесь с вечерней горничной. И еще мне нужна информация, кто и когда выносил оттуда мусор.

Раздается осторожный стук, и в кабинет сначала всовывается голова, потом руки с подносом, а за ними и весь юноша — крутолобый и серьезный.

— У вас всё в порядке?

Видимо, он слышал вскрик. Неправильно. И это не посыльный.

— Да, да, в порядке, — у меня колотится сердце. — Я просто ударилась. Об угол стола.

Он ставит передо мной поднос — на нем кофе и корзинка с круассанами.

— Меня просили к вам зайти по поводу какой-то пропажи.

— Да. Да. Вы вчера доставляли ужин в сто семнадцатый?

— Да.

— А забирали стол с посудой назад?

— Я.

— Вы не заметили ничего необычного среди мусора?

— Нет.

— Не видели ли вы там где-нибудь зубов?

Парень морщит лоб, думает. Наверное, решил, что его проверяют, что это какой-то ребус или тест. Молчит, явно не знает, как ответить. В этот момент в дверь опять стучат. Входит посыльный в мотоциклетном костюме и шлеме. Наконец-то. Останавливается и ждет, когда я закончу дела с юношей из кухни. Просто стоит неподвижно у стены. Так он точно похож на муляж или манекен. Интересно, как он выглядит под всей этой шелухой? Все пять лет это один и тот же человек или разные? Кажется, что один и тот же.

— Дело в том, — я тороплюсь помочь мальчику с кухни. — У нашего клиента из сто семнадцатого номера пропали зубы. То есть зубные протезы. Есть варианты, что он оставил их на столе, на котором ему привозили ужин. Найдите, куда пошел мусор, и если будет такая возможность, переберите его.

Запищала рация.

— Не волнуйтесь, просто будьте внимательны.

Парень меня не слушает, он постоянно косится на мотоциклиста.

— От этого зависит репутация нашего отеля. Вы свободны. И возьмите с собой круассаны, поешьте.

Крутолобый кивает, хватает корзинку и исчезает, словно его здесь и не было. Голоса из рации почти не слышно из-за помех и свиста. Что говорят — непонятно, похоже, с регистрационной стойки.

Как только за крутолобым закрывается дверь, мотоциклист молча снимает с шеи цепочку с ключом и протягивает мне. Я снимаю с себя такой же ключ и отдаю в обмен на его. Потом он передает мне металлическую коробку для школьных завтраков с замком. На крышке, широко расставив ноги и скрестив руки на мускулистой груди, стоит Бэтмен, и его плащ развевается на фоне грозовых туч. Я в свою очередь достаю из сумки похожую коробку с глупой фотографией цветка. Смотрю в полированное стекло шлема, вижу там себя, кусок своего офиса с окном и даже красную розу с коробки. Мотоциклист опускает коробку в наплечную сумку и молча выходит. Я прячу Бэтмена в свою синюю сумку с маленькой эмблемой ВВС США. Я купила ее по интернету — пять лет назад. Тогда, когда мотоциклист приехал ко мне впервые. Это очень удобная сумка, очень легкая, прочная и легко моется.

Иду к регистрационной стойке. Там спокойно. Перезваниваю горничным. Там должны убраться. Говорю дежурной, новенькой девочке.

— Разблокируйте номер триста двенадцатый, пожалуйста, там всё починили.

Она отвечает не сразу, всё крутит в руках тяжелый степлер.

— Всё в порядке? — вижу, что она волнуется.

— Да. То есть нет. То есть всё нормально, я имела в виду.

— Хотите, я вам помогу? — говорю это очень тихо и беру степлер у нее из рук.

Она тут же начинает шептать мне на ухо, ей, видимо, так легче.

— Здесь пришли двое. Попросили показать комнату. Когда я им дала ключи от сто второго. Они сказали, что хотят посмотреть сами. И чтобы им не мешали. Сказали, что хотят использовать нашу гостиницу для своей свадьбы. И им это... Нужно тщательно осмотреть номер. Чтобы рекомендовать гостям. И мы бы, говорят, сами бы здесь устроились на свой медовый месяц. И так еще на меня посмотрели... Мне сразу как-то неудобно сделалось. Нам же постоянно, на всех тренингах, и вы... желание клиента — закон... тем более в нашей гостинице, где останавливаются люди респектабельные, — она проговаривает слово "респектабельные" по частям и всё равно путается.

— Ну, я дала. Мужчина так уверенно спрашивал, — она какое-то время молчит. Кусает верхнюю губу.

— И?

— И с ним была женщина. И они там уже минут, наверное, сорок пять или около того.

— Так.

Тут она краснеет.

— А теперь позвонили из сто третьего и говорят, что за стеной шумят. То есть там стучит об стену кровать. Наверное, мне не следовало давать им ключи. Теперь понятно, для чего.

— Не волнуйтесь, вы сделали всё верно. Иногда такое случается.

— Что? Теперь туда идти? — она всхлипывает, проводит пальцами по носу, видно, как трясутся у нее руки.

— Нет. Просто когда они вернут вам ключи, распорядитесь поменять там бельё, сменить полотенца и помыть посуду.

— А вдруг они не вернут?

— Вернут. И еще… Предупредите горничных посмотреть внимательно везде — не оставили ли они чего после себя. И не волнуйтесь, звоните мне, если вам понадобится помощь.

Пока трубка ноет гудками, она постукивает ручкой по зубам. Я вспомнила, как сложно было приучиться самой этого не делать. В детстве у меня была такая же привычка. Нынче у меня совсем другие привычки. Нужно будет как-нибудь деликатно ей про это сказать. Но не сейчас — сейчас она и так слишком нервничает из-за этого сто второго.

Юбка болтается на талии. Нужно пойти поесть. И сделать это именно сейчас — пока там пусто, не так пахнет едой и не слышно, как множество ножей скрипит по тарелкам.

Официант приносит мне картофельное пюре и зелень.

— Жаль, что вы не едите мяса. Шеф сказал, что сегодня у нас необыкновенная баранина — просто тает во рту... с луковым муссом, маринованными грецкими орехами и перепелиными яйцами.

— Наверное, действительно жаль, что я не ем мяса, — звучит это всё крайне аппетитно. Надеюсь, среди наших клиентов желающих будет предостаточно.

Официант кивает, желает мне приятного аппетита и спешит обратно на кухню. Нужно похвалить шефа за интересное меню, но напомнить, что дорогие блюда кухни совсем не предназначены для работающих в отеле. И никто не должен быть исключением.

Ковыряю картошку. Нужно, нужно, нужно есть. Удивительно, что никто не звонит. Удалось съесть одну треть. Больше не получается.

Возвращаюсь к себе, проверяю списки необходимых закупок на следующую неделю.

Минут через двадцать звонит та самая худышка из регистратуры.

— Извините. С вами хочет поговорить клиент из четыреста второй — мне он отказался рассказать, в чем дело.

— Хорошо, переведите звонок мне.

— Здравствуйте, я вас слушаю, — сама в этот момент проверяю, кто обитает у нас в четыреста втором. Номер зарезервирован на четыре дня, до вечера пятницы, — то есть, скорее всего, бизнес. Резервировала компания. Точно бизнес. Номер — один из наших лучших, значит, позиция человека соответствующая. Красивое имя — Фрэнсис Финли. И голос приятный.

— У меня произошла кража.

Господи, да что это такое сегодня. Опять кража. Надеюсь, что не зубы. И не другие части тела.

— Пожалуйста, не волнуйтесь. Сейчас я к вам поднимусь.

Пока шла — узнала, кто у него убирал. Если бы нелегалы — волновалась бы, могут сбежать навсегда, взять дорогое, но тут всё чисто, горничные обе у нас давно, к ним претензий никогда не было. Стучу в дверь. Вхожу в номер. Гостиная просторная — на стене офорты Пиранези. Лампы с черными абажурами на консолях, гранит черный жемчуг, на нем ваза с фруктами. Один из лучших номеров отеля. Распашные двери открыты в просторную спальню. Там тоже полный порядок.

Мужчина сидит на диване. В строгом костюме, галстуке, ботинки из ателье Джона Лобба. Зелеными глазами смотрит. А… Вот это кто. Тот самый, который вчера не дал мне разбудить новенькую на регистрационной стойке. Какой он красивый. Волнуюсь. Всячески стараюсь не подать вида. Какое всё же правильное у него лицо. Но сегодня он не улыбается. Предлагает мне присесть. Я сажусь через кофейный стол, в кресло, на самый краешек.

— Здравствуйте, меня зовут Фрэнсис Финли. Произошел невероятный инцидент, — он складывает свои руки с длинными пальцами лодочкой и ими, как склеенными, трясет в воздухе.

Я слушаю, стараюсь не отвлекаться на его глаза.

— Прошедшей ночью здесь… — он показывает на стену, на мизинце его перстень с инициалами, наверное, семейная реликвия, — здесь открылась дверь, тихо вошел ваш ночной портье, подошел к моей кровати, взял все мои таблетки и удалился.

Я выдерживаю паузу, надеюсь, что он рассмеется, но мужчина сидит и очень серьезно смотрит мне в глаза.

— Извините. Где открылась дверь?

— Здесь, — он опять показывает на ровную стену без каких-либо признаков дверных проемов вообще.

Я тоже внимательно на нее смотрю. Ну, пожалуйста, сейчас ты должен рассмеяться. И всё закончится хорошо. Ты можешь даже пригласить меня на кофе. И я, пожалуй, пойду, только не будь таким серьезным. И больше не показывай на сплошную стену, где ночью появилась и исчезла дверь.

— Вошел через эту дверь и украл все мои таблетки. Тот самый, который работает у вас по ночам.

У нас по ночам действительно стоит огромный парень. Как только случилось несколько ограблений гостиниц с администраторами-женщинами, по ночам теперь работают только мужчины.

— Вошел через эту дверь и украл, — он опять показывает в стену.

Я внимательно смотрю, куда он указал, потом на него. Тяну время. Надеюсь на розыгрыш. Но он остается совершенно серьезным.

— Примите наши искренние извинения. Я вернусь через три минуты. Хорошо?

— Хорошо.

— Обстоятельства с кражей требуют присутствия двух свидетелей. — Нужно не подавать виду, что я испугалась. И действительно пойти за помощью, чтобы ничего не случилось. — Подождите здесь, и я сейчас же вернусь.

Осторожно поднимаюсь с кресла. Представляю, как он хватает меня, не давая даже дойти до двери, поднимает на руки, уносит в спальню и бросает на кровать. Легко удерживая меня одной рукой, другой он сдирает с себя одежду, в зеленых глазах мука воздержания. Не выдерживая моего взгляда, он впивается губами в мои губы. Так, стоп. Он не двигается с места. Вот она до чего доводит, эта проклятая весна, этот зуд и это противное волнение.

Возвращаюсь с двумя мужиками — с дневным администратором и вторым портье. Зеленоглазый всё еще сидит там, где я его оставила, — по крайней мере, не буйный.

— Я не хочу скандала. Я просто хочу, чтобы мне вернули мои таблетки. Я знаю, у вашей гостиницы хорошая репутация. Пусть он просто мне их вернет — и я готов это дело замять.

Оттого, что опять пищит рация, я говорю очень быстро.

— Прошу вас повторить свидетелям суть дела. А я выясню, где сейчас находится ночной портье.

Выхожу в коридор. Заворачиваю за угол и наконец отвечаю на писк рации. У регистратурной стойки скандал. Там травма. Бегу туда. Но по дороге прошу на регистратуре найти все контактные телефоны зеленоглазого и перезвонить мне. Добегаю до холла, крики слышны оттуда.

Несколько человек ждут заселения — кричит женщина в халате и держится за голову.

Нужно как можно быстрее увести ее отсюда.

— Что случилось? — я подхожу к ней очень близко и сразу же иду в сторону ее комнаты, ей невольно приходится идти со мной, чтобы рассказать о том, что произошло. Делаю знак горничной, чтобы шла за нами.

В комнате женщина, всё еще пальцами перебирая затылок, рыхло падает в кресло, я плотно закрываю дверь в коридор и усаживаюсь перед ней. Горничная вытряхивает из ведерка лед в белую льняную салфетку, ловко ее сворачивает и подает женщине. Та прикладывает это всё ко лбу. Горничная идет за новой порцией льда. Опять та же. Молодец. Абсолютно правильно себя ведет. Нужно запомнить и уговорить шефа поднять ей зарплату. Важно, что она не паникует и не волнуется. Итак, сначала идет наша обычная фраза:

— В первую очередь примите наши искренние извинения.

— Да уж. Устроили здесь, — полные пальцы, шевелясь на салфетке, прижимают лед к голове. — Черт знает что. Просто безобразие.

Возвращается горничная со льдом, тихо сообщает, что вызвала техника в номер кричащей. Он обещал поторопиться и взять с собой всё необходимое для починки душа. Она у нас не так давно, а как профессионально работает. Молодец. Я благодарно киваю ей и поворачиваюсь к пострадавшей.

— Сейчас я позвоню врачу.

— Да ради бога, не нужно мне вашего врача. У меня масса дел, я не могу здесь сидеть и ждать его. Я и так уже потеряла с вами уйму времени. Никуда я не пойду!

— А что, собственно, случилось?

Женщина демонстративно садится на диван, закрывает глаза, изобразив на лице страдание.

— Я уже всё рассказала, — она недовольно отворачивается к окну.

Там ветер гонит по дорожке желтые листья.

— Насадка душа под напором воды отвалилась и задела голову, — горничная произносит это шепотом, на что женщина возмущенно вскакивает, придерживая пятерней компресс.

— Ничего себе "задела" — просто со всей силой шарахнула, — она взмахивает свободной рукой, развязывается пояс халата, и под ним она почему-то оказывается одетой. Она быстро запахивает полы и крепко держит их на животе.

— Тихо, тихо, тихо. Вы уверены, что вам не нужен врач?

— А что мне скажет ваш врач? — пострадавшая шумно дышит носом. — Что он мне скажет? Я уже выезжаю, хватит с меня, — она опять садится на диван и вытягивает вперед полные ноги. — Развели тут полный бардак!

— Пожалуйста, не кричите, — я наливаю воды и протягиваю ей стакан. Она выпивает его залпом. — Мы постараемся сделать всё, что в наших силах.

— Вы сделаете! — она не верит ни одному моему слову. — А может, у меня сотрясение мозга?

— Нужно обязательно вызвать врача.

— Не нужно. У вас, наверное, и врачи такие же. Да и ждать мне не с руки! Мне нужно в аэропорт успеть.

— Не волнуйтесь, мы...

— Как вы понимаете, я не собираюсь оплачивать номер.

Она берет в руки телефон и куда-то звонит.

Приходит техник, я выхожу с ним в коридор.

— Посмотрите, что в этом номере с головкой душа.

К нам присоединяется горничная.

— Она врет, — говорит она совсем тихо. — Она всё врет.

— Я знаю.

— Мы позавчера чистили душевые лейки во всех номерах — здесь и на шестом. Ее открутить нужно суметь. Тут инструмент нужен, — техник почесал в голове. — И силищу.

— Я знаю.

Прибегает молодой человек в нашей униформе, это наш посыльный, он передает мне распечатку из регистратуры — там информация про зеленоглазого. Номера телефонов и адрес. Звоню. Хорошо, что это не телефон компании, — этот номер принадлежит его матери. Объясняю ей, что произошло, она просит не вызывать врачей и полицию, она сама за ним приедет. У нее очень уютный голос. Теплый и доброжелательный. Обещаю ничего никому не говорить.

Раздается крик толстухи, она тоже по телефону грозится кому-то всех здесь засудить.

— Позвоните мистеру Холдену, он на нее управу найдет — вот у нее где проблема, а не с душем, — техник указательным пальцем касается своего лба. — Там, на лейках, такая резьба глубокая — нужно вертеть и вертеть, прежде чем упадет. Да и без инструмента сложно. Всё она врет. Просто платить не хочет.

— Я знаю. Но нам нельзя потерять лицо. Нам нужно, чтобы она ушла. Лучше мы потеряем эти деньги. Она к нам не вернется, а вот постоянных клиентов нам лучше не тревожить. Вон она какая громкая. Нужно ее успокоить.

Сантехник продолжает ворчать:

— Там вон какая резьба длинная. Сама никогда не упадет. Это с инструментом — крутить и крутить, а чтобы она свалилась...

— Может быть, она пыталась настроить направление струи и действительно ее крутила. А та возьми и... — горничная не успевает договорить, как сантехник почти кричит:

— Да как же без инструмента! Я бы не смог. Не то что. Сложно это, — он упрямо мотает головой из стороны в сторону.

— Тихо. Прошу вас! — я слышу, что толстуха больше не говорит по телефону, сидит надувшись, держится пухлыми руками за лацканы халата. Иду к ней.

— Вы, наверное, пытались ее повернуть, — мягко начинаю я.

— Ничего я не пыталась повернуть. Я пыталась помыться.

— Сейчас уже такого не случится. Мы приносим свои извинения.

— Распустились совсем.

— А вы можете отдохнуть и выписаться позже. Я предупрежу дежурную на регистрационной стойке.

— А еще дорогой отель. Развели тут.

— Извините.

Она наконец уходит.

Мы еще какое-то время стоим втроем — я, горничная и сантехник.

— Она даже лед всё время в разных местах держала, — горничная расстроена, и сантехнику, вижу, это всё тоже неприятно. — Она точно врет! Она платить не хочет. Неужели вы не видите?

— На этой работе нет места эмоциям. Они нам стоят репутации, а значит, денег. Вместо эмоций есть инструкция, протокол, порядок действий. И всё. Отрицательные эмоции недопустимы. Иначе — невозможно. Иначе сойдешь с ума или, по меньшей мере, станешь мизантропом. А это не про зарабатывание денег вообще. Вы правда верите, что мы каждого клиента рады видеть? Тем не менее улыбаемся всем. Нам всем главное — хорошо выполнять свою работу. И вы очень правильно себя вели во время случившегося.

— Ненавижу таких.

— Не принимайте это близко к сердцу.

— Стараюсь.

— Вот и хорошо.

— У нас таких пруд пруди, — техник руками очертил невидимый круг. — Чего только не проделывают. Я как вижу, что кто-то выскочил драму разыгрывать в холл, где людей побольше, так сразу знаю, что за клоун передо мной. Некоторые такие концерты закатывают. Профессионалам учиться и учиться.

Его перебила рация. Она дергалась у него на ремне, пока он не приложил ее к уху.

— Пошел... Прикручу этой дуре душ, и на третий. Там человек не может войти в номер, говорит, карточка не срабатывает, и у меня еще номера три со вчерашнего висят. Всем привет.

— А мне белье нужно прачкам отдать — они ждут. Спасибо вам.

— Не за что.

У регистратурной стойки всё еще несколько приезжих. Не хочу отвлекать дежурных — пишу на листе бумаги и кладу так, чтобы они видели.

Проживающую в пятьсот десятом занести в черный список и отменить оплату.

— Звонили из четыреста восьмого. Просили зайти.

— Иду.

В дверях человек высокого роста приглашает войти в его номер. Круглое лицо, на нем, словно надутый, нос в огромных порах и блестит, он постоянно его трет, оттого он уже совсем красный. Можт быть, кокаин — но это не мое дело.

— У меня что-то с унитазом.

Проходим с ним в ванную комнату. Унитаз полон воды. Смотрю на часы. В это время весь обслуживающий персонал занят — это для всех самое напряженное время: часы между тем, как одни клиенты съехали, а другие еще не заселились. Снимаю пиджак, беру в шкафу под раковиной вантуз и начинаю качать. Стоять на каблуках неудобно, вантуз с довольно короткой ручкой. Встаю на колени. Качаю. Туфли идиотски подвернуты. Качаю. Мужчина сидит на краю ванной и ждет. Мог бы и сам это сделать — но он сидит и смотрит. Сил у меня не так много, а он вон какой огромный, но качаю, стараюсь. Наконец пробка пробита. Встаю. Хромаю. Затекла нога. Смываю унитаз несколько раз водой — всё прекрасно протекает. Мою руки — вытираю одноразовой салфеткой.

В кабинете меня ждут отчетные документы вчерашней смены. Смотрю на часы — скоро мне будет звонить мистер Холден: он звонит всегда в одно и то же время. Он владелец этой гостиницы. Я у него работаю вот уже семь лет. Он мною доволен. Он меня проверил за эти годы и теперь наконец может путешествовать — так он мне доверяет. Я веду все его дела. Как говорит он сам: я не его правая рука, я просто — он сам. Странно, что мистер Холден запаздывает. На этот случай я должна написать ему письмо о том, что в отеле всё в порядке. Значит, он позвонит завтра. Пишу. Отправляю.

Опять берусь за документы. Скоро конец рабочего дня. Скоро закончится всё это. И тогда начнется моя настоящая жизнь.

Она приехала тогда, когда уже совсем стемнело. Такая ухоженная женщина лет шестидесяти, не больше. Такие же зеленые глаза. Благодарит за то, что я выполнила свое обещание, не вызвала ни врачей, ни полицию.

— Я его забираю. Он славный, славный мальчик. Он просто другой. Он всегда был другим. Никогда не считала это болезнью. Никогда. Просто ему иногда нужно пить лекарство. И тогда он совсем в порядке. А иначе у него начинаются видения. Но, уверяю вас, это не опасно. Мы приучили его к лекарствам, и если их нет, ему сложно. Но мы рядом, чтобы ему помочь.

Она говорит "мы". Мы — это, наверное, семья. Семья, которая его любит. Семья, которая принимает его таким, какой он есть.

— Фрэнсис очень хорошо образован и очень добр. Не судите его. Он просто по-иному мыслит. Понимаете, совсем по-иному. Поэтому он такой. Его даже взяли работать. Он им очень нужен — поэтому они сказали, что готовы закрывать глаза. Они его пытаются принять таким, какой он есть. Но не все. Я стараюсь не переживать за него. Что плохого в том, что человек иной? Мне непонятно, когда этого не понимают. Это для меня странно. Я знаю, что вряд ли он построит свою семью. Но он удивительный. Правда, удивительный. Мы все по сравнению с ним грубы и ненормальны. Мне иногда кажется, что он родился в очередной раз для того, чтобы мы все выполнили те задачи, поставленные перед нами, которые не выполнили раньше.

Она помолчала, но совсем без грусти.

— Я привезла ему лекарство. Сейчас он уже в порядке.

— Тогда, может быть, он останется до конца резервации?

— Нет, мы поедем домой. Я уже говорила с его компанией, я всё уладила. Я рада, что он сможет побыть дома, — он очень любит наш дом.

Она встает, чтобы уйти. Я провожаю ее до лифта, но дальше не иду. Я не хочу им мешать. Возвращаюсь к себе. Раскладываю по папкам бухгалтерские отчеты. Раздается компьютерная трель. Всё в порядке. Звонит мистер Холден. Рассказываю ему про дела в отеле. Он прерывает меня на середине.

— Ты когда-нибудь была маленькой девочкой? Или ты уже не помнишь?

— Я не помню.

— Напрасно.

Молчу.

— Ну хорошо. Тогда до завтра.

— До завтра.

— Спасибо.

— Пожалуйста.

…Наконец день закончился. Проверяю, какие номера свободны. Блокирую пятьсот тридцать первый. Система просит заполнить поле "причина". Пишу — "нерабочее состояние унитаза". Система гостиницы предусматривает блокировку номеров, чтобы администраторы не могли заселить в неисправный номер клиентов по ошибке, поэтому блокированные номера никогда не появляются как готовые для размещения клиента. Это гарантия, что моя комната будет пустовать до утра, пока не заступит на работу техник. Он получает список номеров с неисправностями, нуждающихся в его осмотре. Каждый вечер я проделываю одно и то же. Ищу свободный номер и блокирую его под предлогом той или иной неисправности. Подозрений это никаких не вызывает, гостиница — большой дом, который постоянно требует мелкого ремонта, и каждый божий день по той или иной причине блокируются номера — одним больше, одним меньше. Если свободных номеров нет, использую комнаты, уже заблокированные по тем или иным причинам, — только проверяю, чтобы там не отключили воду или отопление. Я проделываю это уже пять лет. Пять гребаных лет.

Пятьсот тридцать первый прямо у пожарной лестницы. Беру свою сумку — иду туда. На пороге снимаю туфли. Жаль, что не разрешено носить обувь на плоской подошве. Прохожу в ванную, раздеваюсь. Действительно, еще похудела. Когда вдыхаю, сильно видны ребра. Надо как-то приспособиться и больше съедать. Сложно, но иначе — никак. Вот это ручное полотенце я завтра утром запихаю в унитаз. Не очень глубоко, но чтобы его не было видно. Только бы не забыть. Это будет причиной блокировки номера. Пристраиваю костюм на вешалку, чищу его щеткой. Готовлю всё необходимое на утро. Проверяю замок, закрываю дверь еще и на цепочку. Ставлю будильник телефона на семь утра. Достаю со дна сумки металлическую коробку для завтраков с Бэтменом на крышке, вынимаю из нее жгут. Оттуда же достаю шприц, снимаю с него колпачок, легко давлю на поршень — на самом острие иглы вырастает малюсенький шарик капли, ввожу иглу в вену и толчками выдавливаю содержимое шприца в кровь. Бросаю пустой шприц в коробку, ложусь и закрываю глаза.

…Свет из окна слепит глаза. Опять проспала? Кошмар, это уже не смешно. Через несколько минут здесь может появиться техник. Придется обойтись без душа. Зубы. Главное — почистить зубы. Спокойно, спокойно. Не суетись. Нужно умыться. Хотя бы частями. Всё будет как всегда. Где оксидон? Ложечки должны быть там, где чашки. Розовая таблетка давиться не хочет. Да что же это такое. Так, давай, любимая, давай. Розовая пыль между двух ложек. Только не рассыпь. Обрезок соломинки ползает по ней, как пылесос, — во рту появляется горький привкус. Чуть немеет гортань. Так, отряхни нос. Сейчас всё будет хорошо. Дрожат руки, но это пройдет. Тошнит — так и должно быть. Дезодорант. Волосы. Маскируем круги под глазами. Пудра. Румяна. Где тушь? Здесь, где ей еще быть. Быстрее. Всё свое в сумку. Поправь постель. И чтобы всё на месте. Быстрее. Уже пятнадцать минут восьмого. Главное — ничего не забыть. Опять лицо белое-белое — мечта любой японки. Одевайся быстро, но не торопясь. Так. Вроде всё. Застегнуть сумку. Очки. Так. Зеркало. В очках — почти нормально. Выпиваю залпом трехсотмиллилитровую бутылку воды. Подхожу к дверям, снимаю цепочку. В последний момент вспоминаю про ежедневник. Лежит на подоконнике. Завтра проследить за тем, чтобы не разбрасывать так вещи. Все в сумку, всё в сумку, ничего не оставить в комнате. Ничего. Кружится голова. Лишь бы не упасть. В последний момент цепляюсь за занавеску — несколько петель срываются с крючков, и висит, перекосившись (слава богу, что не упала), гардина. Дверь за мной жужжит и открывается, в комнату входит долговязый парень с ящиком инструментов в руках и в комбинезоне с вышитым на рукаве названием нашего отеля.

— Ой! Извините, я думал, тут никого! — дверь за ним хлопает, и он словно по команде ставит свой ящик на пол.

— Здравствуйте, — всё в порядке, он не удивился. — Заходите, заходите, я вас, собственно, и жду. Кроме унитаза, здесь еще вот занавеску сдернули. Постарайтесь всё сделать как можно быстрее и сразу, как только закончите, дайте знать горничной — у нас сегодня заказ от постоянного клиента именно на эту комнату.

— Хорошо, мэм, — он всё еще стоит, тогда я выкидываю вправо руку. — Начните с унитаза.

Долговязый кивает и, вытянув вперед шею, скрывается в ванной, я беру свою сумку, проверяю, всё ли на месте и не оставила ли я чего. И выхожу в коридор.

Пожарная лестница. Там кто-то разговаривает. Тогда пойду через другой коридор. В офисе холодно. Нужно сказать, чтобы проверили температурный режим. Видимо, похолодало. Как долго я не была на улице.

В кабинете тоже довольно прохладно — поднимаю на термостате температуру. Стучат. Патрульные полицейские.

— Приехали узнать, всё ли в отеле в порядке.

— Всё в порядке. Спасибо.

— Говорят, у вас тут был псих.

— О чем вы?

— Рассказали, что вчера один из постояльцев... — полицейский подбирает слово.

— Да что вы. Нет. Я сама с ним разговаривала. Просто человек переработал. Устал.

— Почему вы не позвонили нам? Не вызвали медиков? А если бы он что-то устроил?

— Не было никакой необходимости. Ему просто нужны были таблетки.

— Он еще здесь?

— Нет, — я вдруг страшно пожалела о том, что его здесь нет. — За ним заехала его мать, — и что нет его матери, с такими же зелеными глазами. — Я же говорю вам: ничего страшного, — интересно, кто им доложил. Может быть, консьерж? Или носильщик? — Спасибо. Не было ничего опасного. Человек просто устал. Так что всё уже в порядке.

— Больше он ничего не выкинул?

— Он вообще ничего не выкидывал. Просто человек не выпил вовремя таблетки.

Они топчутся, но уходить не хотят.

— И что теперь?

— Извините, — опять использую свое "любимое" слово.

— Может быть, еще что-то нужно? А то кто знает, сколько еще психов понаехало.

— Нет, не нужно! Спасибо вам большое. Хотите кофе? Я могу в баре вам сделать.

В баре еще никого нет. Бармен придет во второй половине дня, но у меня есть ключи. Включать огромный аппарат не хочу. Достаю банку со свежемолотым кофе, которая стоит специально для случайных гостей, включаю чайник, достаю чашки и шоколадное печенье. Чайник уже клокочет, выдыхает паром и отключается. Заливаю кофе кипятком. Процеживаю. Включаю негромко музыку, разливаю по чашкам кофе.

Опять рация. Извиняюсь, ухожу.

В общем офисе собралась вся утренняя смена. Все запинаются о ящик, стоящий у стены, — там свалены забытые зарядники от телефонов, их никто не хочет забирать. За десять фунтов получается слишком накладно — они того не стоят, легче купить новые. Уже вот какая коробка накопилась.

— Их бы продать, — говорю я вслух, глядя на коробки зарядников.

— На улицу пойти, что ли?

— Нет, на *eBay*. Хотите, я попробую? — один из администраторов выходит вперед.

— Хочу. Спасибо.

— Спасибо.

Все еще не начали по-настоящему работать — болтают кто о чем.

— Почему почти все оставляют эти несчастные зарядники?

— Почему. Не все. Еще и урны с прахом, и грудных младенцев.

— Да, но почетное первое место всё же держат зарядники. Потом идет всякая одежда, в основном пижамы, белье.

— А эти бесконечные мягкие игрушки — я не понимаю, зачем ездить куда-то с мишкой или зайцем? Или еще с кем. Очень странно.

— Может, кто-то боится спать один?

— Я не знаю.

— Понятно, когда находишь книгу там, или зубную щетку, или сумку, в конце концов.

— А вот я помню, пара молодоженов как-то уехала, оставив в шкафу свадебное платье.

— А помните хомяка прошлым летом? Какой-то, между прочим, вице-президент компании.

— Может, хомяк — это его талисман?

— А коробка с реквизитом фокусника?

— А сегодня — вот, полюбуйтесь!

Беру в руки бумажный пакет. В нем банка. В банке что-то шевелится. Клубок из листьев, прутьев и чего-то еще.

— Ящерица?

— Нет. Это сухопутная саламандра.

— Вы зафиксировали находку в журнале потерянных вещей?

— А может, связаться по контактным телефонам и сообщить им о находке?

— Нет, просто сдайте в комнату хранения. Нет, пожалуй, оставьте здесь — она же живая. И позаботьтесь о ней.

— Может, сразу отослать хозяину и деньги за пересылку с карточки снять? И хранить не нужно?

— Во-первых, большинство номеров в нашем отеле финансируется компаниями, которые не обязаны оплачивать забывчивость своих работников, а потом, всегда нужно учитывать классический случай, когда, к примеру, жена ничего не знает о путешествии мужа.

Смеются. Рабочий день для них еще не начался. Но мне, к сожалению, с ними смеяться не полагается. Мне нужно поддерживать статус. Так меня учил мистер Холден. И именно поэтому мне удается держать здесь дисциплину. Ухожу.

Рация. Спешу к стойке администратора.

Грузный мужчина двумя руками держится за стойку и, почти не используя согласные, доказывает, что он здесь живет. Работающая в первую смену администратор никак не может найти его фамилии среди наших постояльцев. Он топает ногами, настаивая, что именно здесь он остановился, и тот факт, что ему не верят, очень его обижает. Он так настойчиво трясет регистрационную стойку, что, не останови я его сейчас, он бы ее выломал.

— Мы сможем помочь вам быстрее, если вы не будете шуметь, — говорю я для начала.

Мужчина затихает и, часто моргая, смотрит на меня — нового персонажа в его истории.

— Если вы дадите мне вашу кредитную карту, я постараюсь найти вас в системе.

— В системе его нет. Я проверяла, — администратор говорит это тихо, не поднимая на мужчину головы.

— Понятно, — я так же тихо ей отвечаю. К мужчине обращаюсь громче. — Пожалуйста, присаживайтесь, и мы постараемся вам помочь.

Мужчина грузно падает в кресло, я приношу ему воды.

— Позвоните в "Кимберли", "Бентли" и "Дилон", проверьте, не живет ли он там.

— А что, мы обязаны? Может быть, просто полицию?

— Нет, не обязаны, но это ведь не сложно сделать, правда?

— Может быть, он нигде не живет.

— Я уверена, что он просто перепутал отель.

В первом же отеле — "Кимберли" — его находят по фамилии. Он у них постоянный посетитель и никогда их не подводил. Сегодня утром ему сообщили о рождении ребенка. Он сам из ЮАР, но прилетает сюда довольно часто.

Из бара поднимаются полицейские. Я оборачиваюсь к счастливому отцу, но он уже спит, подложив под щеку ладонь.

— Вы не могли бы доставить его в отель? Это совсем недалеко. В "Кимберли". У него сегодня родилась дочь. Он не совсем трезв — но это неважно. Пожалуйста. Только я сама его разбужу.

Я провожаю его до машины — он даже не понимает, что это полиция, по-моему, он думает, что его везут в другой корпус.

— Перезвоните, если что. Спасибо, до свидания.

Возвращаюсь к регистрационной стойке.

— Все сегодняшние выписались?

Администратор достает из стола списки и кладет передо мной.

— Пока не все. Номер двести шестнадцатый — еще нет.

— Позвоните туда.

— Я звонила.

На часах — семнадцать минут первого.

— И что?

— Не отвечает.

— Позвоните еще.

Девушка нагибается и, щурясь, набирает номер.

— Да, нашлись зубы.

— Где?

— Среди грязных скатертей. А новичок вчера часа три перебирал ресторанный мусор.

Спускаюсь в бар — убрать со стола чашки. Приятно, что полицейские составили их в мойку. Убираю чашки в посудомоечную машину, кладу на стол новые салфетки, выравниваю стулья. Часы показывают двенадцать двадцать пять. Проверяю число на бутылке молока в холодильнике. Еще годится.

— У вас есть приличное вино?

По голосу слышно, что недоволен. Сразу понимаю, что это за тип. Развязный и упрямый.

— Смотря что вы считаете приличным.

— Ну, например, *Ornellaia Masseto*. Например, две тысячи четвертого года.

Да. Отличное вино. Винтаж. Особенно девяносто седьмой, девятый. И да... Пожалуй, две тысячи четвертый. Ну хорошо. Про вино он знает. Поворачиваюсь.

— Вы замужем?

— Да.

— Но на вас нет кольца.

— Не ношу.

— Почему?

— Боюсь потерять.

Про "боюсь потерять" все сразу верят. Поэтому я всегда пользуюсь этой легендой. Мне никак нельзя отвлекаться на таких типов. Мне нужно работать. Чтобы заработать на мою ночную настоящую жизнь. Достаю вино, открываю, наливаю ему в бокал, ставлю на стойку. Он сразу делает глоток.

— А я вот развелся.

Они все так говорят — у них у всех получается, что они разводятся перед командировками.

— Просто раз — и всё. Брился как-то в ванной, а она меня спросила: "Ты куда это на ночь глядя?" Спросила не просто так, а как будто ей что-то известно, как будто она знает что-то такое, чего я не знаю. И смотрит так, будто прячет улыбку. Неприятно так смотрит. То ли смеется, то ли нет. Непонятно. То ли веселится, то ли играет. Да вы знаете, как женщины умеют смотреть. Знаете? Вот этого я не выдержал. Этого вопроса не выдержал. Она дамокловым мечом всё время надо мною висела! Просто вот здесь, — он подержал ладонь у себя над головой. — Мне даже изменять ей было сложно. Она словно всегда меня видела, подсматривала откуда-то сверху. Просто куда ни идешь — она тоже здесь. И в этот вечер я не выдержал, — ему явно не терпится выговориться. — Вы могли бы жить, если бы за вами всё время наблюдали? Смогли?

Я пожимаю плечами. Не удивляюсь, не радуюсь, не разочаровываюсь. Я просто продолжаю наводить порядок в баре.

— Вот так я и ушел. Трое детей. Тринадцать лет вместе. Тринадцать.

Я киваю, чтобы закончить это всё. Чтобы дать ему понять, что я всё услышала и больше ничего не нужно объяснять. Сколько я слышала таких историй.

— Женщинам хорошо — никакой ответственности. Они не работают, — он помолчал. — Ну, или работают, как вы. Но это же несерьезно. Ну что вот у вас здесь, в баре, — открыл-налил, открыл-налил — никакой ответственности. Разлил, вытер, помыл, запер, сдал и ушел. Знаю я эти работы.

Он постепенно пьянеет и начинает злиться.

— Вы нас только ограничиваете. Сначала, когда влюбляешься, вы отвлекаете нас от дела. Потом, когда уже не влюблен, вы отвлекаете нас от всей жизни.

Он машет рукой и чуть не опрокидывает вино. Бокал качается, но не падает. Вино в нем перекатывается из стороны в сторону, оставляя на стекле маслянистый след.

— Вы в принципе делаете всё, чтобы превратить мужчину из человека опять в животное.

Он сердито стряхивает что-то с рукава. Поправляет галстук.

— А всё оттого, что вы заставляете нас с самого начала играть в игру, о которой мы ничего не знаем, — ни гребаных правил, ни количества участников, ни даже размера призового фонда. И тогда что? Ни выиграть невозможно, ни выйти из игры. А мы на это ведемся опять оттого же, что в момент начала всей этой галиматьи мы уже не люди. Получается замкнутый круг. А нам на самом деле не нужно на всё это обращать внимание. Нужно сразу объяснить: в эти игры играть не буду и животным становиться — тоже. Даже не рассчитывайте. И вообще, нужно всем прекратить лгать. Говорить ровно то, что имеешь в виду в этот самый момент.

Он неожиданно встает. Подходит ко мне очень близко, одной рукой цепляясь за барную стойку.

— Трахаться будешь?

Хлопок пощечины в пустом зале как звук выстрела. Хорошо, что он держался за стойку, обязательно бы упал. Его щека сначала белеет, а потом так же быстро становится пунцовой. Он кивает, разворачивается и уходит. У самых дверей на стол швыряет деньги.

То, что сейчас случилось, — продолжение полосы моих провалов. Видимо, у меня совсем сдали нервы. Как я могла такое себе позволить? Одно его слово — и всё полетит к чертям собачьим. Теперь может быть что угодно. Иск в суд. Письмо. Заметка в интернете. Что угодно. Мне нужно было просто вызвать охрану. А сейчас — если он захочет, он может с легкостью разрушить всё то, что выстраивалось много лет. Недопустимое поведение! Глубокий вдох — выдох, вдох — выдох, вдох — выдох. Всё будет так, как должно быть. Вдох — выдох, вдох — выдох, вдох — выдох.

Запираю бар, ухожу к себе. На стойке сообщают, что в двести шестнадцатом трубку так никто и не берет. Худая теперь барабанит пальцами по стопке буклетов. Название отеля написано тонкой вязью и плохо читается на сером фоне. Не забыть в следующий заказ заменить шрифт на другой или оставить тот же, но поменять цвет. Делаю пометку у себя в календаре.

— Какая заполняемость сегодня — резерв есть?

— Есть.

— Тогда просто наберите ему еще в течение получаса пару раз и свяжитесь по результату со мной.

Смотрю на часы и заворачиваю в офис. Дверь широко открыта. Значит, кто-то меня там ждет. Так и есть. Знакомое лицо. Это администратор отеля через дорогу. Такое ощущение, что если он сегодня и спал, то совсем мало и в одежде — такой он мятый и с темными кругами под глазами. На мое приветствие отмахивается.

— У нас вчера произошел несчастный случай. А мы только два дня назад уволили юриста.

— Так.

— В нашем бассейне утонул ребенок. Мать отошла на пять минут, оставив мальчика одного, а когда вернулась, было уже поздно. Похоже, что он потерял сознание и упал в воду. Первую помощь ему пытались оказать работники отеля, но, наверное, было слишком поздно — ребенок погиб. Матери в этот момент рядом не оказалось. А детей одних в этом возрасте оставлять в бассейне запрещено. А он был один.

Он вытирает пальцами подбородок.

— Так что, как это всё произошло, будет выяснено в ходе следствия.

Закрывает глаза и пальцами сильно на них давит. На это неприятно смотреть, кажется, что они вот-вот лопнут и потекут.

— Конечно, мы надеемся на данные с камер видеонаблюдения, — он замолкает и мелко дергается.

Наливаю ему воды. Слышно, как о стекло бьются его зубы. Дальше он говорит с всхлипами и паузами:

— У нас ведь даже есть спасательные жилеты. Все требования. По логике вещей — виновата в случившемся мать. Но полицейские и следователи пока весьма осторожны. Они намекнули мне на то, что не уверены, насколько правильно ребенку оказывали первую помощь. То есть они могут всё списать на нас. На отель. Говорили даже о временном закрытии. А моя главная задача — чтобы всё продолжало работать в прежнем режиме. У нас в это время отличная заполняемость. Если я допущу даже временное закрытие — мне придется искать другую работу.

Он вздыхает и ставит стакан на стопку бумаги — неустойчиво и шатко.

— В общем, нам нужен опытный юрист. Мне говорили, у вас именно такой.

Теперь точно. Всё встало на свои места — нужно давать потомство и умирать тут же. Потому что, если потом с этим потомством что-то случается, начинается полный ужас. Настоящий, вселенский ужас.

— А как мать?

— Какая мать?

— Мать ребенка.

— Она в состоянии шока.

— У нас есть успокоительные средства. И хороший врач.

— Спасибо, у нас это всё есть — мы только не вовремя уволили юриста.

— Она всё еще в отеле?

— Да. Она не хочет съезжать. Ей оказывают психологическую помощь. Доктора опасаются, что после потери сына она может покончить с собой. Она говорит, пока не поймет, как это произошло, никуда не поедет. Вызвали родственников. Теперь ждем. Они, я думаю, помогут. Она не верит, что он просто упал. Она хочет знать. А причину его смерти назовут только по результатам вскрытия тела и судмедэкспертизы.

Я переписываю ему координаты нашего юриста. Могла бы просто дать карточку — но ему сейчас хочется участия. Он уходит медленно, чуть сгорбившись. Провожаю его глазами. Там, где начинается шейный отдел в позвоночнике, у него появилась шишка, и в осанке что-то от старика.

Звонят по поводу двести шестнадцатого.

— Всё еще не отвечает? Что с ключом? Проверяли? Сейчас буду, пригласите также плотника с дополнительным ключом.

Возле двери уже возятся. Наконец открывают. Видно, что в коридоре, на полу в беспорядке валяются мужские вещи.

— Никому пока не заходить. Пригласите еще портье.

В коридоре остаются ждать горничная и один из менеджеров.

Вхожу в номер. Дверь в спальню закрыта. На всякий случай стучу. В кровати под одеялом кто-то лежит, на обращение не откликается. Осторожно откидываю одеяло. Мужчина лежит на боку — головой в подушку, перекрещенные руки вытянул перед собой так, что кисти свисают с кровати. Как будто тянет руки вперед, чтобы их связали. Кожа светло-серого цвета. Он мертв. Даже уже не теплый.

Я набираю полицейским. Они не должны были далеко уехать. По два вызова в день — такого у нас еще не было. Запираю дверь. Отсылаю горничную. Оставляю менеджера у дверей. Звоню на склад. Посылаю туда портье. Для таких случаев у нас есть специальная кровать — какую ставят для детей или дополнительных гостей. Она тоже на колесах, неширокая, довольно глубокая, у этой кровати двойное дно. В ней можно из комнаты, не привлекая ненужного внимания, вывезти всё что угодно, не только труп. Конечно, после того как полиция разрешит. А то, что кровать везут двое, мало кто сочтет странным — по крайней мере, еще ни разу никто именно на это внимание не обратил. Кровать выкатывают через запасной выход, где ее уже забирает специальная служба. Так мы не пугаем своих постояльцев. Вот и самим понадобился юрист.

Сегодня я в сто тридцать седьмом. Двигаю стул к стене. Туда, где наверху — решетка кондиционера. Отверткой выворачиваю три шурупа по углам. На четвертом она криво повисает.

Так. Отлично. Для техника это поправить — дело двух минут. И оправданно, почему номер на ночь был заблокирован. Оставляю сообщение техникам о сломанном кондиционере.

Готовлю лед. Достаю из Бэтмена жгут. Можно, конечно, и без этого, но я уже привыкла — я делаю каждый день одно и то же. Всё доведено до автоматизма, и я не собираюсь это менять. Уж очень большой синяк. Конечно, я никогда не хожу в одежде с коротким рукавом, у меня вообще нет никакой одежды, кроме моей униформы. У меня есть три комплекта гостиничных костюмов: блузку я меняю каждый день, а юбку и пиджак — два раза в неделю. Всё чистят и гладят здесь, в отеле. Мне ничего, кроме вещей из голубой сумки ВВС США, не принадлежит. Ничего. Так, теперь быстро лечь. Сейчас я наконец начну жить. Жить по-настоящему. Закрываю глаза.

…Вижу ванну. Она белая, никелированная. В ней сидит голая женщина. Ей неуютно в эмалевом блеске. Ванна, хотя и белая, всё равно темнее луны. Женщина в ванне — это я. Мне мокро и холодно. Вода течет по лицу. Болит коленка и голова. Глубоко вдыхаю, и тут же вода заливается в нос и в рот. Я кашляю и просыпаюсь.

Что это? Я действительно в ванне. На меня льется вода. Ничего не понимаю. Кто-то поднимает, подхватывая под руки, сзади. Вытаскивает на пол и накидывает халат. Так теплее. Подходит та самая милая горничная с полотенцем и закутывает им мокрые волосы. Она берет меня под правую руку, а человек, который был сзади, — под левую. Теперь я вижу, второй — это долговязый техник. Они ведут меня до кровати, какой, интересно, это номер. Укладывают.

— Принеси из ресторана что-нибудь поесть, — у горничной хриплый голос. Раньше я этого не замечала.

Техник уходит.

— В сто тридцать седьмом. В моей сумке есть пузырек. В нем розовые таблетки. Принесите мне их, пожалуйста. Мне сейчас нужно выпить две.

Горничная уходит и скоро возвращается. Подает мне стакан, смотрит тревожно, с недоверием. Хочу спросить, как я оказалась здесь и что случилось, но не решаюсь. Она смущена и напугана. Но чем? Спрошу сейчас, пока мы с ней вдвоем.

— Что произошло?

Она начинает плакать.

— Что случилось?

— Позвонил один из постояльцев. Из бара.

— Когда?

— Наверное, час назад.

— И?

— Он проходил мимо и услышал пение.

— Что?

— Как кто-то поет. И зашел туда. Потому что пели как-то особенно странно.

— И что?

— Там пели вы.

— Я?

— Вы.

— Так.

— Скажите, мне вызвать доктора?

— Нет, не нужно никакого доктора. Я только пела? Или...

— Да, вы просто ходили и пели. И были... Без всего, — она густо краснеет.

— Я была без одежды?

— Да, — она облегченно кивает, ей не стоит больше подбирать слова. — Но мы быстро отвели вас в номер.

— Мистер Холден знает?

— Он знает. Ему позвонил дежурный администратор.

Я киваю.

— Понятно.

Значит, об этом знают все.

— Мистер Холден просил вас позвонить, когда вы придете в себя.

— Спасибо. Я в порядке. Теперь в порядке. Идите, у вас, наверное, много работы.

Но она не уходит.

— Вы хотите еще что-то спросить?

— Могу я вам чем-нибудь помочь?

— Нет. Спасибо. Вы уже помогли.

Она кивает и идет к дверям.

— Извините!

Она оборачивается.

— Это было очень страшно?

— Что?

— Ну, всё это зрелище.

Она сначала молчит.

— Вам нужно чуть поправиться.

— Да. Спасибо. Идите.

Долговязый заносит молока, хлеба и тоже уходит.

От таблеток становится легче. Звоню мистеру Холдену.

— Как ты? — он очень вежлив.

— Извини меня, Ирвин, — я впервые называю его по имени. — Давай обойдемся без формальных вопросов. Могу я тебя попросить об одном? Не держи на меня зла. Я не могу ничего объяснить. Я знаю, что увольнение неизбежно, и просто говорю тебе — спасибо.

— Может, ты просто возьмешь отпуск, отлежишься дома, и мы потом поговорим? Я могу дать тебе недели две.

— Нет.

— Почему?

— У меня нет дома.

— Я почему-то так и подумал. Сколько лет ты живешь в отеле?

— Пять.

— Давай мы пошлем тебя в клинику.

— Зачем?

— Чтобы ты перестала ЭТО делать.

— А я не хочу переставать ЭТО делать.

— Ясно. Есть шанс поговорить об этом еще раз?

— Нет.

— Куда ты пойдешь?

— Не волнуйся за меня.

— Это значит "я не знаю"?

— Это ровно то и значит, что не волнуйся — это не твое дело.

— Ну зачем ты хамишь?

— Иначе ты не отстанешь — я очень хорошо тебя знаю.

— Я тоже думал, что хорошо тебя знаю.

— Ирвин, мы же договорились.

— Зарплату за месяц перевести куда обычно?

— Не нужно. Мне приходилось кое-что выводить из строя, пусть это будет возмещением.

— Для чего? Чтобы блокировать номера?

— Ты всегда был умным.

— Деньги всё равно переведем. И всё же предлагаю тебе дождаться меня. Может быть, мы что-нибудь придумаем.

— Я уже всё в своей жизни придумала и ничего не буду менять. Можно, я возьму один свой костюм?

— Можно. Можешь взять все, сколько их там... твоих — таких худых, думаю, больше не найдется. Когда ты последний раз выходила из отеля?

— Три года назад. Примерно.

— Три года?

— Три года, Ирвин.

После этого я вешаю трубку, потому что я сказала всё, что хотела, а после этого начнутся только вопросы. А мне они ни к чему.

Собираюсь быстро. На станции объясняют, что это часа два на автобусе — недалеко. Чаевых, оставленных наглым типом из бара, как раз хватает на билет в один конец.

В автобусе утыкаюсь виском в холодное стекло. Мимо мажется городской пейзаж. У кого-то звенит очень знакомый телефонный звонок. Эта мелодия была у меня когда-то давно...

Улица в огромных платанах. Сколько же здесь звуков. И еще запахов — море всевозможных запахов. Осень и зима высушили листья и траву, вытянув из них соки, а теперь весна отдает всё это обратно. Вот нужный номер — вбит в камень бронзовой татуировкой. От ворот к крыльцу дорожка, засыпанная галькой. Вокруг нее — кусты полосатой хосты. У дверей горят фонари, подсвечивают деревья в горшках. Я ставлю под ноги сумку, нажимаю на кнопку звонка. Там долго не подходят, но потом мягкий знакомый голос говорит — то ли утвердительно, то ли вопросительно:

— Да?

— Извините. Вам это покажется странным. Мы говорили с вами в гостинице. Там, где останавливался ваш сын Фрэнсис Финли. У меня, наверное, проблемы. Или нет.

Я перевожу дыхание.

— Я разочарована в себе и одновременно довольна собой. Мучаюсь и в то же время понимаю, что удовлетворена своими поступками. Извините, наверное, меня трудно понять. Я — страх и радость, боль и свобода, и всё это сразу, но не вместе. Всё это во мне есть, но всё это не складывается в одно целое. Я знаю только, что я существую. Но я не могу дать никакой оценки своей жизни, так как у меня нет законченного мнения даже о себе. Я не в состоянии судить о своей бесполезности или ценности. Я есть ровно то, что я есть. На самом деле у меня нет определенного убеждения ни в чем. А также у меня нет семьи и дома. Я променяла всё это на свободу — свободу распоряжаться своей жизнью и искажать ее любыми доступными мне средствами.

Я говорю всё очень быстро. Словно боюсь не успеть или передумать.

— И я почти добилась совершенства в этом, но рано или поздно эта система должна была дать сбой, и вот сейчас это случилось. Я не знаю, что мне делать дальше: все, с кем я могла бы поговорить, — их нет. Вы первый человек в моей жизни, который способен жить рядом с человеком совсем иного рода без каких-либо попыток его переделать.

Там все еще молчат. Или давно уже ушли.

— Это, собственно, всё.

Замолкаю. Жду. На том конце ничего не происходит — просто тишина; меня не прогоняют, но и не отвечают. Жду, смотрю на гальку у себя под ногами, потом на дорогу — утро сегодня морозное, от земли поднимаются туманные клочья: небо ночью опустилось на землю, а теперь неохотно встает с насиженного места. Я дергаю сумку за ремень, камни под ней приятно шуршат, хочу позвонить еще раз, но не решаюсь, забрасываю сумку на плечо, чтобы уйти, и тут же в переговорном устройстве что-то щелкает раз, потом еще, ворота вздрагивают, стрекочут, и створки расползаются друг от друга прочь.

Дарья Веледеева

Я, "Ананда"

Личный опыт

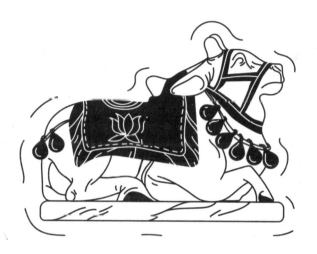

"Сначала поговорили на отвлеченные темы, просто примеряясь друг к другу, как это обычно бывает. Ребекка сказала, что немного робеет в роскошных отелях.

— Но, — возразил Джаспер Гвин, — вы должны понять: мало на свете мест более притягательных, чем холлы гостиниц.

— Все эти люди, снующие туда-сюда, — сказал он. — Их тайны.

Потом пустился в признания, что было ему несвойственно, и сказал, что в следующей жизни ему бы понравилось быть гостиничным холлом.

— Работать в холле, вы хотите сказать?

— Нет-нет: быть холлом, в физическом смысле. Пусть даже в трехзвездочном отеле, это неважно".

Это моя любимая цитата — из "Мистера Гвина" Алессандро Баррико. Я люблю ее повторять, пусть и не слово в слово, потому что именно она озвучивает мои мысли, которые бы никогда не стали словами лучше этих.

Если посчитать, то из своих тридцати пяти лет я точно прожила в гостиницах не меньше десяти.

Всё это вранье про "второй дом" — дом бывает только один, ну ок, действительно максимум два — твой собственный и родительский. Просто есть гостиницы любимые и очень притягательные — если вдруг в них оказываешься, считаешь это большой удачей. Как будто тебе вдруг подарили то, о чем ты только подумывал помечтать. Есть те, в которых живешь так давно и подолгу, что они уже стали родными, — и вот ты уже и рад не замечать всех их морщинок, складочек, вредных привычек.

А есть те, которыми дышишь триста пятьдесят восемь дней в году — потому что сделаешь всё что угодно, лишь бы оказаться там хотя бы на выстраданные семь. Вот такой для меня отель, аюрведический курорт, да что там, вселенная *Ananda in the Himalayas*.

Впервые я отправилась туда, преследуя две цели — радикально похудеть (не смейтесь, когда-то я верила, что именно эта неделя решит все мои проблемы) и всласть настрадаться, не привлекая к себе лишнего внимания. Поясню — я плохо умею показывать эмоции. Точнее, хорошие мне не скрыть, я мастер навязывать их окружающим. А вот плохие я выражать категорически не умею и бережно их распихиваю в себе — злость поглубже, в район желудка, чтобы точно не вырвалась. Нежелание делать что-то — в мимические морщины. А дальше весь этот негатив, скопившись в невозможно вязкий и тянущий вниз комок, превращают меня в чудовище, у которого от апатии до агрессии один шаг.

Слишком много часов в самолетах, нескончаемые ужины с незнакомыми людьми, дедлайны без конца и края, сплетни и интриги (которые ты в дверь, а они в окно). Ежедневные встречи ни о чем и бесконечный конкурс красоты районного масштаба на светских мероприятиях — всё это и без того выматывает. Но случившийся неудачный роман с лучшим другом меня из моей позитивно-протоптанной колеи просто вынес. В моем воображении картинка складывалась идеальная, с обязательными "долго и счастливо". В реальности же оказалось, что лучшие друзья могут стать самыми талантливыми из противников — ведь ты заранее знаешь, где то самое слабое место, в которое можно вцепиться побольнее. В итоге я выскочила из этой схватки с необъятным чувством вины. Сама же за всё в ответе: тут надо было промолчать, там — остаться, а не нестись на работу. Быть лучше, внимательнее, добрее, мудрее — продолжать можно до бесконечности, думаю, упрекать себя каждый из нас умеет в совершенстве. Но главное, чего я не могла себе простить, так это собственной недальновидности — как же можно было так глупо перепутать туризм с эмиграцией и лишить себя возможности позвонить родному человеку когда захочется? Поэтому когда моя спа-соратница Наташа Боброва предложила полететь на неделю в Гималаи, думала я секунд двадцать — и то всё больше не о дурацких прививках, волнующих всех дилетантов в туризме, а об индийской визе.

План казался идеальным — убежать так далеко, чтобы меня не догнали ни звонки, ни роящиеся мысли. Но, сказать по правде, ничего особенного я от этой поездки не ждала — мне просто очень хотелось помолчать и каким-то чудесным образом стряхнуть с себя и стресс, и подкопленный утешительный жир. Надо сказать, стресса по пути меньше не стало — на паспортном контроле в Дели выяснилось, что Наталья, подруга дней моих здоровых, перепутала паспорт, взяв не тот, который полагался к индийской визе, и вскоре была самодепортирована в Непал — ближайшее к Индии безвизовое пространство. Покараулив ее по ту сторону границы, мы с коллегой Анной, бессовестно прекрасной йогиней, составившей мне компанию в этой авантюре, всё-таки смирились с тем, что Наташа присоединится к нам позднее — когда наступит рабочий день и ей удастся получить новую визу.

Короткий перелет Дели — Дехрадун, и вот Гималаи встречают нас двоих, почти бездыханных после ночи в дороге и многих недель без выходных. К счастью, хоть и горная, но дорога оказалась недолгой — на последний автомобильный рывок ушел час с небольшим.

Хотелось бы обойтись без банальностей, но как это сделать, если "Ананда" выглядит именно так, как ты себе и представляешь дворец махараджи у подножия Гималаев? Правда, в нем мы только быстро зарегистрировались и были отправлены по месту проживания — в комнаты, далекие от наших представлений об индийской роскоши, но по-домашнему теплые.

А дальше началась программа нашего аюрведического праздника длиной в семь дней, в моем случае по программе детокс. Первым делом — на диагностику к доктору, который по глазам, пульсу и языку может рассказать всю твою жизнь. И рассказывает же! Уверена, если бы я и ходила по гадалкам, то такой проницательности не встретила бы всё равно. Пару десятков наводящих вопросов про сон, режим дня, питание и особенности нервной системы — и вот диагноз ясен, точнее, моя конституция — или доша в аюрведе. Оказалось, я типичная вата-питта, с явным перекосом в сторону воздуха (видимо, сотни полетных часов всё-таки не прошли даром). Крепко стоять на земле мне становится всё сложнее, а оттого и быстрая утомляемость, сложности с концентрацией и беспокойный сон. Специальные процедуры, медитация, дыхательные упражнения, йога и аюрведическая же диета — то, что доктор прописал в моем нестабильном состоянии. "А худеть как же?" — жалобно причитала я, несмотря на обрисованные врачом перспективы посерьезнее. Доктор снисходительно решил со мной не связываться и дал мне направление на три разгрузочных дня в обнимку с горячей водой, у которой был вкус овощей. Гордая собой и открывающимися блестящими перспективами по части избавления от лишнего веса, я отправилась на свои первые процедуры.

И тут же сделала первое открытие — в "Ананде" нет ничего бытового: даже, казалось бы, прозаический массаж предваряется молитвой, которую над тобой читают девушки-мастерицы. Да, и то, что массаж в четыре руки будет прозаическим, мне и правда показалось. Это, без преувеличений, лучшее, что со мной когда-либо случалось в спа, — абсолютно медитативное состояние с глубокой проработкой всех мышц и суставов. Масло льется как песня, а ты бы и рад сосредоточиться на бюджетных сложностях журнала или постлюбовных страданиях, но просто не можешь — мысли ускользают всё дальше и дальше, следуя за движением рук этих хрупких индийских синхронисток.

Ненавижу отдыхать по команде "бегом". Сразу вспоминаются "Утомленные солнцем": "по горну вставать, по свистку купаться. — Да-да, и в гробу под музыку лежать". В "Ананде" тебя уважают как человека взрослого и местами разумного, и даже не ставят под сомнение, что у тебя может быть еще какая-то жизнь за пределами Гималаев, поэтому телефоны тут не отбирают, всюду прекрасный *Wi-Fi*, работай хоть в комнате, хоть у бассейна. Можно даже выпросить и алкоголь, другой вопрос — зачем, если стресс ты уже в первые дни учишься снимать иначе.

Единственное, с чем здесь строго, — это с животным белком, но здесь его никому и не хочется. Я была в разных похуденческих институциях, и побег в город за картошкой фри у затерроризированных диетой страдальцев — нормальное дело. Но только не в "Ананде", где влиться в ряды вегетарианцев становится проще простого — бургер тут мистическим образом даже и в голову прийти не может. Понятное дело, с "Мишленом" я дружна давно и близко, а вот с индийской кухней знакома была поверхностно. И уже за первым завтраком вдруг обнаружила, насколько взрывным и объемным бывает вкус, — а ведь речь всего лишь об овощах и бобовых! Да, и тут никто и не думает отговаривать вас от десерта — тем более моей натерпевшейся дошеньке было рекомендовано всё теплое и сладкое. Надо ли пояснять, что воду со вкусом овощей я решила попить как-нибудь в другой раз.

Кстати, о напитках. Моим любимым утренним ритуалом, привезенным из Гималаев, стал имбирный чай с каплей меда. Бодрит лучше кофе, только в тысячу раз вкуснее, и в миллион раз полезнее. Поэтому и *wake-up call* тут даже в шесть утра гораздо гуманнее, чем где бы то ни было, — в дверь стучит официант с обязательным подносом чая. Знаю, время подъема, особенно для отпуска, шокирующее, и никогда бы не подумала, что вставать с первыми павлинами (а именно они приходили ко мне на террасу по утрам) я буду по доброй воле. Но позже в *Ananda* просыпаются только люди очень больные или совсем дураки — а как иначе назвать человека, кто, будучи в добром здравии и пусть с остатками, но разума, откажется от перспективы трекинга в Гималаях, да еще на восходе солнца?

Вот тут будет лирическое отступление — такой дурой в первые дни была и я: то мне хотелось выспаться, то я не верила, что дойду до конца, то кроссовки были не те. А потом спортивно подкованные подружки вдруг заперли меня в центре строя, и мне уже некуда было деться — на пятки в буквальном смысле наступали другие страждущие просветления на вершине горы. Честно, я до сих пор не понимаю, как в первый раз смогла дойти до конца. И уж тем более не понимаю, как могла повторять этот трюк на протяжении всех оставшихся дней. Когда тебе кажется, что вот оно, счастье, и четырнадцатикилометровая дорога наконец закончилась, не верь глазам своим: впереди еще ждет несколько сотен ступенек в храм Кунджапури, прославляющий богиню Шакти и бога Шиву. Приз финалистам трехчасового восхождения — красная веревочка на запястье и горстка сладкого воздушного риса. И посвящение для начинающих, главный же аттракцион ждал на церемонии Ганга аарти. Быть в Гималаях и не поехать в Ришикеш непростительно. Столица йоги, любимый ашрам "Битлз", который пару лет назад официально открыли для туристов, настоящая, не причесанная пятизвездочным сервисом Индия. Отправиться туда стоит хотя бы для того, чтобы, пересекая на лодке Ганг, пощекотать себе нервы, глядя на драматический дым от погребальных костров в Варанаси, — он поднимается так высоко, что не заметить его невозможно даже с другой стороны реки. Но нашей целью, к счастью, был костер другой — ритуал Ганга аарти на закате солнца у берегов священной реки. Сотни людей, распевающих бхаджаны, размахивают круговыми движениями лампадами из камфоры — и в этом уже таится двойной смысл. Огонь символизирует духовное знание и играет роль земного воплощения правды, но и камфора как топливо выбрана не случайно — в процессе горения она растворяется без остатка. Ритуалом Ганга аарти руководит местный духовный лидер, он же и очень кстати поясняет всё происходящее для англоговорящих гостей.

В какой-то момент мне вдруг показалось, что он обращается ровно ко мне: "Бросьте в огонь свои страхи, обиды, жадность и злость". Я бросила. И мне наконец полегчало — я даже простила и себе, и жизни расхождение с моим идеальным сценарием. Да, и будете смеяться, смирилась и с тем, что даже лишние пять килограмм не сыграют решающей роли в моей судьбе.

К концу недели в Гималаях я начала легко вычислять новеньких в нашем аюрведическом раю — типичные невротики, они покрикивают на официантов и персонал отеля, возмущаясь, что всё происходит слишком медленно. И только спустя пару дней они поймут, что идеально отлаженный механизм курорта работает с точностью до минуты — просто без суетливых движений, истерических перебежек и прочих изображений сверхзанятости, к которым мы привыкли в городе. Тогда же я подумала, что в следующей жизни я, в отличие от Джаспера Гвина холлом бы не ограничивалась, я готова быть гостиницей целиком — и лучше бы это была *Ananda in the Himalayas*.

Елена Рыкова

Обслуживание в номерах

Рассказ

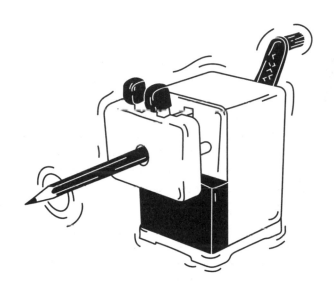

В четверг пришло уведомление. Светло-голубая бумага, фирменная желтая полоска поперек.

"Уважаемая Лилия Федоровна! Настоящим сообщаем, что во вторник, 25 марта 2452 года, Вы нарушили правило №3002 Всеобщего порядка. Напоминаем, что, согласно вышеуказанному правилу, ездить в общественном транспорте с прической "конский хвост" категорически запрещено. Тем не менее именно Ваш конский хвост загораживал камеру скрытого наблюдения в монолейбусе №624 в течение двадцати минут. В связи с тем, что правило №3002 входит в Свод административных нарушений и регулируется сетью Карательных гостиниц, в качестве наказания Вам надлежит провести два месяца в отеле "Рангастус" (№178-ИГ в реестре). Согласно заключению психолога, Вы обладаете легкой формой социофобии из-за врожденных отклонений аутичного спектра. Исходя из этого, наказание будет состоять в принудительном общении на постоянной основе. Ваш персональный палач Инна будет ждать у входа в административное здание отеля 2 апреля в девять утра.

С уважением и всего наилучшего,
Администрация Совета всеобщего порядка"

День был солнечным. Лиля мяла бумажку в руке и шла перекусить. Когда она открывала дверь в кафе, асфальт уже был в крапинку. Начался испуганный ливень. Менеджеры из бизнес-центра "Новомещанский", отобедав ланчем комплектации "стандартная", расселись по столикам, как по партам, — перед прозрачной стеной, по которой показывали дождь, как перед доской. И послушно ждали звонка. Совет всеобщего порядка уже наверняка прислал уведомление в отдел кадров, и Лиля думала, что положит в чемодан.

В общем и целом ей везло — наказание назначали всего третий раз. Первый раз следовало заниматься в спортзале каждый день в течение месяца. Унижаться групповыми занятиями. Это было терпимо. Во второй раз на два месяца ее лишили книг. Это было тяжелее. Раньше нарушителей отслеживали не так эффективно, но с тех пор, как Международная комиссия приняла закон о скрытых видеорегистраторах прошлой осенью, с этим стало строже. И ведь она действительно один раз случайно хлестнула хвостом по уху того господина в метро, в кепке и с носом, похожим на дерево с широким стволом. Она боялась, что он подаст жалобу, извинялась и плакала, но тот, видимо, смолчал.

Пятнадцать лет Лиля жила одна в белой "двушке", ставшей ей второй кожей. Двадцать первый этаж, Третий центральный административный округ. Однажды решилась купить кота, их тогда выдавали на работе по квоте Министерства селекции. Лиля назвала его Роберт. Он прожил два года и умер за четыре часа от незарегистрированного вируса. Второй раз заводить животное она не стала — слишком много бумаг и волокиты.

Лиля вошла в квартиру, повернула ручку подачи электричества. Включила на подзарядку шкафы с электронной библиотекой: они засветились светло-зеленым светом, который она так любила. Книги достались ей от родителей, которые, согласно правилу №398, по достижении шестидесятипятилетнего возраста переехали в резорт для престарелых "Благолепие" сети пенсионных гостиниц. А родителям — от бабушки отца, она была дальним и непрямым потомком великого писателя. Собиралась медленно и вдумчиво: вспоминала сухие и всегда холодные мамины руки, мужчину, которого любила (счастливо женат и правилопослушен), трогала занавески и кухонную столешницу из искусственного камня. Спала плохо: волновалась.

Она вышла из дома в шесть утра. Неявка каралась Уголовным сводом. В фарах такси резал дождь. В электричке не работала бегущая 3D-строка. Машинист по ошибке нажимал на две кнопки сразу и кричал на весь поезд: "Стартую?", "Трогаться?", "Что делать?", "Давай по межкабу!". "Значит, электричками всё еще управляют живые люди, — подумала Лиля, — удивительно. Наверное, какая-то программа Министерства занятости по борьбе с безработицей". Она села вначале у прохода, потом пробралась к окну. Небоскребы спотыкались о раму. Затем запрыгали столбы. Один был сломан пополам. Лиля заснула.

Невысокая, широкоплечая, в пышной юбке а-ля рюс, Инна ждала у входа в административный корпус: на табличке Лилина фотография из *Facebook 120S pro*.

— О, это вы? — удивилась она. — И как я должна была вас узнать? У вас такая удачная фотография в профайле! Вы там такая красавица... Нельзя, знаете ли, людей в заблуждение-то вводить.

Голос у Инны был низкий, почти мужской. Фраза опалила Лилю, как внезапно пыхнувшее на лицо пламя, она беспомощно подумала: "обычная фотография, даже без косметики и фотошопа", но решила промолчать.

— Вы по новому правилу, всего три месяца назад введено, поэтому будете на этаже общих нарушений. — Инна прикусила ее за локоть жилистыми пальцами. — Тут направо и после розария прямо. Не обращайте внимания, не наступайте, обходите — еще с утра не успели убрать. Одна особа из абортарного выкинулась сегодня с шестнадцатого.

Шеи у Инны почти не было: закрученный на затылке пучок сползал сразу по спине, когда она задирала голову, чтобы говорить с Лилей.

— А что там?

Инна забеспокоилась, так ей понравился вопрос.

— Вы же знаете, детей позволено иметь только менеджерам выше категории "З", при этом аборты у них запрещены.

Лиля знала. В марте ей исполнилось тридцать пять. "И"-категория. Призрачный шанс получить "З" маячил года через два. Иногда, по вечерам, она лежала на кровати с котом на животе и думала, что разрешение иметь ребенка могло стать той единственной причиной, по которой она смогла бы пустить в свою "двушку" мужчину. Существовали еще Банки спермы и институт полигамных браков, но эти варианты ей не нравились.

— И это последнее нарушение, которое идет перед уголовным, поэтому наказание особой длительности — полгода. Тем женщинам, кто забеременел ниже "З", дают родить, но ребенка забирают. И вверяют какой-нибудь бедняжке выше "З", сдавшей аборт. Она должна ухаживать за ним, а через полгода, сердцем прикипев, отдать обратно матери. Но вы же знаете, какие ограничения по правилам у низкородных. Это клеймо! Хотя некоторых, по-моему, это не смущает: рожают же. В метро их целые орды! Я своих, пока детьми были, там не возила: боялась, что подхватят что-нибудь незарегистрированное, — Инна улыбнулась. — Правда, придумано восхитительно? Для нас — очень легкий корпус. Если палача переводят в абортарный, считай, премии обеспечены.

— А за что вам дают премии?

Инна ждала этого вопроса и отвечала с неменьшим удовольствием:

— За доведение до самоубийства, разумеется.

Номер 613 был похож на пенал. Слева вдоль стены — заправленная нетканым покрывалом кровать. Справа — стол. Отъезжающая в стену дверь раскрывала вид на душ в виде футляра для очков и несколько полок. Инна обыскала Лилин чемодан, забрала книги, айфон, клатч с лекарствами, электронные сигареты и таблетки сна. "Первую неделю без допинга, потом верну", — посмеялась она над своей шуткой.

— Кровать с автоматической функцией обновления белья, — объяснила она, показывая на круглую ручку, — утром задаешь режим стирки, вечером спишь на чистом. Понятно?

В качестве исключения первого дня Инна оставила ее одну перед завтраком, "обустроиться и почувствовать себя как дома".

Лиля подошла к окну. Дождь давно закончился. В пятнах света на жалюзи блестела сыпь от капель на стекле. На стене — отражение прорезей в жалюзи — желтые цыганские серьги висюльками. Человек в ярко-оранжевом комбинезоне прятал черную землю под зеленой травой — раскатывал ее из валиков. Искусственные деревья регулярно прыскали кислородом из серебристых распылителей в открытую форточку: Лиля слышала дисциплинированное "пфф!". Вкопанным в землю бильярдным шаром торчал посередине розарий. Головная боль засверливала с затылка. Лиля прижалась лбом к окну и посмотрела вниз. Возле дорожки (кровавую лужу уже засыпали) на скамейке сидел старик. Он тоже смотрел, как садовник разворачивает рулонную траву.

В столовой (стеклянная стена с таким же ракурсом в сад, только шестью этажами ниже) Инна рассказывала ей про постояльцев.

— Усатый, высокий, как палочник, — дизайнер. Сушил волосы публично. Наклонился, чтобы почистить ботинки, — на улице. А когда нефтескважина умных идей у него в голове иссякла, ему и выслали голубой конвертик. Видишь рядом с ним двух теток в кофтах с принтом из пятен поверх зайцев и оленей? Его наказание — леопардовый этаж. В номере — всё красное с черным, а покрывало — светло-зеленое в розовую розочку.

— А вот тот, что в стену бурчит, — твой антипод. У него внешний источник мыслей: едем лесом — лес поем, едем полем — так орем. Точил карандаши с обратного конца в офисе на шестьдесят второй, представляешь? Два месяца без собеседника! Как бы не тронулся умом.

— Длинная в черном — редактор. Гуру интернета. Чувство слова как музыкальный слух. Привела своего сыночка пятилетнего в зону отдыха для взрослых. Он испугался чего-то, визжал. Ох, я бы крысиного яду таким подсыпала! Люди приходят отдохнуть, побыть в тишине, а им — детские крики, ор, смех. Есть же специальные детто — гуляй там не нагуляйся. Я со своими только туда ходила, и ничего, выжили как-то! Может, помните, в сети была целая волна в ее поддержку? Там еще какие-то обмылки из правозащитников покряхтывали, вошью меня обозвали. Скарлетт О'Хара мой ник. Не слышали? И почему люди такие злые? Короче, ей дали полторы тысячи страниц графомании. Текст нужно отредактировать за три недели. Да, и полный запрет на курение и углеводы.

Говоря, Инна гребла по столу лопаточкой правой руки: короткие пальцы были одинаковой длины. Лиля пила кофе и наблюдала за ней: подбородок — тремя неровными линиями, под ними — сдутым шариком кожа. Возраст — не больше сорока пяти. Рот тонкой скобой прибивал презрительное выражение к лицу: даже когда Инна смеялась, уголки губ смотрели вниз, будто порвались веревочки, которые должны были тянуть их наверх. Пористый нос припудрен. Прическа и маникюр — аккуратны. Пискнул айфон.

— Извините, — перебила Инна сама себя и провела пальцем по экрану: — Алё? Привет! Что делаешь? Гуляешь? Ты что, холостая, что ли, гулять? А, вдвоем гуляете. Понятно. Ладно, я не могу сейчас говорить, на работе, да, да. Нет. Потом поговорим. Давай.

Она спрятала телефон в складках юбки:

— Дочка. Старшая. Я же давно палачом артачу, а нам сразу "Д"-категорию дают. Ради этого и пошла. Двадцать лет уже дылде. Как родилась, так с первого дня права и качает. Звонит мне, кричит в трубку: "Я взрослый, самостоятельный человек!

Я замужем!" А я ей: "Ага, взрослой ты станешь, когда у меня карточка сбербанковская в телефоне пикать перестанет, что ты оттуда деньги снимаешь!"

День прошел под скрежет болтовни. Заснуть без таблеток сна не получалось. Кровать натирала. Манил холод стекла. Лиля встала и прижалась лбом к окну. Старик сидел на скамейке. Она накинула пальто, спустилась и села рядом.

— Луна, — тихо сказал старик. — Это ее свет.

Глаз у него не было. Слеп. "И красив", — подумала Лиля. Ей захотелось к нему прикоснуться. Старик вытянул руку и потрогал ее лицо. Его пальцы мягко спустились от волос к подбородку, прощупывая рельеф.

— Ты красивая, — констатировал он, — редкая вещь. Из 613-го? Интересный номер. Удачи.

Из-за черных клякс на небе действительно вылезла луна.

Лиля решила опробовать кровать. Выставила режим, нажала старт. Простыня, подушка и одеяло неслышно всосались в пылесос, открывший пасть слева, в стене. Одновременно с этим снизу справа вылезло и натянулось новое белье. Внутри кровати забулькало и закрутилось. Входная дверь незаманчиво распахнулась.

— Обслуживание в номерах! — чуть громче приятного сказала Инна и посмеялась над своей шуткой.

После завтрака они прогуливались по расстеленной траве. Табличка оповещала, что по ней можно ходить до 16:45. Солнце, весеннее и наглое, прибивало к земле. Оно было уже теплым. Ветер — ледяным. "Моя кожа, как старая вафля, скоро потрескается и осыпется с рук", — думала Лиля, представляя себе, как выдавливает белый червячок отнятого увлажняющего крема на тыльную сторону ладони. Инна говорила. Голова болела.

— Второе-то у меня кесарево было. Живот только разрезали, он сразу орет. Захлебывается, но орет. Врач удивился: "Какой прыткий!" Потом показывает мне: "Ну как тебе, нравится?"

Я говорю: "Да чего там нравиться-то? Вы его протрите сначала, помойте, что ли, заверните в чистое, я потом посмотрю". Врач: "Первая нормальная мать попалась. Другие-то сразу сюсюкать: ой, какой миленький, какой красивенький!" Вот говорят: вы нос зажмите, чтобы ребенок проснулся. Мне интересно было: я зажимала. Ни фига! Рот откроет и дальше дрыхнет!

— Есть ли тут бассейн? — спросила Лиля.

— А ты думаешь, вон та стеклянная коробка — это что? Хрустальный гроб для Белоснежки-переростка? — Инна переключилась на другую тему мгновенно, как радио в машине. — И бассейн, и спа, и бани! Но сейчас мы идем в ТЦ. Обновлять тебе гардероб.

Лиля ненавидела магазины. Много лет она покупала одежду через интернет: портал интуитивного дизайна шил ей на заказ монохромные вещи. Она решила не выдавать себя. Это и так, скорее всего, было указано в ее файле.

— Отлично. Спасибо, — она тратила все усилия на то, чтобы быть вежливой. — Мне нужны джинсы, и новое платье я бы себе посмотрела.

— И блузки, и брюки, и юбки, — добавила Инна. — Я достаточно тебя изучила перед встречей, мышонок. Серое и черное. Синее, иногда — розовое. Никаких рисунков, узоров, кружев. К тому же совершенно не умеешь скрывать одеждой свои недостатки.

Прищепкой пальцев она схватила Лилю за бок так, что та отскочила, — рубленно и резко.

В торговом центре отеля "Рангастус" было сухо и душно. Зеркала магазинов чуть-чуть расширяли, немного плющили, придавали коже поросячий цвет. Лампы верхнего белого света подчеркивали синяки под глазами. Лиля стояла в кабинке, пытаясь застегнуть джинсы, выбранные Инной. Специально или случайно, но она взяла не тот размер.

"Гарантированно плоский живот!" — было написано на ярлыке. От натягивания и сдирания одежды болела кожа. Полиэстер, шерсть, хлопок и холлофайбер прилепили волосы к щекам. Пальцы вспотели и срывались с ширинки. Молния поднималась медленно, ломая ногти. Распрямившись, Лиля посмотрела на себя. Изгнанный со своего обычного места, живот колыхался над джинсами. Желеобразное, мягкое, бледное. Чужое.

— Ну как там? — ржавым голосом поинтересовалась Инна.

Платье — прямое и серое, с заниженным поясом и имитацией балетной пачки — не пролезло в бедрах. Кофты с цветами, кофты без цветов, обтягивающие, свободные, фасона "летучая мышь" делали ее фигуру больше, квадратнее. К обеду купили сумку и упаковку трусов. Инна была довольна экзекуцией, растягивала губы в розовый шнурок улыбки.

На фуд-корте две девушки прижимали к себе вынутых из колясок младенцев, гладили их замшевые затылки. Молодой человек, дизайнер из столовой, — в усах и подтяжках, похожий на гусара, что-то им рассказывал, спорил. Лиля улыбнулась, но сразу же подумала, что новорожденные, наверное, чужие, отнятые. А потом их вернут матерям, но всю свою жизнь они не смогут получить ни одной социальной карты, потому что были рождены в нарушение правил. К гусару подошли его персональные палачи — одна в обтягивающем латексном пиджаке в мелкую пироженку, другая в розовой шапке с ушами панды. Обе ели мороженое.

— А эта, — шептала ей Инна, кивая, двигая бровями, тыча, — красила ногти сначала на руках и только потом — на ногах. Сама себя в своем инстаграме и выдала. Ее палач ходит за ней и фотографирует. Жующей, плачущей, спящей. У нее наказание — три недели самых неудачных фотографий, выложенных в Сеть. Она светская дива из этих, которым всё бесплатно, лишь бы была какая рекламка в их микроблоге, на который подписано полмиллиона человек. А там теперь бородавки, вторые подбородки и целлюлит. Недаром говорят, что каждому воздастся, каждому, да.

К вечеру головная боль перешла в тошноту. Редко, но у Лили так бывало: горячий обруч спускался с висков вниз и сдавливал живот. Рвало. Почти случайно — слишком резко встала, слишком быстро ехал на шестой этаж лифт. Еле дошла — протеиновый батончик. Лиля стояла и думала: "Почему розовый?" Потом поняла: пила вишневый сок. При смешивании получился очень красивый розовый цвет. "А не вырвало бы, не увидела бы его, хотя он на самом деле был. Внутри меня, но был". После этого стало легче. Она упала на кровать, в яркие, цветастые сны, где не было огненных головешек слов, не было цепких клешней-рук с пальцами одинаковой длины. Была только приятная слабость и стекающая по ней, уходящая из затылка боль.

Ночью в дверь тихо постучали. Лиля подскочила, сердце выпало из груди в гортань. В коридоре стоял дизайнер-гусар. Совсем голый: тонкие ноги, длинные руки, волосы на груди в форме неровного сердца.

— Быстрее, — шепнул он. И, оправдываясь, добавил: — Туда в одежде нельзя. Так что так.

Молодой человек закрыл дверь. Пошарил по стенам, нашел кроватную ручку.

— Он говорил: бережный режим, сорок градусов, полтора часа, — дизайнер повторял заученную речь, чтобы не забыть, и быстро крутил ручку.

Раздался щелчок, и кровать одной стороной отошла от пола. Молодой человек дернул, поднял ее полностью — она открылась как чемодан. Внутри — Лиля успела заглянуть — было прямоугольное спальное место. Гроб. Он лег:

— Теперь закрывайте! — и улыбнулся. Лиля послушно опустила кровать. Раздался щелчок.

Весь следующий день Лиля слушала Инну более внимательно. К ужину не выдержала сама:

— В столовой сегодня не видно того молодого человека, которого наказывали безвкусицей.

Инна опустила уголки губ:

— Вскрыл вены сегодня ночью. Щербакова, сучка везучая, всегда ей нервно-политические достаются. Опять премию срубила.

— Его нашли?

— Завидую я людям, чьи, скажем так, данные стремятся к нулю. Его труп танцевал чечетку, только на канадской границе поймали! Конечно, нашли, что там искать, в кровати своей лежал.

В столовую вошел новый постоялец. Палач с крысиным лицом рассказывал ему про отель. Мужчина неуклюже разделся, сел на стул, потом встал, стал искать еще один — положить куртку. От него пахло волнением и затхлостью.

— Возьмите наш, — мягко предложила ему Инна, — вам нужно два, вы же толстый. На одном не поместитесь.

— Куда пропал Александр Спасский из 420-го? — ночь была ясная, вокруг стекленела тишина. Лиля снова спустилась к старику. Ее подтрясывало от недосыпа, в ушах поселилось по маленькой Инне: даже ночью казалось, что она слышит низкий бубнящий голос. — Вы что-то знаете. Вы сказали, что у меня интересный номер. Кого нашли в его постели?

— Куклу, — спокойно ответил старик.

— А что там, под моей кроватью?

Старик молчал. Он повернул лицо к лунному свету. Лиля ждала. Слезы — впервые за пребывание в "Рангастусе" — приближались со скоростью монорельса. Лиля попыталась плакать неслышно.

— Выход, — наконец сказал он. — Тебе тоже нужно туда. Тут ты не сможешь родить.

— Выход?

— Вероятно, ты останешься здесь. Но попадешь в другие… так скажем, координаты места и времени. Ясно?

— Нет.

— Это хорошо. Это не может быть ясно. Там нет Совета. Нет Свода. Людям можно всё. Ну, почти всё. Убивать нельзя вроде бы. Воровать. Понимаешь?

"Жалко, что убивать нельзя, а то бы я запихала в этот гроб Инну вместе с собой. А там — задушила", — подумала Лиля. Вслух сказала:

— Нет.

— Это хорошо.

Помолчали.

— Судя по снам, я немного сдвинулась. Мне снятся абсурдные дома. Машины для изготовления тортов с клубникой в виде змей. Электрический скат с лицом моего персонального палача. Половые органы в виде цветков, из которых течет возбуждающий сок. Люди с наполовину морщинистыми телами.

— Я сделаю и твою куклу, — сказал старик. — Ты же запомнила комбинацию?

Лиля молча кивнула и встала со скамейки.

Ей нравился старик. Его лицо — острый нос, глубокие морщины. Было заметно, что не так давно он сильно похудел. "Идеальный череп", — думала Лиля. Красивые руки. Днем, чтобы защититься от слов, стоматологическими бурами впивающимися в голову, она вспоминала, как бьются жилки у того на виске. Ничего не спрашивала.

Инна заговорила сама.

— Видела дедка на скамейке перед корпусом? Высохший старый кузнечик такой? Наша местная достопримечательность. Единственный экземпляр, отбывающий пожизненное.

Шезлонги около бассейна стояли полукругом. Три девушки в желтых слитных купальниках сидели рядом и курили. Из открытых фрамуг пахло только что скошенной травой. В этом отеле всё время что-то с ней делали: раскатывали, закатывали, косили. Лиля вдохнула: трава, и одновременно — зеленый горошек, и сразу же — бабушка, экотеплицы на даче.

Накатила волна счастья от переживания этого запаха. Какая-то женщина позади них кричала:

— Извините, пожалуйста! У вас есть часы?

Лиля молчала. Инна не сдержалась и продолжила:

— Лет двадцать уже здесь сидит. Не шучу! Никто ничего точно про него не знает. И персонального палача у него нет. И живет в отдельном домике, звезда "Рангастуса". Говорят, он кукольник. И там такая мутная история была, которая не подпадала ни под административный, ни под уголовный. То ли он сделал куклу, которая вроде как ожила, то ли человека подменил куклой, в общем, говорю же, никто ничего не знает. Ослепили его за это. А может, и не за это.

Лиля смотрела, как желтые девушки по очереди спускаются по лестнице в бассейн, как преломляются, становясь полными и короткими, их тела в воде.

Она нашла куклу через три дня в душе, когда вернулась с ужина. Та сидела на полу, неестественно облокотившись на створку. Лиля хотела было вдавить палец в бедро, чтобы почувствовать, из чего она, понять, как он это делает. Но испугалась: вдруг заподозрят, найдут отпечаток. Сразу же опомнилась: кто заподозрит и что? Ее собственный отпечаток на ее собственном бедре. К тому же Инна получит премию. Подозревать что-то никому не выгодно. Палец ощутил теплую упругую плоть. Лилю затошнило.

Она аккуратно сложила свою одежду на крышку унитаза, торчащего из стены белым клювом вмурованной утки. Бережный режим, сорок градусов, полтора часа. Легла в нишу под кроватью и потянула крышку на себя. Раздался щелчок, и лифт поехал вниз. Потом вправо. Влево. Вверх и снова вниз. Воздуха было мало, Лиля постоянно зевала. Устав нервничать, она задремала. А железный ящик всё тянуло то в одну сторону, то в другую.

Раздался щелчок. Лиля припала плечом, открыла крышку, вылезла из-под камней. Ее гроб прятался под булыжниками, на которых были вырезаны лица: они улыбались, показывали языки и зубы. Из одной каменной башки, вытянутой и узкой, торчали, как волосы, палки.

Теплым феном ее обдувал ветер. Красное солнце садилось в огромную воду. Лиля никогда не видела такого: длинная голубая нитка, отделяющая бледное небо от бледной колыхающейся жидкости, непонятно как ровной горой поднимающейся ввысь. Она слышала, что раньше на Земле были моря и океаны, слышала, что и сейчас они есть, — но Совет тщательно оберегает их как "охраняемые объекты жизнеобеспечения человечества". Гражданских туда не пускали. Были какие-то проблески, старые фотографии, мелкие ручейки чужих воспоминаний: море.

Крупной щучьей икрой вылезали при каждом шаге меж пальцев ног песчинки. Лиля подошла к воде. Она стояла, чувствуя на себе взгляд солнца и прикосновения волн, нежно вылизывавших ступни, вынимавших из-под них песок и проваливавших ноги в углубления, на дне которых было чуть прохладнее. Оно шумело, и слышать этот звук было приятно.

За грудой камней с лицами росли деревья. Они были зеленые, с жирными мясистыми листьями. Живые. Лиле было непривычно не слышать регулярное "пфф!". Деревья покачали свои ветки в такт ветру, и она улыбнулась.

Когда стемнело, на холме справа накиданными в кучу кубиками детского конструктора стал виден город. Крупными бусинами на черной нитке зажглись фонари на ведущей к нему дороге. Ее дальнозоркие глаза разглядели растяжку над шоссе: *"Happy new 2016 year!"*

Нина Агишева

Где увидеть бесконечность?

Личный опыт

Самый *не*знаменитый фильм Роберто Росселлини — хотя в главной роли там Ингрид Бергман — называется "Путешествие в Италию". Случайно увидев первые кадры: он и она, английская пара, едут по длинной приморской дороге, — я не смогла оторваться и просидела в немом восхищении все полтора часа.

Не из-за сюжета и даже не из-за актеров — из-за главного героя: Неаполя и его окрестностей.

Фильм черно-белый, но снят так, что ты воочию видишь нежную, выцветшую на солнце охру домов, слепящую лазурь Неаполитанского залива, терракотовую застывшую лаву Везувия и желто-розовые от лимонов и цветущей бугенвиллеи склоны Амальфитанского побережья. Ты сидишь вместе с героями в голубой прохладе площадей крохотных городков и наслаждаешься коретто, особым кофе с граппой. Или в пене морской несешься в лодке на глянцево-зеленый Капри.

Гений места примирил разводящуюся пару из фильма, но не помог самому режиссеру: его новый стиль (эту сдержанную манеру позже возьмут на вооружение Антониони, Годар и Вендерс) опередил свое время как минимум на десятилетие. Согласия между реальными супругами Росселлини и Бергман не случилось. И только волны залива всё так же неспешно заливают здесь и сегодня песчаные пляжи в лагунах, напоминая о потерянном рае.

Русские люди не случайно больше всего любят путешествовать по Франции и Италии. Эти страны наверняка были первыми в очереди, когда Бог раздавал земли. Но даже проехав всю Италию, невозможно сдержать восторженного "ах", когда ты попадаешь в Амальфи или Позитано.

Городки там как будто крадутся к морю с немыслимой высоты по тропам, щедро расцвеченным вербеной, жасмином и полынью. Они аккуратно обходят многочисленные рощи апельсиновых и лимонных деревьев, до самого лета покрытых специальной сеткой — чтобы не лакомились птицы. И когда наконец море оказывается рядом, радость от встречи заполняет шумные набережные с их ресторанчиками и сувенирными лавками. Там ты проникаешься таким восторгом жизни и чувством, что всё было не зря, раз ты сюда приехал, что помимо своей воли отовариваешься тонной изделий из местной керамики и майолики. Отрезвление приходит только в аэропорту — вместе с пониманием, что все эти тарелки, бутылки с лимончелло и оливковым маслом, кожаные сандалии и деревянные бусы ты ни за что не сдашь в багаж.

Машина из Неаполя в Амальфи едет по таким извилистым дорогам, проложенным в горах (слева скалы, справа бездна), что я спросила у водителя: не лучше ли было бы поставить ограждения с той стороны, где обрыв? "Конечно, нет, — невозмутимо ответил он, — ведь тогда не будет видно всей красоты". Он был прав. Такое надо увидеть хотя бы раз в жизни.

Совершенно непонятно, почему море здесь столь ярко-бирюзового цвета. Почему скалы — камень! — сплошь поросли зеленью, а глициния стремится во что бы то ни стало заполнить собой каждое пустующее пространство и цветет так пышно и долго, что ее сиреневые кисти наравне с лимонами стоило бы включить в герб побережья.

Когда Тонино Гуэрра задали вопрос, какое место в Италии он любит больше всего, ответ последовал незамедлительно: Равелло. Об этом же писал почти семь веков назад Боккаччо в "Декамероне": "Самая восхитительная часть Италии располагается возле Салерно: там есть высокая полоса, господствующая над морем, которую жители зовут Амальфийским берегом; он усеян небольшими поселениями с садами и фонтанами, там живут богатые люди, ведущие торговлю исключительно успешно. Одно из них называется Равелло..."

Далее Боккаччо рассказывает о некоем Ландольфо Руффоло — и вот она, вилла Руффоло, почти не изменилась с XIII века. Сам городок еще раньше был построен на скалистом отроге, разделяющем две долины, на высоте трехсот пятидесяти метров над синей чашей Салернского залива. Над этим заливом и сегодня висит, будто на невидимых нитях, церковь Аннунциаты. Можете зависнуть и вы — на террасе виллы Руффоло, где каждое лето проходят концерты музыки Вагнера. Она построена так, что над вами будет только звездное небо, а вокруг — одни лишь морские просторы. Почему Вагнер? Потому что именно здесь он написал своего "Парсифаля". Почему вокруг море? Потому что только из Равелло одним взглядом можно окинуть всё побережье Амальфи. Здесь мечтали навсегда поселиться Боккаччо, Вагнер, Эдвард Григ — ничего у них не получилось, конечно. Отчасти вышло у американца Гора Видала, который купил в Равелло дом и счастливо прожил в нем почти тридцать лет.

Еще одна достопримечательность — вилла Чимброне. Ее в начале прошлого века построил английский лорд Эрнст Беккетт. Он старался имитировать мавританский стиль, присущий большинству зданий в Равелло, но при этом огромный сад украсил классическими храмами, а бельведер — бюстами и скульптурами греческих богов и героев. Бельведер еще называют "террасой бесконечности": вид, открывающийся отсюда в ясный день, и правда может служить зримым воплощением этого абстрактного и неведомого простым смертным понятия. В 1938-м им каждый день наслаждались любовники Грета Гарбо и Леопольд Стоковский, спрятавшиеся на вилле Чимброне от всего остального мира. Поздно вечером, когда сад закрывается для посетителей, кажется, что их тени бродят между деревьями и кустами роз в поисках былого и столь краткого счастья.

Конечно, подобному месту решительно не идут сетевые отели. Здесь надо останавливаться в семейной гостинице, где тебя примут как у себя дома. И это вовсе не обязательно увитый виноградом крошечный покосившийся домик с приветливой бабушкой, которая утром принесет тебе какао в старой треснутой чашке, а потом ты выйдешь на балкон и увидишь развешанные на веревке панталоны, бьющиеся на ветру как парус.

Невероятно, но семейным еще может оставаться один из самых знаменитых отелей во всём Неаполитанском заливе — такое действительно возможно только в Италии.

К отелю *Santa Caterina* подъезжаешь из Неаполя по той самой горной дороге, что вьется по скалам. Он почти рядом с Амальфи: шаттл, постоянно курсирующий между отелем и центром города, довозит туда постояльцев за пять минут. Скромный вход и две большие чаши с рогатыми фиалками по обеим сторонам от двери. Всё, вы приехали: и едва ступив на яркие мозаичные плитки холла, сразу почувствуете ненавязчивую, но подлинно радушную и спокойную атмосферу дома, где именно вас — по неведомым никому причинам — давно ждали. Для начала изучаю фотографии, развешенные в холле. Узнаю знакомые лица.

— Как? И он тоже здесь был? — спрашиваю сеньору Кармелу, показывая на фотопортрет Карла Лагерфельда, снятого где-то явно в саду отеля.

Он по-хозяйски расположился верхом на стуле, обхватив его спинку кряжистыми коротковатыми пальцами. А позади съемочная группа, включая ещё совсем юную Клаудию Шиффер.

— Синьор Лагерфельд провел у нас вместе со своей командой почти десять дней, он снимал новую коллекцию *Chanel*, — с гордостью говорит синьора Кармела.

По ее лицу я вижу, что это был подвиг, на который время от времени идут знаменитые отели, пуская к себе на постой капризных звезд, съемочные группы глянцевых журналов и государственных деятелей с их охранниками. Считается, что для отеля это дополнительная реклама, мол, сам великий Лагерфельд абы где жить точно не будет.

Всё так, но сколько нервов и хлопот для хозяев! А накануне двухдневного визита миссис Клинтон в Амальфи секьюрити Белого дома приезжали сюда двенадцать раз! Они изучили каждую травинку, прощупали каждый лимон, перепробовали все блюда. Впрочем, их можно понять: когда еще доведется обеспечивать безопасность первой леди Америки в таком месте? Дай им волю, они изучали бы "обстановку" здесь до избрания нового президента США.

Впрочем, синьора Кармела не жалуется. Ни в коем случае! Как можно? Здесь рады всем. К тому же Кармела — дама старой школы: безупречная укладка, три нитки жемчуга, неспешный разговор, ни одного опрометчивого слова о конкурентах и постояльцах. И всё это под сладчайший лимончелло, сделанный из местных лимонов, растущих прямо здесь, в саду отеля. Она одна из двух дочерей легендарного Крисченцо Гамбарделла, основателя и первого владельца *Santa Caterina*. Всё, что касается ее отца, — это уже совсем древняя история, уходящая куда-то в глубину XIX века. Тогда на скалах, живописно окаймляющих Салернский залив, теснились маленькие домики, взявшие в полукруг местный собор, который назвали в честь святого Андрея, покровителя всех моряков. Собор-красавец стоит до сих пор, а вот их первому отелю не повезло.

В 1898 году на него рухнула скала. Тогда погибли две постоялицы: девочка из России и ее гувернантка-англичанка. Наверное, поэтому с тех пор к русским и англичанам здесь относятся с особой почтительностью.

— Вы представляете, какое это было несчастье для нашего отца, — восклицает синьора Кармела. — Кроме того, в течение нескольких секунд он потерял всё состояние. И самое главное — эти две невинные души, за которые он не переставал молиться до последних своих дней.

Она достает альбом с пожелтевшими газетными вырезками с описаниями трагедии, случившейся в Амальфи больше ста лет назад. Но для нее всё это было вчера: разорение семьи, горе отца, кара небесная, обрушившаяся на их дом непонятно за что. Хотя сама она ничего этого помнить, разумеется, не может, поскольку родилась много позже, когда синьору Гамбарделла было уже за шестьдесят.

— Шестьдесят четыре! — уточняет Кармела, всем своим видом давая понять, что папа-то у них был хоть куда.

И сломить его было нельзя никакими бедствиями, Везувиями и войнами. Отдышавшись после случившегося, расплатившись со всеми долгами и собрав спасенный скарб, он стал заниматься тем, что у него получалось лучше всего, а именно обустраивать новый дом и сад, принимать гостей, селить, развлекать, кормить, будить, чтобы не опоздали к утреннему поезду или пароходу. Вначале это было три комнатки, потом семь, потом двадцать. Он всё время что-то прикупал, перестраивал, строил до тех пор, пока *Santa Caterina* не обрела свой нынешний вид.

Похоже, синьор Гамбарделла был прирожденным хотельером, хотя, кажется, такого слова в обиходе тогда еще не было. Но он был идеальный хозяин, и это чувствуется до сих пор во всём. В планировке отеля (*Santa Caterina* представляет собой несколько небольших вилл, соединенных друг с другом открытыми галереями), в продуманном комфорте номеров, все окна которых выходят на залив, в эффектном спуске к морю на лифте. Несколько секунд вниз с головокружительной высоты — и вот уже наготове стоят лежаки с зонтами в лимонную полоску, плещутся дети в бассейне с подогретой морской водой, а официанты спешат к вам, неся на подносе бокалы "Беллини" (тот, что с персиками!), который считается здесь лучшим на всём амальфийском побережье. Вот она, *dolce vita* в своем первозданном, неиспошленном виде. Это как рецепт лимончелло *Santa Caterina*, который хранится много лет в строжайшей тайне. Здесь не может быть случайных импровизаций. Всё выверено до миллиметра: нереальный вид на залив, сапфировый оттенок моря, сиреневый пожар глициний, полыхающий у вас над головой, прохладный мрамор пола под ногами. И еще — этот одурманивающий аромат лимонов и апельсинов, как будто настоянный на лечебных травах, растущих здесь же, на аптекарских грядках синьоры Джузеппины Гамбарделлы-Гаргано, старшей сестры Кармелы.

Когда мы с мужем приехали сюда в начале апреля, большинство деревьев были укрыты специальными черными вуалями. Это для того, чтобы морской ветер не поломал хрупкую завязь цветов. Но начиная с мая ничего черного, никаких печальных воспоминаний. Амальфи был создан в минуту счастья. В надежде снова и снова испытать его сюда приезжали все великие и знаменитые.

Кармела, конечно, не помнит, как в *Santa Caterina* жил русский великан — певец Федор Шаляпин со своей дочерью Дасией. Но в книге для почетных гостей хранится его размашистый автограф. Ему здесь было рукой подать до Капри. Там, как известно, долгие годы обреталась целая русская колония во главе с Максимом Горьким.

Зато она хорошо запомнила, как летом 1962 года здесь рассекала на водных лыжах еще совсем молодая Джеки Кеннеди, сбежавшая в Амальфи от мужа-президента и обязанностей первой леди. До сих пор в городке открыт ресторанчик, где папарацци застукали ее флиртующей с дотторе Аньелли, президентом *Fiat*. После этого Кеннеди прислал разъяренную телеграмму: "Поменьше Аньелли, побольше Каролины" (имелась в виду маленькая дочь, которую с собой захватила Джеки).

А в начале семидесятых сюда, в *Santa Caterina*, приедут Катрин Денев и Марчелло Мастроянни с новорожденной дочерью Кьярой. В то время они еще, кажется, планировали пожениться. Спустя тридцать лет уже сама Кьяра прибудет сюда с детьми. "Мама мне рассказывала, что нигде они не были так счастливы с отцом, как здесь", — признается она синьоре Кармеле.

Уже в наши дни в *Santa Caterina* развернется один из главных романов XXI века: Брэд Питт и Анджелина Джоли проведут здесь свой первый длинный *weekend*. Правда, они еще были связаны узами предыдущих супружеств, поэтому для вида поселились на разных виллах и приехали в разное время, но в ресторан *Al Mare* в *Beach Club* ходили исключительно вдвоем, взявшись за руки. И с территории отеля ни ногой. За целых три дня! В общем, синьора Кармела совсем не удивилась, когда спустя полгода узнала, что эта пара официально объявила о своем союзе на радость всем папарацци мира. Нет, с детьми они сюда больше не приезжали.

Зато Мэрил Стрип с семьей наведывается регулярно. И Гор Видал любил заглядывать на аперитив. И Франко Дзеффирелли со своими знаменитыми друзьями обязательно хотя бы раз в сезон ужинал в ресторане *A la Carte Santa Caterina*. И всем его рекомендовал, считая, что здесь очень правильно готовят блюда местной кухни области Кампанья. Увы, и он продал свою виллу в Позитано, которую ему уже было не по силам содержать. И София Лорен тоже. А раньше каждый октябрь приезжала, любила эти места. Ведь она неаполитанка, родом из деревеньки Поццуоли. Увы, все стареют, и бегать по ступенькам вверх-вниз становится с каждым днем труднее.

Но у сестер Гамбарделло есть взрослые сыновья, а у тех свои дети. В общем, традиции серьезного дела не должны прерываться, и слава богу, есть кому передать рецепты лимончелло и домашнего апельсинового мармелада, который сейчас, как и сто двадцать лет тому назад, подают на завтрак.

С террасы ресторана как на ладони виден весь Амальфи: и пристань с катерами, отправляющимися на Капри и Искью, и отель "Луна", где Ибсен написал свой знаменитый "Кукольный дом". Каждый вечер мы смотрели оттуда на дальние огни огромной каменной стены с арками-нишами. Она парила где-то над Амальфи, почти в облаках, и нависала над морем, как всё в этих краях. Зрелище завораживающее. Спросила, что это, у официанта, с которым успели подружиться (в отелях такого класса люди служат по многу лет и тоже становятся частью семьи).

— Это кладбище, синьора, — был мне ответ.

Амальфитанцы и уходя продолжали любоваться той самой красотой, которой больше нет нигде. И бесконечность этого мира, моря и человеческой любви стала зримой, понятной и вдохновляющей. Не зря же именно здесь было написано так много прекрасной музыки, великих романов и прекрасных полотен.

Саша Филипенко

"Ванадий"

Рассказ

Я открываю дверь и попадаю в прошлое. Старая мебель и выцветшие обои. Окрашенный белой масляной краской подоконник. Вата между рамами и заклеенные пожелтевшей бумагой щели. Я ставлю чемодан и валюсь на диван. Пружины приветствуют спину. Против меня телевизор "Горизонт". Точно такой же стоял в нашей квартире, когда семилетним парнем я узнал, что Советского Союза больше не будет. Выходит, ему двадцать пять. Выходит, мне тридцать два. Выходит, диктор ошибался — Советский Союз есть, есть здесь и сейчас. Не гостиница, но аттракцион.

— Предупреждаю, в двадцать два у нас отбой! Вы где живете в Москве?

— На Болотной площади.

— Точнее!

— Ну, не знаю... Напишите: Болотная, дом 2...

— Вам с удобствами номер?

— Да.

— А душ?

— В каком смысле?

— С удобствами и с душем? Или только с удобствами?

— Если можно — и с удобствами, и с душем, пожалуйста.

— Тогда это президентский! Не переживайте, так-то кроме вас в гостинице никого нет.

— А ваш ресторан на первом этаже еще работает?

— Не советую...

— И всё же?

— Так-то да.

Здесь всего два человека: Николай Басков в телевизоре и женщина в телефоне, играет в змейку.

— Добрый вечер!

— Добрый... — самым недобрым тоном отвечает она.

— Я еще успею поужинать?

— Да. А вы вообще кто?

— Я журналист. Пишу репортаж о вашем буддистском монастыре, который собираются сносить.

— А! Так-то на прошлой неделе много было вашего брата!

— И что говорят? Снесут?

— Да как они туда технику-то затащат?! Так-то монастырь на самой горе стоит. Если кто туда бульдозеры и загонит — ему самому нужно будет памятник ставить. Есть посикунчики, будете?

— Это что такое?

— Так-то какая разница? Пельмени такие наши. Больше всё равно ничего нет.

— Вы мертвого уговорите, несите.

Стол грязный, вилки жирные. Вместо салфеток бумага. Чтобы не обидеть хозяйку, я незаметно беру приборы и выхожу в туалет. Вода только холодная, мыла нет. Я решаю подняться в номер.

— Так и будете шастать туда-сюда?

— Я кое-что забыл.

— Вам сметана к посикунчикам нужна?

— Нет.

— А водка?

— Похоже, да.

— Но водка теплая...

Отмывая вилку, я замечаю, что в ванной комнате нет полотенец. "Вы же не просили!" — объяснят мне через несколько минут.

— Полотенца в аренду, по пятьдесят рублей. Двести рублей залог.

— А что, часто воруют?

— Так-то раньше больше халаты брали, но теперь он у нас только один, на экстренный случай.

— За что вы еще берете деньги?

— Хотите сэкономить — не берите в ресторане свечу.

— А ее что, включат в счет?

— Так-то да.

— Думаю, я смогу себе позволить.

Будто в руках моих не вилка, но кадило — стряхивая воду на пол, я освящаю забытую богом гостиницу. В ресторане уже всё готово — на столе рюмка водки, тарелка посикунчиков и свеча (пятьдесят рублей в счет).

— А вы как подниматься-то в монастырь будете? Так-то там всё перекрыто.

Это я знаю, женщина права. Монастырь стоит на пике горы, гора (дура) вымахала на территории горнодобывающего завода. Завод принадлежит проводящему полжизни в нейтральных водах олигарху. Раньше можно было забраться на машине, но служба безопасности завода перекрыла все подъезды к святилищу, отрезав местных буддистов от мирской жизни. Вопрос серьезный — буддисты мешают добывать руду.

— На снегоходах, — отвечаю я.

— А-а-а... Так-то, конечно, да.

— Ну а что местные говорят? Будут отстаивать монастырь?

— Так-то надо бы, конечно. Он у нас градообразующим стал. К нам туристы теперь приезжают, всякие дивлиперопелы из Москвы. Поднимаются туда, по доске катаются...

— Это простирание...

— Так-то не знаю, что они там стирают, но что по доске катаются — видела, по телевизору показывали. Короче, монастырь нам, конечно, нужен, а заступаться за него никто не будет, кому проблемы нужны? Еще водки налить?

— Да, только вы ее вынесите, что ли, на улицу.

Всю ночь я не могу уснуть. В номере душно. Пытаясь открыть окно, я вырываю ручку. В конце концов ложусь в ванной. Здесь, кажется, не так жарко.

На завтрак капучино и посикунчики. После — получасовой подъем в гору. За рулем снегохода какой-то бесстрашный щенок. Вероятно, он еще ни разу в жизни не ловил пень. Судя по всему, часто общается с буддистами, во всяком случае, смертью его не напугать. Снегоход болтает, по маске то и дело лупят тонкие ветки. Когда мы наконец добираемся до монастыря, взору моему открывается невероятная красота. Среднестатистический москвич сказал бы так: неподвижная, укрытая снегом Тоскана. Впрочем, медведевская оттепель закончилась, кто теперь ездит в Тоскану? Ветер теребит разноцветные флажки, у меня сводит живот.

Я сижу в самом живописном туалете на свете: в деревянную будку с окошком натурально вплывают молочные облака. Какой-то монах спрашивает: как скоро мы начнем беседу? "Как бог, в которого вы не верите, пошлет, дружище, как бог пошлет. Пять минут, дай мне еще пять минут!"

Я узнаю, что глава общины ругается матом, служил в Афганистане и отрицает холокост. Во время интервью, с удовольствием поедая тушенку, он заявляет, что сноса монастыря не боится, а у меня живой ум. Выпив три чашки крепчайшего чая, я выхожу на улицу. Сейчас мне нравится мерзнуть и смотреть на разбивающиеся о мое лицо облака. "Русский буддизм, — с улыбкой думаю я, — самый суровый и бескомпромиссный буддизм в мире".

Вечером я возвращаюсь в гостиницу. Номер тот же. Я здесь уже бывал. Искусственные цветы и розовые покрывала. Если в этих краях и следует что-то запрещать, то только попытки "сделать красиво". Я подхожу к холодильнику. "Вятка". Нет, такого у нас не было. Никогда. Холодильник пуст, но в морозильной камере имеется прейскурант. Звонить бесполезно, я спускаюсь на вахту.

— Могу я попросить пиво? Мне сейчас очень нужно!

— А у вас в номере нет?

— Черт, зачем вы спрашиваете, если знаете, что там вообще ничего нет!

— Ну, нет и нет! Чего вы так кипятитесь-то?

Я смотрю на женщину. Будда Шакьямуни, без сомнений, гордился бы ею. Мы сами причина собственных страданий. Эта дама давным-давно достигла нирваны. Кажется, еще в советские времена. Никаких иллюзий. В отличие от меня, она видит жизнь именно такой, какая она есть. Я буквально вырываю из ее рук бутылку пива и возвращаюсь в номер. Сегодня я вновь буду спать в ванной. Завтра же улечу в Москву. Я закрываю глаза и понимаю, что в России больше нет необходимости в изобретении машины времени. Вам не нужно вкладывать миллиарды долларов в устройство, способное перенести вас в прошлое. Есть способ проще. И это дажс не буддизм. Всё, что вам необходимо, — снять номер в гостинице "Ванадий".

Ну ладно, добрых снов!

Я спать!

Александр Васильев

С видом на Босфор и Золотой Рог

Личный опыт

Впервые я попал в Стамбул в 1987 году по приглашению Национальной оперы, для которой должен был оформить несколько спектаклей. Я влюбился в этот божественный город с первого взгляда. Стамбул, увиденный мной почти тридцать лет назад, кардинально отличается от Стамбула теперешнего. Он был менее развит. Ни о каком метро, ни о каких средствах массовой коммуникации и современных торговых центрах не было и речи! Главная улица Стамбула Истикляль представляла собой дорогу с двухсторонним движением. А сегодня она пешеходная, как Арбат в Москве.

В ту уже очень далекую пору Стамбул кишмя кишел бездомными собаками и кошками, которые жили близ мусорных свалок и без конца выпрашивали еду у прохожих. Количество ничейных животных зашкаливало — Стамбул напоминал один большой питомник для кошек и собак. Много позже всех их перебили. И сегодня бездомная кошка или собака в Стамбуле — редкость. Например, одна собака живет в Пассаже Хазоппуло. Это старинный торговый пассаж, который в XIX веке специализировался на моде, а сегодня собрал внутри себя чайные. Так вот, в этом Пассаже Хазоппуло живет много лет старая доберманша, которая поперек себя шире. Ей около пятнадцати лет. Представить не могу, как ей удается удерживать на своих тоненьких ножках такую тушу! Эта доберманша совершенно не боится людей, она свободно гуляет по улице Пера с биркой на ухе, на которой значится специальный номер, свидетельствующий о том, что она состоит на учете у ветеринара. В свободное от прогулок время доберманша с удовольствием угощается подачками туристов или безмятежно спит.

Также живет в Стамбуле знаменитый кот, обосновавшийся в соборе Святой Софии. Несмотря на толпы в десятки тысяч туристов, он остается совершенно невозмутимым. Мнительные турки уверяют, что в этого кота вселился дух императора Юстиниана.

В Стамбуле я бываю три-четыре раза в год. Меня привлекает красота этого города, его простор, запахи, великолепные пейзажи, близость к морю. Чаще всего я посещаю Стамбул в рамках выездной школы Александра Васильева. Своим студенткам я показываю места, где жили русские, где находились их театры, кабаре, рестораны. О русском Константинополе я могу говорить бесконечно, ведь я умудрился застать его обитателей и узнать удивительных людей, живших там с двадцатых годов. Это и баронесса Юлия фон Клод Юргенсбург, и основательница турецкого балета Лидия Красса-Арзуманова, и балерина Леля Гордиенко, и графиня Эмилия Татищева. Я застал ресторан "Режанс" со всеми русскими владельцами. Конечно, иных уж нет, а те далече. Только балерина Леля Гордиенко до сих пор здравствует. Ей около девяноста лет, и живет она во французском доме престарелых в Стамбуле.

Зная во всех подробностях жизнь эмигрантов в Константинополе, я могу сказать, что описание ее в пьесе Михаила Булгакова "Бег" выглядит односторонним и утрированным. Бедствовавших эмигрантов было немало, но и успешных хватало! Например, совсем недавно в Стамбуле похоронили одну русскую эмигрантку, которая прожила до ста лет в доме, расположенном в самом центре города, возле церкви Святого Антония Падуанского, куда ее семья заселилась еще в 1924 году! Я был поражен, увидев эту восьмикомнатную квартиру в доходном доме на последнем этаже, обставленную очень элегантной мебелью в стиле модерн и ар-деко, с великолепным фарфором, с потрясающим воображение набором с клеймами Фаберже. Поэтому, когда, ссылаясь на Булгакова, говорят о влачивших жалкое существование эмигрантах, нищете, тараканьих бегах, я могу допустить, что это лишь одна из сторон жизни в Константинополе. Сам я видел множество богатейших семей, чье пребывание в Турции иначе как счастливым не назовешь.

Кстати, основателем тараканьих бегов был офицер царской армии Петр Петрович Борадоевский, дочь которого потом жила в Чили и рассказывала мне историю о том, как папе нужно было срочно придумать какой-то бизнес, он понять не мог, как заработать, и в конце концов решил организовать те самые тараканьи бега. Это развлечение пользовалось огромным успехом. И это факт, а не выдумка Булгакова.

В Константинополе обосновалось немало русских актеров, певцов, балерин, писателей, поэтов. Через Константинополь проехали почти все русские военачальники армии Врангеля, а также русская профессура, врачи, инженеры, агрономы.

Русские подарили Константинополю очень много: современный турецкий театр, который был основан учеником Станиславского, турецкий балет, турецкую оперу, симфонический оркестр, радио. Спортивное общество боксеров основано русскими! А также такси и турецкая художественная школа. Русские сделали очень большой вклад в развитие турецкой культуры, и уважение турков к белым русским неоспоримо. Они их называют "биясь русслар" — белый русский, для турков это символ качества.

Я сам очень много работал в турецких опере и балете, оформил в Стамбуле восемнадцать постановок, преподавал, делал выставки и получил дважды премию "Тобаб" из рук президента Турецкой Республики Сулеймана Демиреля за лучшее оформление балетных спектаклей. Первый раз за "Спящую красавицу", второй раз — за "Анну Каренину". "Тобаб" — это турецкий "Оскар", самая главная премия в области искусства, и получить ее иностранцу считается очень почетным.

По этому поводу могу рассказать один курьез. В свое время я преподавал историю моды в американском университете, который называется Билькент, и жил в кампусе в течение двух-трех месяцев. Однажды в университетском магазине, куда я зашел вечерком за фруктами, до моего слуха донеслась русская речь, что было крайне необычно в девяностые годы. Это были две русские женщины. Я с ними тут же заговорил. Дамы, сухо поздоровавшись, заинтересовались, что я здесь делаю.

— Преподаю историю моды и искусство декорации, — ответил я.

Окинув меня скептическим взглядом, одна из незнакомок сказала:

— Вообще не понимаю, зачем туркам нужен иностранный преподаватель, учитывая, что здесь есть великолепные местные художники! Вот мы вчера смотрели балет "Спящая красавица" и восхищались костюмами! Вы бы сходили, молодой человек, на "Спящую красавицу" и поучились! Такие костюмы и декорации — закачаетесь!

И тогда я сказал:

— Мне очень приятно услышать от вас комплимент, поскольку именно я создал эти костюмы и эти декорации.

Тут уж закачались эти дамы, выронив от неожиданности из рук все свои покупки.

Для меня в Стамбуле есть несколько мест, где энергия ощущается совершенно особым образом, — так называемые места силы, совершенно нетронутые цивилизацией. Например, монастырь в Хоре и вся местность вокруг этого монастыря. Или Влахернский дворец византийских императоров. Также совершенно магическими местами являются дворец Бейлербей султана Абдул-Азиза и великолепный блошиный рынок Чукурджума, где можно часами бродить по антикварным лавкам, пить изумительный чай, наслаждаться запахами и торговаться, если у вас есть к этому способности.

Прилетая в Стамбул, я всегда останавливаюсь в Большой Лондонской гостинице *(Grand Hotel de Londres)* — легендарной "Лондре", построенной в 1892 году для пассажиров второго класса Восточного экспресса, криминальную трагедию в котором ярко живописала в своем романе Агата Кристи. Кстати, сама писательница останавливалась в другом стамбульском отеле — *Pera Palace*, возведенном хоть и в один год с "Лондрой", но предназначенном для пассажиров первого класса *Orient-Express*. Кроме королевы детективного жанра гостями *Pera Palace* в разное время становились Грета Гарбо, Мата Хари, Жозефина Бейкер, королева Румынии Мария, Лев Троцкий, Александр Вертинский... "Лондра" похвастаться столь значимым списком знаменитых постояльцев не может. В 1922 году здесь останавливался молодой Хемингуэй, в бытность свою репортером *Toronto Star*. Да еще, говорят, Джон Рид жил в "Лондре" когда-то. Словом, раз-два и обчелся. Но это не делает ее менее прекрасной!

Этот отель — достопримечательность района Бейоглу, который после 1917 года был заселен русской эмиграцией. Улица, где находится "Лондра", когда-то была трамвайной. А сама гостиница находилась напротив старинного оперного театра, сгоревшего в шестидесятые годы. Сейчас на его месте находится турецкое телевидение, аналог нашего "Останкино".

Надо заметить, что "Лондра" потрясающе оформлена. Конечно, не столь избыточно, как в начале XX века, когда интерьер отеля был перенасыщен аксессуарами, изобиловал драпировками в ориентальном стиле и поражал воображение постояльцев количеством кадок с пальмами и множеством клеток с говорящими попугаями и певчими канарейками. Время убило многое. Но и сохранилось немало. Например, отопительная система — на каждом этаже и вдоль лестницы до сих пор стоят антикварные печки-буржуйки, которые раньше отапливались номера. Во многих комнатах осталась старинная мебель, а в лобби — ретро-проигрыватель с музыкальными пластинками. Бросаешь монетку, а он начинает играть мелодии пятидесятых годов.

Попугай на всю "Лондру" остался только один. Но зато какой! Поскольку отель принимает гостей со всего мира, наш пернатый друг научился разговаривать на самых разных языках, а заодно имитировать звонки всех мобильных телефонов. Особенно виртуозно ему удается изображать пронзительную трель айфона, тем самым вводя в заблуждение окружающих людей, которые тут же начинают судорожно хвататься за свои смартфоны. Но больше всего попугай любит мяукать, потому что в Стамбуле обитают полчища бездомных котов. Коты бесятся, особенно в марте, ведь они ищут, где же та самая кошечка, которая их подзывает. А этот старый облезлый попугай сидит в клетке и знай себе вопит: "Мяу, мяу…".

Благодаря своей ностальгической обстановке "Лондра" часто становится объектом пристального внимания кинематографистов. Время от времени гостиница превращается в съемочную площадку для шпионских сериалов: повсюду расставлены софиты, на полу валяются кабели, а в баре сидят какие-то дамы в ретро-костюмах сороковых годов… Настоящее потрясение пришлось пережить мне однажды из-за этих съемок. Как-то раз, вернувшись в гостиницу после прогулки, я обратил внимание, что дверь в мой номер приоткрыта. Заглянув в комнату, я оторопел. На моей кровати в самом неестественном положении лежал залитый кровью труп! Перепугался я тогда не на шутку. Еще бы! В моем номере человека убили! И в тот момент, когда я уже собрался звать на помощь портье, убиенный вдруг поднял голову и, приложив палец к губам, прошептал:

— Только тихо! Нам осталось доснять последнюю сцену.

Это оказался всего лишь статист, изображавший труп человека, которого по сюжету фильма застрелили в гостиничном номере.

Особое удовольствие для меня спуститься в лобби отеля и наблюдать за царящим здесь вечным движением — кто-то уходит, кто-то приходит... Это безумно увлекательное занятие! Частенько встречаются колоритнейшие персонажи! Как-то я разговорился с одной американкой весьма преклонных лет, которая проводит в "Лондре" семь месяцев в году. Пенсию она получает в США, а тратит ее в Стамбуле.

— В марте, как только подходит сезон, — рассказывала она мне, — я приезжаю в Турцию и живу в любимой "Лондре" до октября. А в октябре возвращаюсь обратно в Калифорнию.

Часто в гостиницу для того, чтобы просто попить чайку, приходит внучка знаменитой актрисы немого кино Веры Холодной, которую так же, как и бабушку, зовут Вера Холодная. Она родилась в Стамбуле. Ее маму Нонну и тетю Женю взяла на воспитание родная сестра скоропостижно скончавшейся кинозвезды — Надежда. Выйдя замуж за обрусевшего грека и став греческой подданной, Надежда Васильевна в конце двадцатых годов вместе с удочеренными племянницами бежала из пылающей Одессы в Константинополь. Кстати, в "Лондре" живет множество великовозрастных греков, которые приезжают сюда из Афин ностальгировать по старому Константинополю.

В этой исторической викторианской гостинице я чувствую себя как дома! И всякий раз, прилетая в Стамбул, задаюсь вопросом: зачем мне нужна квартира, если к моим услугам целый дом?! В отеле меня всегда ждут, здесь всегда убрано, накрыт стол, а перед входом можно увидеть мой портрет в рамочке, повешенный здесь, очевидно, за верность гостинице. И действительно, в течение последних тридцати лет, наведываясь в Стамбул, я неизменно останавливаюсь здесь. За это время я успел пожить абсолютно во всех номерах, в конце концов остановив свой выбор на триста десятом, где с балкона, украшенного кариатидами, открывается незабываемый вид на Босфор и Золотой Рог.

У входа меня встречает старый портье, сириец Азимет Бей, который служит в "Лондре" более сорока лет. Их и осталось всего двое — старожил "Лондры": портье да попугай.

— Привет, Васильев! — кивает мне Азимет Бей. — В свой номер пойдешь или в какой другой?

Переступая порог "Лондры", я заранее предвкушаю вечерние чаепития на террасе, расположенной на верхнем этаже отеля. Это ни с чем не сравнимое удовольствие — прихлебывать турецкий чай из армуды вприкуску с нежнейшим рахат-лукумом, любоваться огромными звездами, застывшими над Золотым Рогом, восхищаться мечетями в огнях, слушать протяжные крики муллы... Разве не так выглядит счастье?

ЗАПИСАЛ ВАСИЛИЙ СНЕГОВСКОЙ

Геннадий Йозефавичус

Там, где жила Клеопатра

Рассказ

С великими отелями всегда связана масса апокрифических историй, складывающихся в эпическую мозаику. Где в этих анекдотах истина, где вымысел, понять невозможно.

Вот, к примеру, история про отель *L'Albergo della Regina Isabella*, Элизабет Тейлор и Ричарда Бертона. В начале шестидесятых Тейлор с Бертоном снимались в пеплуме студии *XX Century Fox* про Клеопатру. Съемки начались в Лондоне, с режиссером Рубеном Мамуляном. Там было потрачено **пять** миллионов, Тейлор подхватила пневмонию, а сняли всего восемь минут. Продолжили в Риме, на *Cinecitta*, уже с Джозефом Манкевичем. Дело пошло быстрее, без воспалений легких, зато с романом, вспыхнувшим у Тейлор и Бертона после первой же сцены близости Клеопатры и Марка Антония: поцелуй киногероев был столь страстным и длился столь долго, что даже святой заподозрил бы неладное. В какой-то момент группа переехала под Неаполь, на Искью, — на острове были найдены подходящие пейзажи для натурных съемок и правильный порт для прибытия лодки Клеопатры — и поселилась в городке Лакко-Амено, в отеле *L'Albergo della Regina Isabella*, незадолго до того построенном издателем и кинопродюсером Анджело Риццоли. Понятно, что не только связи Риццоли на студии *Cinecitta* помогли затащить звезд в Лакко-Амено, но и свойства самой гостиницы. Во-первых, она была построена по тогдашней моде — с просторными номерами с балконами, шикарным рестораном, морскими купальнями; во-вторых, стояла на самом берегу, так что волны бились о ее стены; в-третьих, при гостинице были открыты термы с горячими водами и особыми искитанскими грязями, целительные свойства которых стали известны еще во времена Клеопатры. В общем, сплошная *la dolce vita*, как и положено продюсеру феллиниевской "Сладкой жизни".

Днем, если исполнительница главной роли была готова работать (Тейлор ее фантасмагорический контракт, по которому она получала сто двадцать пять тысяч долларов в неделю, разрешал не сниматься в период месячных; а потому "месячные" у артистки, опровергая медицинскую теорию и практику, случались каждые пару недель), группа работала, а вечером в тишайшем — до того — Лакко-Амено разыгрывался один и тот же спектакль: из номера мисс Тейлор раздавались крики, брань, звуки бьющейся посуды, а потом артистка фурией выскакивала на балкон и швыряла в Тирренское море одежду партнера. Белые медузы рубашек и трусов Бертона заполоняли небольшую бухту.

Чуть позже, в момент затишья, происходило ожидаемое: рыбаки, уже стоявшие на берегу наготове, прыгали в свои лодки и шли к стенам отеля вытаскивать улов. Дальше рубашки и исподнее, напитанное морской водой, доставлялось по домам, рыбацкие жены стирали, а утром гладили всю эту конфекцию, и уже к завтраку упакованная стирка возвращалась в гостиницу и обменивалась на соответствующие случаю чаевые. И так — изо дня в день, покуда на Искье шли съемки "Клеопатры" и пока отношения звезд развивались в жанре неаполитанского сериала.

Искитанских фотографий 1962 года, слава богу, довольно много. Студия прислала Берта Штерна, главного голливудского портретиста (того самого, который в том же году провел последнюю фотосессию Мэрилин Монро), и тот наснимал — кроме, собственно, съемочной хроники, кучу парных портретов Лиз и Дика. Вот они прибывают на Искью 15 июня 1962 года на катере, а вот загорают на крыше того же катера несколькими днями позже, и Ричард нависает над Элизабет, и сейчас случится долгий поцелуй, а вот Тейлор в смешной шапочке плавает в море, а Бертон ее догоняет, а вот снова катер, он пришвартован к молу, прикрывающему от волн гостиничный пляж *L'Albergo della Regina Isabella*, а сегодня и сам служит пляжем, на нем расставлены шезлонги и зонтики, крытые тростником, а еще — она в чем-то вроде короткого комбинезона, он — в белых рубашке-поло и брюках, а чуть позже — она во всём белом, он — в рубашке апаш и свободных брюках, она держит его под правую руку, в левой — сигарета, они идут от отеля к площади Святой Реституты в Лакко-Амено. Или моя любимая карточка, цветная, в отличие от остальных: она — на спине, голова повернута к камере, вокруг глаз — сложный макияж в стиле Клеопатры, он — в камеру не смотрит, он увлечен процессом тления своей сигареты, между ними — пачка красного *Marlboro*, золотая зажигалка, снятые с руки часы. Она улыбается широкой открытой улыбкой, он, судя по всему, рассказывает что-то смешное. Им очевидно хорошо вдвоем: и камеру Штерна, и его самого они не замечают, на игру всё это не похоже. И еще сотни кадров. И это при том, что она в то время была замужем, он — женат, и что общество еще не научилось быть толерантным, и что Ватикан вопил о неприличном поведении заграничных звезд, дающих плохой урок, и даже конгрессмены США (да!) призывали конгресс разобраться с адюльтером на съемочной площадке. И самое смешное, студия не знала, как себя вести, бонзы не понимали, хорош для судьбы картины вот этот конкретный скандал, занимавший первые полосы всех таблоидов мира, или возмущенные промискуитетом домохозяйки будут саботировать просмотры? И даже первая домохозяйка страны, Жаклин Кеннеди, интересовалась происходящим, просила держать ее в курсе и жадно читала журналы, публиковавшие хронику развития отношений Лиз и Дика; ее — примерно во время карибского кризиса — интересовал лишь один вопрос: женятся ли звезды. Мир помешался на этом романе, первый же кадр с поцелуем звезд — был сделан в Риме, на выходе из одного из павильонов *Cinecitta* папараццо Элио Сорци, проведшим весь день в укрытии, под припаркованной машиной, — послужил ответом "да" на вопрос года, ну а потом посыпались фотографии с Искьи, и вопросов не осталось вовсе. Развод обоих со своими супругами и их первые женитьбы были лишь делом времени.

В те же времена в отеле довольно часто, но не во время съемок "Клеопатры" (сцена бы не выдержала двоих) появлялись великие итальянки — Анна Маньяни, Софи Лорен, Джульетта Мазина. Их именами, как и именами Тейлор и Бертона, названы лучшие номера отеля. Побывал в *L'Albergo della Regina Isabella* и Кларк Гейбл, и Чарли Чаплин, и, понятно, Альберто Сорди. И конечно, Лукино Висконти, хотя ему останавливаться в гостинице Риццоли было без нужды, в нескольких километрах от Лакко-Амено, в горах, у Висконти была вилла *La Colombaia*; в парке, окружающем виллу, как того хотел режиссер, захоронен его прах. Отель был средоточием *dolce vita*, на Искье тогда не надо было как-то специально проводить кинофестивали, звезды и так приезжали к Риццоли: Кампания была итальянским ответом Калифорнии, Искья — чем-то вроде Малибу, *L'Albergo della Regina Isabella — Chateau Marmont* и *The Beverly Hills Hotel* вместе взятым.

Впрочем, эпоха Риццоли однажды закончилась. Незадолго до смерти (в 1970 году) продюсер Феллини и Антониони продал гостиницу семье Каррьеро, которой предприятие принадлежит и по сей день. В *L'Albergo della Regina Isabella* начались новые времена, потому как при Каррьеро главным постояльцем отеля стал *L'Avvocato*, всемогущий владелец *Fiat* Джанни Аньелли. Одетый с невероятным вкусом и изрядной долей экстравагантности, чуть прихрамывающий после нескольких аварий, герой-любовник с королевской кровью (мать Джанни была принцессой Бурбон дель Монте), хозяин половины Италии, — Аньелли любил Искью и *L'Albergo della Regina Isabella*, посещая отель при каждом удобном случае. Вернее, при каждой возможности. И опять же — апокрифическая история: у Адвоката в гостинице был любимый номер и любимый массажист — Сальваторе. Не просто массажист, а доверенное лицо, исповедник и редкий друг. Именно ему, Сальваторе, Джанни Аньелли звонил в том случае, когда хотел провести пару дней на Искье:

— Добрый день, могу я поговорить с Сальваторе, массажистом?

— Добрый день, синьор?..

— Джанни, Джанни Аньелли.

Дальше чуть живая телефонистка соединяла абонента Аньелли с массажистом, тот выслушивал патрона и несся к хозяину отеля предупреждать о прибытии гостя. Из любимого номера выпроваживали гостей, делая им предложение, от которого те не могли отказаться, Сальваторе расчищал свой график, и отель замирал в ожидании Адвоката. Который мог прийти на своей яхте, мог прилететь на вертолете или просто материализовывался из воздуха. И только одна жертва требовалась от Сальваторе — не упоминать в присутствии владельца “Ювентуса” команду “Наполи”. И вообще любую другую команду.

Сальваторе я застал, попав на Искью в первый раз, лет пятнадцать назад. Старик был бодр и силен, каждое утро он приходил на работу; как и во времена Аньелли, у него было множество постоянных клиентов, ради него приезжавших в отель. Он и теперь еще жив и даже иногда заходит проведать своего сына, который тоже массажист. И который делает с людьми ровно то, что на протяжении шестидесяти лет делал Сальваторе: сначала обмазывает ноги, поясницу, живот и спину клиента разогретой до сорока трех градусов искитанской грязью, потом отмывает эту грязь термальной струей, бьющей из шланга, затем засовывает размякшее тело в ванну с бурлящей вонючей водой, а по окончании экзекуции массирует огромными борцовскими руками тело; массирует без сантиментов, безо всякой там эзотерической глупости, честно, как учил отец. Нет, в термах *L'Albergo della Regina Isabella* есть и разные тайские-балинезийские массажисты — место-то модное; есть косметологи, есть те, кто умеет делать массаж горячими камнями и поющими тазиками, есть даже пара индусов, умеющих капать масло в третий глаз, но даже дамы в *Chanel* почему-то предпочитают парней старой школы, вот этих, без экивоков, учеников старика Сальваторе. Парням под стать кабинеты: никакого полусвета, ни капли гламура, только кафель на стенах, больничный свет и байковые одеяла, которыми укрывают в момент принятия грязей. А сами грязи — бурое золото Искьи. Говорят, их выдерживают в специальных бассейнах с термальной водой на берегу моря, чтобы они напитались воздухом, чтобы колонии микроорганизмов смогли превратить обычную грязь в лечебные грязи, чтобы магия заработала. И она, магия, работает. Особенно когда представляешь себе обмазанную в районе поясницы Элизабет Тейлор, укутанного байковым армейским одеялом Ричарда Бертона, лежащего в ванной Чарльза Спенсера Чаплина, мятого огромными руками Сальваторе Джанни Адвоката Аньелли. Магия — она же как раз про это, не про грязь, конечно, и не про грязи, а про то, что ровно в этой ванне лежал Чаплин, и что на этом столе Сальваторе делал массаж Аньелли, и что грязи всё те же, и что *L'Albergo della Regina Isabella*, отель, отметивший в прошлом году шестидесятилетие, всё так же смотрится в тирренские воды, и что рыбацкие лодки всё так же швартуются в небольшой бухте, отгороженной молом, который был возведен еще Риццоли, и что, выбрось вы из окна белые рубашки, им не дадут утонуть, кто-нибудь их обязательно выловит, выстирает и нагладит, прежде чем отдать консьержу отеля.

Дмитрий Воденников

У меня была вобла

Личный опыт

К огда-то у меня была вобла. Обычная вобла. Кто-то принес, подарил, воблу не съели. Она лежала на подоконнике в кухне, сияла на солнце, темнела в сумерках.

И вдруг у меня получилась игра. Я стал носить ее по Москве (завернутую в пакет: вобла же пахнет, слегка-слегка, солоноватой кожей, призрачным солнцем, умершим морем) и фотографировать в разных местах. Вобла побывала в Третьяковской галерее на Крымском валу, поглазела на Кремль (пустыми мертвыми глазами), засветилась этими снимками в фейсбук. А потом я решил ее отпустить.

Но не тут-то было.

Не дали ей уплыть в равнодушные волны с того же Крымского моста.

— Я возьму ее в Токио. Я возьму ее в Париж, — говорили мне люди.

Но где-то между Токио и Амстердамом, когда один участвовавший в стихийном флешмобе передавал ее другому участнику (а я только дирижировал), в пост про очередную передачу воблы пришел человек.

— Я возьму ее в Берлин, — написал он мне. — Дмитрий! Если вы подъедете к Белорусскому вокзалу. Я как раз поеду в Берлин в мягком купе. Приезжайте в восемь вчера на вокзал. Если хотите, я могу и вас сразу туда взять. У вас же есть виза?

— Вобла уже не у меня, — ответил ему я. (Я устал и мне никуда не хотелось.)

— Жаль. Но помните: я еще напишу вам. Я вам послан во искушение.

И искушения начались.

…На протяжении жизни человечества смысл слова "работа" часто менялся. Охота, собирательство, потом возделывание полей и животноводство. Потом города. (Тут как раз и пришли основные болезни.) Как справедливо заметил один историк: "В течение довольно большого периода (можно сказать, большей части своей истории) люди вообще не работали — они выживали". Поэтому сама идея потери работы — это сравнительно недавний феномен. Только когда началась промышленная революция, человек по-настоящему ощутил этот страх: остаться без работы. Машины, автоматизация, металлический ужас лишнего винтика. Отсюда и наша тревожность. Мы боимся стать этим ненужным винтиком.

Вот и я к августу прошлого года сильно устал. И тут, как бы всё почувствовав, из сумрака интернет-сети выплыл мой искуситель.

"Я вижу, что вы очень устали, — написал мне Н.П., Николай Петрович, так я стал его называть. — Я хочу, чтоб вы съездили отдохнуть. Куда вы хотите?"

Зачем я ляпнул про "Англетер"?

И вот мне куплены дистанционно билеты в Сапсан, и вот я еду в "Англетер". На пять дней. Единственный номер с балконом, вид на Исаакий, через пять минут с момента заселения стук в дверь. Стоят два бравых молодца. В одежде коридорных. (Но я-то знаю, что это подосланные мелкие черти.) В руках блюдо. Фрукты, конфеты, "комплимент от отеля". (Но я-то знаю, что это мелкая рыбка золотого искушения.)

…Исследователь Эдуард Хлысталов не верит в версию самоубийства Есенина. С 1963 года Хлысталов — следователь Октябрьского района Москвы, старший следователь Главного управления внутренних дел города Москвы, ему можно верить.

Я читаю его статью про гибель Есенина. "На первой фотографии мертвый Есенин лежит на диване или кушетке, обитой дорогим бархатом или шелком. Видимо, его тело только что вынули из петли. Волосы взлохмачены, верхняя губа опухшая, правая рука неестественно в трупном окоченении повисла в воздухе. На ней ясно видны следы глубоких порезов. И сколько я ни всматривался в фотокарточку, признаков наступления смерти от удушения петлей не видел. Не было характерно высунутого изо рта языка, придающего лицу висельника страшное выражение. Да и удивлял сам факт, что труп положили на диван, ведь у повешенных ослабевают мышцы мочевого пузыря и другие мышцы".

Странное ощущение дает и вторая фотография. Где поэт снят уже в гробу. "Рядом стоят мать, сестры, жены поэта. Софья Толстая. Слева в глубине первая жена Есенина — Зинаида Райх, в истерике уткнувшая лицо на грудь своему мужу В.Э. Мейерхольду. На лбу трупа, чуть выше переносицы, отчетливо видна прижизненная травма. Про такое телесное повреждение судебно-медицинские эксперты заключают, что оно причинено тупым твердым предметом и относится к опасным для жизни и здоровья человека".

Дальше — больше.

Считается, что и свое легендарное стихотворение "До свиданья, друг мой, до свиданья" Есенин ни в каком "Англетере" не писал.

Это всё мы знаем со слов Эрлиха — агента ГПУ. Об этом уже немало написано, но и впрямь: это же не предсмертная записка, а записка к умершему (погибшему) другу. "Милый мой, ты у меня в груди" — это, скорее, обращение к А. Ганину, при чем тут смерть самого Есенина? Ганин был его другом. Но вообще русским поэтом и националистом, которого в 1925 году расстреляли большевики. По сфабрикованному делу "Ордена русских фашистов".

Странно, впрочем, что они его не расстреляли раньше.

До свиданья, друг мой, до свиданья,
Милый мой, ты у меня в груди.
Предназначенное расставанье
Обещает встречу впереди.

…Поначитавшись всего этого, я понял, что мне надо выпить. И пошел в ночной ресторан отеля, который прятался где-то на первом (если не ниже) этаже. А на обратном пути заблудился.

Мягко стелился сплошной ковролин, нежно светили приглушенные лампы, было бордово и золотисто. Но номера своего я не мог найти.

Я сел на ковролин и заплакал.

От своей потерянности, от этих пустых роскошных коридоров, от горечи российской истории, от невозможности отыскать путь.

— Я, я эта лошадь, загнанная в мыле! — говорил я несуществующему Господу. — Это меня загнали в пришпоренном и бесконечном беге.

…Когда ранним утром 24 декабря 1925 года Сергей Есенин приехал в Ленинград, он был весел и жизнерадостен. Читал свои стихи друзьям, пил с приятелями. Но утром 28 декабря 1925 года всё равно был обнаружен мертвым в пятом номере "Англетера" (кстати, этого номера больше нет: позже отель был полностью перестроен). Все газеты написали о самоубийстве. Позже обнаружился и листок со стихотворением, якобы написанный кровью. Для написания стихотворения кровью Есенин, считается, разрезал себе вены. Даже Маяковский написал: "окажись чернила в «Англетере», вены резать не было б причины".

"Откровенно говоря, — пишет дальше следователь-исследователь Эдуард Хлысталов, — я не представляю, как можно написать стихотворение кровью из разрезанной вены. Кровь в сосудах находится под давлением. Разрезанную вену нужно как-то зажимать. А как макать перо в кровь? Судя по посмертной фотографии, у Есенина на руке была глубокая рана, с разрезом не только вены, но и мышцы. При такой травме должно быть обильное кровотечение. Пока строчку напишешь, кровью изойдешь…" И тем не менее такое стихотворение имеется.

До свиданья, друг мой, без руки, без слова,
Не грусти и не печаль бровей, —
В этой жизни умирать не ново,
Но и жить, конечно, не новей.

… "Вы очень устали, — написал мне уже через месяц Н.П., Николай Петрович, как я стал его теперь называть. — Я хочу, чтоб вы съездили отдохнуть. Куда вы хотите?"

— Я хочу съездить в Питер. И жить в "Англетере", — ответил я.

И тут вобла моя — уплывшая от меня вобла — яростно двинула хвостом.

Иногда мне кажется правильным не отвечать на искушение.

Мария Голованивская

"Танатос-спа"

Рассказ

Как с акциями "Стил"? — спросил Смирнов, входя в приемную и ослабляя узел на галстуке.

С утра он затянул его так, словно хотел удавиться. Опрокинул по дороге в ванную стакан с барной стойки — распять дизайнера! — наступил на осколок, запрыгал на одной ножке, оставляя кровавый, похожий на отпечаток куриной лапки след. В ванной залил одеколоном и залепил. Не дохнуть же от заражения крови! Надо иначе. В ванную при спальне он идти не хотел, там были Наташины духи, Наташины кремы, серебряный стакан с кисточками, халаты, один шелковый с красным попугаем на спине. "Жить с тобой не хочу больше ни за какие деньги, — выводил ее аккуратный, красивый, среднего размера почерк с завитками у «д» и «л», — будь ты проклят, Смирнов, импотент хренов!" Лежало на подушке. Будто она шмальнула, но промахнулась. Черт с ней, буквально. Черт с ней заодно. Утаскивает с этого света на тот когтистой лапой. Не за что ухватиться, везде дыра. Словно дышит кто-то в спину. Когда подозревали у него рак простаты пять лет назад, она исхлопоталась, исстаралась, рассыпалась в тысяче мелких и крупных забот, а тут — навылет. Ты навылет, Смирнов!

И не в том дело, что обвал. А в том, что незачем вставать, не хочется. Кончился завод у зайки, не бьет больше в барабанчик, не прядет ушками. "Кончиться может доска!" Вот именно, кончилась. И ладно — кредиторы, журналисты, смешки в спину. Запьем, заедим. Ну что, не было этого раньше, в девяностые, нулевые? Но тогда шерсть была дыбом, а сейчас нету шерсти, повылезла, и деньги не радуют, и их отсутствие не бодрит. Конец сценария. Жирная точка, ХХХХХХ.

— Пятьдесят девять с четвертью, — ответила одна из двенадцати секретарш в приемной, именуемой у него, на манер кремлевской, "номер один".

В щелканье мышек и клавиатур ему померещился джазовый ритм. Он не выносил джаз, считал его галиматьей для черных. Как будто резкий порыв ветра качнул штору, и белый июньский луч рассек приемную по диагонали, но откуда тут ветер, ведь в "Москва-Сити" окна не открываются, да и жалюзи — не занавески... Глянул в окно: небоскребы и кусок кольца, забитого машинами. Отвернулся. Затошнило. Телефоны девиц шипели и щелкали без умолку, экраны в приемной и у него в кабинете показывали одно и то же — котировки, колонки цифр, ползущие, как змеи, снизу вверх.

— Ну как "Стил"? — снова спросил Смирнов.

— Пятьдесят девять, — ответила Линева, старшая по сегодняшней команде секретарей.

Она на минуту перестала что-то печатать и подняла глаза на молодого француза, недавно нанятого Смирновым управляющим. Он вошел в приемную с каменным лицом и, увидев Смирнова, стиснул голову руками.

— *Merde!* — завыл он. — *Merde de merde et tas de merde!!!** Линева отметила, что он забыл застегнуть ширинку — виднелась полоска красных шелковых трусов. "Плохой знак, — подумала Елена, — он всегда такой напомаженный".

— А "Кэнникот"? — спросил Смирнов.

— Двадцать восемь, — сообщила Линева.

За дверью послышался громкий свист с причмоком — так обычно чихал Гарри Купер, финансовый директор корпорации. Через минуту он стоял в приемной с красным, как свекла, лицом и совершенно мокрой рыжей бородой и бакенбардами. Пот катился по его лицу, и он уже даже не трудился вытирать его таким же мокрым платком, судорожно зажатым в кулаке.

---

*   Говно, чертово говно и куча говна (*фр.*).

— Вы больны? — поинтересовалась Линева. Тот факт, что Смирнов несколько лет назад спал с ней, позволял ей говорить с менеджментом на равных.

— Криз, — отрезал Купер. — Едва жив.

— Пошли в кабинет, — сказал Смирнов. Войдя, плеснул всем коньяку.

— Цирк! — прошептал Купер. — Обвал на сорок шесть процентов. Я бы казнил аналитиков на площади.

— Да, это кризис! — сказал Смирнов и вышел в апартаменты при кабинете. Затошнило опять. Еле добежал до туалета.

— Погорел, бедняга! — произнес Гарри Купер.

— Да, — кивнул француз, — он влил последние деньги. Мне рассказала *Natacha*. Она ушла от него, нету больше смысла... Ты, Купер, по своим старым клиентам информацию распространил? Может, кто купит его по дешевке?

— С русскими больше никто не хочет, — отрезал Купер. — Покупают без разбора, а потом — пулю в лоб. Невозможно. На прошлой неделе сколько было случаев?

Француз почему-то улыбнулся, и крошечный его подбородок совсем ушел вниз, за кадык. Куперу показалось даже, что у него нет половины лица.

— Линять пора, — вздохнул Гарри. — Пойду я. И ты иди, выруби телефон, мой тебе совет.

Он вышел из кабинета и сел в лифт с красивыми бронзовыми дверями стиля ар-нуво, купленными Смирновым несколько лет назад на аукционе в Лондоне за бешеные деньги. В нем ехали начальник кадровой службы и его секретарша, для которой этот лифт был не по чину.

— *Down*, — скомандовал Купер лифту.

— Как "Стил"? — спросили кадровики почти хором.

— Пятьдесят девять, — ответил Купер.

Смирнов, вернувшись в кабинет, обнаружил его пустым. Стаканы, мокрый платок на столе, и никого. Да и слава богу. Пусть проваливают, пусть черти их сожрут, распухли здесь, разжирели, как черви, презентациями обложились. *"Thank you for your attention!"* Смайлики, а не мужики.

Он вышел на набережную и зашагал куда глаза глядят. Зелень, небо, река — утешающая формула, в такт шагам. Увидел вход в метро. Сколько он не был в метро — двадцать лет, двадцать пять? Он нащупал в кармане монету, подошел к окошку, протянул: "Один билет!" — "Молодой человек, — закричал ему в лицо динамик, — билет пятьдесят рублей!" "Пятьдесят?" изумился Смирнов. Он помнил по пять копеек.

С собой у него был только кошелек с кредитками.

— А где здесь банкомат?

— На той стороне улицы, — ответили хором динамик и женщина в линялой зеленой ветровке, что стояла за ним и пахла потом.

Смирнов застонал.

— Вот, возьмите, — перед его носом возникла пятидесятирублевка.

Он повернул голову. Бледное лицо. Волосы, растрепанные ветром. Морщины у губ. Улыбка. Очки. Он взял, не поблагодарив от растерянности. Пошел к эскалатору, остановился, набрал маму.

— Мам, у тебя пенсия какая? Официальная, я имею в виду. Двенадцать тысяч?

Смирнов катался по Кольцевой и изо всех сил тужился вспомнить молодость. С усилием, с которым в детстве допиваешь горькое лекарство, под уговор: допей, мой хороший, и тебе легче станет. Но воспоминания не вылезали, никак не получалось преодолеть себя, всё было тошно: и эти пышнотелые станции с фигурами и мозаиками, и эти люди с наушниками, и объявления на стенах. Потом кто-то рявкнул на него, что хорошо бы женщине место уступить, и он нехотя поднялся, желая только одного — в морду дать. Мать только жалко, не переживет она. Ну, оставил я ей денег, но кто утешит ее?

Он вышел на "Парке культуры". Зашел в кафе, полное молодняка. Какие они всё-таки уроды: пирожные жуют, в айфончики пишут. Ничего с такими не сделаешь, не построишь Днепрогэс. Заказал кофе.

— Не завтракается одному? — участливо пошутила официантка.

— Жена уехала, — виновато сказал он. — В командировку.

Заплатил картой. Как долго осталось до ареста счетов? Выходя, взял газету, развернул. "Спиридонов вышел из окна своего кабинета". В соседней башне у Спиридонова два этажа. Значит, вышел с тридцать второго? Его чуть не сбил с ног студент с рюкзаком, волосатый, в очках, он входил в кафе, в ушах у него играла музыка, очки после дождя, зарядившего было, запотели. "Ты, идиот! — заорал студентик. — Растопырился!" "Странное слово", — подумал он, но увидел, что это был вовсе не студент, а старик, запущенный, вонючий, в резиновом рваном плаще, и охранник уже выталкивал его прочь, слегка попинывая коленкой.

А если и правда с двадцатого этажа, прикинул Смирнов. Сколько секунд будешь лететь — три или четыре? Но если не сразу умрешь? Представил себе кровь, переливчатую слизь, хрипы, торчащую из бедра кость, брызнувшие мозги. Он шел по Комсомольскому, слушая свои шаги. Поставил свечку в церкви, помолился как умел, с удивлением увидел икону, кажется, Марию с младенцем, всю увешанную золотыми кольцами и браслетами, изумился, хотел было оставить ей свои часы, но осекся. У Христа было злое маленькое личико, и Смирнов прочел молитву еще и еще раз, стараясь успокоиться, опереться на нее, как на ходунки, но ничего не получалось, он шатался, подскальзывался, опрокидывался навзничь.

Дошел до Новодевичьего, изумился красоте пейзажа: стена, деревья с колышущейся кроной, небо с идеальным облачком. Щелкнуть бы. Достал телефон. Осекся. Ну вот, нюни распустил, облачко решил сфотографировать. Плохи дела. Красота природы размягчает. Он давно заметил. Пахучий пион цвета бордо с голову младенца или наглая распахнутая сердцевина мальвы. Тут не было цветов. Тут колыхались кроны и звенели купола — так казалось, во всяком случае. "Жизнь небесная, жизнь земная", — пропел внутренний голос и ущипнул его изнутри за переносицу, отчего на глазах выступили слезы.

Побродив в Новодевичьем вдоволь, он углубился в квартал и вдруг почувствовал зверский, почти что животный по силе аппетит. Неужели молитва помогла и я опять задышу? Как в детстве: хочешь есть, значит, выздоравливаешь. Смирнов открыл первую же дверь, ввалился, вцепился руками в меню. Оладьи! Боже мой! Как же он захотел оладьи! С малиновым вареньем...

— Оладьи у нас на завтрак, а он кончился десять минут назад! — презрительно сказала официантка.

— Принесите, — взмолился Смирнов.

— Не могу, — отрезала она. — После одиннадцати не готовим.

Смирнов достал кошелек, порылся там, достал сто долларов.

— Оладьи, — повторил он.

— Не положено. И доллары мы не берем. И карты не берем. Только наличные.

Смирнов обшарил кошелек. Нет наличных. Потребовал начальство. Угрожал, хвалился знакомствами, орал. Тряс телефоном. Вышла старшая, зевнула. Нет наличных — подите прочь. Завыл. Выскочил на улицу. Побежал. Наткнулся на киоск. Шаверма, блины, сосиски, соки, кофе. Швырнул сто долларов: блинов! Быстро!

Он жрал блины руками, сидя на оградке газона. Жирные пятна от сметаны мгновенно облепили лацканы его пиджака, галстук, воротник. За ними последовали черные мухи, мелкие по началу лета и особенно назойливые. Смирнов обтер пальцы о брюки, выматерился и вызвал водителя.

Смирнов вернулся в кабинет под конец рабочего дня. Нет никого. Не о чем говорить. Вошел в кабинет, где было прохладно и пахло лавандой. Он сел за стол, разделся по пояс и увидел бархатный конверт, перевязанный голубой шелковой лентой, на которой красовалась большая сургучная печать. Хотел позвать Линеву, отругать за конверт, какого черта! Как они смеют класть мне на стол рекламный буклет?! Но передумал, взглянув на адрес: "Танатос-спа, Баден-Баден". "Танатос-спа"?!

Рядом с конвертом на столе была еще записка от руки, написанная Купером: "У нас маржин-колл по всем акциям. Как мне с вами связаться?" — "Никак, дурак!" — крикнул Смирнов в воздух и распечатал конверт.

СПА-ОТЕЛЬ "ТАНАТОС"
Директор Генри Берстекер.
Дорогой господин Смирнов!
Сведения, которыми мы располагаем, позволяют нам надеяться, что наши услуги могут быть Вам полезны. В жизни даже самого мужественного человека порой бывает такое роковое стечение обстоятельств, что бороться дальше нет смысла и уйти, уйти с достоинством представляется единственным избавлением и благородным выходом из ситуации. Но как это осуществить? Один стрелялся да промахнулся, задел зрительный нерв и ослеп. Другой выпил снотворное, но ошибся дозой и очнулся дня через три разбитый параличом, с тяжелыми поражениями мозга, лишившись памяти. Самоубийство — это искусство, которое не терпит ни невежества, ни дилетантства, но научиться ему нельзя — нет возможности попрактиковаться. И тут приходят на помощь профессионалы из "Танатос-спа".
Мы находимся на границе Германии и Франции в живописнейшем месте, в нескольких часах езды от известного каждому русскому Баден-Бадена. Расположены мы в уединенном уголке в горах, столь надежно защищенном самой природой, что можно не беспокоиться за свою полную недосягаемость для

внешнего мира. Мы предоставляем возможность уйти из жизни без всяких страданий и, смеем утверждать, без всякого риска. У нас работают лучшие специалисты; новые технологии и старые проверенные наработки — к услугам наших постояльцев. На нас можно положиться: в минувшем году мы удовлетворили более двух тысяч клиентов.

Чтобы поселиться у нас, достаточно уплатить по прибытии сумму в размере пятидесяти тысяч долларов (наличные). Больше никаких расходов (к примеру, на чаевые) во время пребывания в нашем отеле, срок которого должен оставаться для Вас неизвестным, не предвидится. В эту же сумму включены расходы по похоронам и уходу за могилой.

Добавим еще, что "Танатос-спа" расположен в местности, отличающейся необыкновенной красотой. Чудесный парк особенно великолепен в июне. Наши розы окутают Вас волшебным ароматом, наши фонтаны усладят Ваш слух мелодичным журчанием. В Вашем распоряжении будет четыре теннисных корта, спа- и бьюти-процедуры, площадка для гольфа и огромный бассейн для плавания. Клиентуру отеля составляют лица обоего пола, принадлежащие к самому изысканному обществу, в интерьерах и манерах персонала сквозит утонченность и глубокое преклонение перед малейшим капризом гостя. Просьба к вновь прибывающим самим добираться до Баден-Бадена, где их будет ждать лимузин отеля. Просьба также сообщить о предстоящем прибытии имейлом, к сожалению, мы не поддерживаем телефонную связь с внешним миром. Наш адрес: thanatos_spa@bb.de.

Самолет до Франкфурта, казалось, не летел, а висел в воздухе. Несколько раз тряхнуло так, что душа у Смирнова ушла в пятки. Нет, так умирать он не готов. Да и готов ли вообще? В аэропорту всё показалось ему праздничным, феерическим. Пенилось пиво, шипело на тарелках жареное мясо, вились крендели — умеют всё-таки немцы любить жизнь.

Дальше он поехал поездом, а не на такси. Захотелось по-детски прокатиться напоследок. За окном мелькали поля и виноградники, на которых сновали рабочие — яркие скобы спин на фоне зеленых плотных лоснящихся листьев казались дизайнерской крапкой, призванной оживить пейзаж. Ему вроде стало полегче. Он то читал, то дремал.

В соседнем купе ехали две хохлушки с орущими детьми, и он беззлобно думал: вот как хорошо, совсем простецкие девки, деревенские, а едут в бизнес-классе, должно быть, нашли себе щедрых мужиков... Его соседом по купе был темнокожий подросток весь в тату, наверное, чтобы прикрыть шрамы от оспин или фурункулов, кепка его была повернута козырьком назад, а на пальце сиял большой бриллиант. Он жевал жвачку и с остервенением пялился в окно. "Нервничает отчего-то", — подумал Смирнов почти сочувственно.

— Следующая станция — Баден-Баден, — сообщил проводник. — Нужна ли вам губка для обуви?

— *Herr Smirnoff*? — окликнул его носильщик, едва тот ступил на перрон. Он подхватил его чемоданы и поставил их на тележку к двум другим с наклейками, инициалами и золотым кантом. При чемоданах находились две белокурые девицы глянцевой внешности. Неужели туда же, отдавать концы?

Обе блондинки ответили ему серьезным и печальным взглядом и прошептали слова, которых он не разобрал.

Лимузин "Танатос-спа" нисколько не походил на катафалк, это был ярко-синий праздничный автомобиль, сверкающий, пышный. Внутри всё было роскошно: и бархат, и грушевое дерево, и начищенный до блеска мельхиор, и слоновая кость на ручках и переключателях. Когда они выехали из города, Смирнов понял, что они движутся в сторону Шварцвальда — когда-то они были тут с Наташей. Очень быстро машина начала двигаться только вверх, его было затошнило, но ощущение это быстро прошло, он отвлекся на пейзажи и любовался ими, пока дорога не стала экстремальной, с отвесными скалами, поросшими лишайником ущельями, от которых захватывало дух. Всё это утопало в серовато-голубой дымке то ли от костерков, которые жгли пастухи, то ли от тумана, который образовывался тут повсеместно от резкого перепада температур. Выше, над ними, сияло солнце, обдавая металлическим блеском и эти горы, и вереск, и речки, змеящиеся внизу, и дымку неясной этиологии, и его бледное лицо, прилипшее к окну: он сел на переднее сиденье, чтобы не стеснять девушек на заднем.

Шофер, толстяк со свистящим дыханием и базедовыми глазами, был одет в сине-серую форменную одежду.

— Давно здесь служите? — полюбопытствовал Смирнов.

— Три года, — с улыбкой ответил тот.

— А пассажиры, которых вы привозите в отель, когда-нибудь возвращаются?

— Нечасто, — с некоторым смущением кивнул шофер. — Но всё же и такое бывает. Вот я, например.

— Вы приехали сюда как... клиент?

— Слушайте, господин хороший, — сказал шофер, внезапно переменив тон, — я ведь рулю, а повороты здесь — сами видите. Угроблю и вас, и барышень, вы этого хотите?

Дальше ехали молча.

Через два часа шофер кивнул на силуэт "Танатос-спа".

Здание гостиницы было построено в стиле королевы Виктории: четкие пропорции и изысканный, сдержанный декор. Эркеры говорили об уюте номеров, выходящих на южную сторону, а значит, всегда залитых солнцем. Декоративные фризы на фронтоне, вертикальная балюстрада балконов. Лестницы и веранды обещали прекрасные уголки для свиданий, если таковые готовы будут приключиться. Но главное, конечно, парк с клумбами, фонтанами и умопомрачительными розами вдоль дорожек. Прибывших встретил портье-итальянец. Его гладко выбритое лицо показалось Смирнову знакомым. Вместе с ним в его памяти всплыли шумные улицы большого города, бульвары с тамарисками, зажигательная музыка.

— Я вас видел раньше? — сказал он портье.

— В Барселоне, сэр, в отеле "Ритц". Фамилия моя — Саркони. Вот анкета и договор, — Саркони протянул ему несколько зеленоватых страничек, — вы уж не обессудьте, здесь несколько длиннее, чем бывает обычно.

Странички и в самом деле содержали массу вопросов. Клиентам предлагалось в подробностях указать дату и место своего рождения, сообщить фамилии лиц, которых надлежит известить, если клиент станет жертвой несчастного случая.

"Просьба указать по меньшей мере два адреса родственников или друзей, а главное, переписать собственноручно на своем родном языке следующее заявление (форма А):

«Я, нижеподписавшийся, _____, находясь в здравом уме и твердой памяти, удостоверяю, что добровольно расстаюсь с жизнью, и потому снимаю с дирекции и персонала отеля "Танатос-спа" всякую ответственность за то, что может со мной случиться»..."

Директор спа-отеля Генри Берстекер, невозмутимый человек в очках с золотой оправой, очень гордился своим заведением. Он пригласил сюда прекрасного китайского массажиста, оборудовал несколько кабинетов для натуральных грязевых обертываний, внедрил самый прогрессивный метод лимфодренажа, построил отдельный корпус с бассейном для лечебной гимнастики.

— Вы владелец отеля? — спросил его Смирнов.

— Нет, *herr Smirnoff*, "Танатос-спа" — акционерное общество, но я автор идеи и по договору — пожизненный директор. У нас тут, знаете ли, ценят ноу-хау.

— И чего, никто не судится с вами? — полюбопытствовал Смирнов.

— А за что? Мы предоставляем нашим клиентам то, что они желают, и ничего больше! Да и власти заглядывают сюда крайне редко. Очень долго это плато считалось совершенно недоступным. Легенда гласит, что каждый, кто приходит сюда, погибает. Не много желающих, сами понимаете.

— И родня не поднимает скандал?

Директор почти оскорбился.

— Семьи наших клиентов исключительно рады тому, что нам удается так элегантно и ко всеобщему удовольствию разрешить проблемы самого деликатного свойства.

Наташа тоже будет исключительно рада, подумал Смирнов. Она элегантная женщина.

— Что касается заранее оговоренных пятидесяти тысяч долларов, — продолжил директор, — то прошу вас не отказать в любезности и по пути вручить их кассиру. Его кабинет рядом с моим. Вы же прихватили наличные? И да, не забудьте перед ужином сходить в спа! У вас как раз есть два часа. Обертывания и массаж водными струями с серебром дает такой цвет лица, так омолаживает, что вы станете ходить на него еще и еще. Мышечный тонус, хорошая работа кишечника, лимфодренаж… — слышал Смирнов спиной, спешно уходя по коридору в сторону лифта.

В номере сто тринадцать, пламенеющем в лучах великолепного заката, Смирнов не обнаружил никаких ужасных приспособлений.

— Когда подают ужин? — спросил Смирнов у лакея, провожавшего его в номер и застывшего у двери в ожидании дальнейших распоряжений.

— В 20:30, сэр, — ответил лакей.

— Здесь принято переодеваться к столу?

— Большинство джентльменов следуют этому правилу, сэр.

— Хорошо. Я переоденусь… Распакуйте мои вещи и приготовьте черный галстук и белую рубашку.

Спустившись в гостиную после скраба лица и массажа водными струями, помолодевший Смирнов и в самом деле увидал декольтированных дам и мужчин в смокингах. Первым к нему подскочил Берстекер:

— О, господин *Smirnoff*, я искал вас! Очень, очень рекомендую вам разделить ужин с одной из наших клиенток, миссис Кирби-Шоу…

Смирнов поморщился:

— Че-то не догоняю... Я ж не в Куршевель приехал.

— Миссис Кирби-Шоу сидит у пианино, посмотрите на нее. Чем черт не шутит? — тонко улыбнулся директор. — Приятного аппетита!

Она и впрямь была хороша. Темные волосы, уложенные мелкими буклями, тяжелым узлом спускались на затылок, открывая высокий лоб. Ореховые глаза. Раз есть деньги так держать себя, то почему вдруг ей понадобилось уходить? Она подняла на него глаза, и Смирнов поклонился.

Когда ужин, приготовленный мишленовским поваром и безупречно сервированный, подошел к концу, Смирнов уже знал — по крайней мере, в основных чертах — всю жизнь Клары. Она была замужем за шоколадным магнатом из Цюриха, богатым, добрым, но отчаянно нелюбимым. Полгода назад она бросила его и бежала с русским поэтом, с которым познакомилась в Нью-Йорке, когда приехала туда на модный показ. Она ушла от мужа, но молодой человек, приехавший за ней в Европу, узнав об этом, рассвирепел, избил ее и хлопнул дверью. Ему нужна была не она, а деньги ее мужа. Проплакав месяц, она запросилась назад, но муж не простил и пригрозил "голой по миру пустить".

— И чего, совсем не страшно помирать? — спросил Смирнов.

— Страшно. Но жить еще страшнее. А вы как попали сюда?

Выслушав до конца рассказ Смирнова, она отчитала его, как учительница начальных классов.

— Какое отвратительное малодушие! Умереть только потому, что ваши акции упали в цене? Через год или два, если только у вас достанет мужества жить, вы всё это позабудете, может быть, даже восстановите то, что потеряли. Вам нужно найти любящее сердце, и всё придет в норму, поверьте мне. Бывают такие женщины. Надо жить, — настаивала Клара. — Умереть каждый может, а вот жить...

— За полтинник? — удивился Смирнов. — Ну это все-таки не каждый.

— Вас очень скоро полюбит достойная женщина, — пела Клара. — Женщина, которая не побоится трудностей, которая рождена, чтобы спасать...

Смирнов глядел на ее розовую помаду, идеальный маникюр, любовался ожерельем из некрупных и прозрачных, как вода, бриллиантов, и на душе у него становилось трепетно и хорошо: а чем черт не шутит, вот девка... и холеная, и душевная... с горностаями...

— А вы не думаете, — спросил Смирнов, накидывая на плечи Клары горностаевый палантин, — что... уже этой ночью?.. Чик — и никакого больше чирик?

— О нет, — сказала она. — Вы же только что прибыли...

— А вы?

— А я здесь уже три дня.

Прощаясь, они договорились пойти после завтрака в горы.

Наутро, после ледяного душа, предвкушая удовольствие от завтрака и прогулки, Смирнов заметил, что, когда брился, улыбнулся себе в зеркало. Давно такого с ним не случалось, последние пятнадцать лет уж точно. В молодости бывало, а как разбогател — никогда.

Смирнов надел белый полотняный костюм, который они когда-то купили с Наташей в Форте-дей-Марми. У теннисной площадки он нагнал Клару Кирби-Шоу, она, тоже одетая в белое, прогуливалась по аллее в обществе двух молоденьких австриячек.

— Как вам спалось? — как можно учтивее поинтересовался Смирнов.

— Отлично. Вот, думаю, не примешивают ли к нашей еде снотворное?

— Да нет, — протрубил он. — Я сам спал как сурок и проснулся наутро в отличном настроении. Несмотря ни на что!

Обитатели "Танатоса" могли целый день наблюдать романтическую пару в белом. Они бродили по аллеям парка, любовались розами, шли мимо скал, вдоль оврага, то взявшись за руки, то отчаянно о чем-то споря. Когда начало смеркаться, они, обнявшись, пошли назад к отелю, и мексиканец-садовник деликатно отвернулся, чтобы не смущать их слишком уж откровенным рассматриванием.

После ужина Смирнов увлек Клару Кирби-Шоу в маленькую уединенную гостиную и весь вечер шептал ей что-то на ухо, держа за руку. Затем, когда она ушла к себе, решительно поднялся на этаж администрации и без стука вошел в кабинет Берстекера. Господин Берстекер проверял счета. Время от времени он брал красный карандаш и зачеркивал одну строчку.

— О, господин *Smirnoff*! Как же я рад видеть вас! Всё в порядке? Вы довольны пребыванием?

— Я передумал, — сказал Смирнов. — Че там нужно подписать, давай переоформим…

Берстекер в изумлении поднял на него глаза:

— Вы говорите серьезно, господин *Smirnoff*?

— Ты думал, я оправдываться буду? Тебе неприятности нужны? И деньги мне отдай. Быстро, я сказал! Нау!

— Но сейчас уже вечер, — промямлил Берстекер, — касса закрыта. Давайте подождем до утра и на свежую голову всё обсудим? Если вы, конечно, будете так любезны…

— В Гаагском трибунале обсуждать будешь, деятель! Завтра в восемь утра жду денег, за вычетами. Чаевые дам… Но ты смотри у меня, чертов банщик, а то я сам такую баню тебе устрою, что мало не покажется. Кровавую. Не пробовал для омоложения?!

Директор благодарно кивнул. Про баню он недопонял.

— Мы с миссис Кирби-Шоу уезжаем вместе, — гордо сказал Смирнов. — Сделайте чек-аут и ей.

— Как угодно, господин *Smirnoff*, — закивал Берстекер. — Мы работаем для вас!

Как только звук удаляющихся шагов стих, директор нажал кнопку звонка и вызвал Саркони.

— Ночью подайте газ в номер сто тринадцатый.

Часов около двух.

— Сначала усыпляющий?

— Не надо... Он и так будет спать отменно...

Едва портье вышел, в дверях показалась миссис Кирби-Шоу.

— Мне кажется, я заслужила похвалу, — сказала она. — Разве не красивая работа?

— Да, чисто и быстро... Я оценил.

— Значит, его — сегодня?

— Да.

Жаль, — вздохнула она. — Такой импульсивный... Дикий. Огонь так и прет из него.

— Завтра у тебя еще один русский. Шестьдесят два года, стиральные порошки и детское питание. Меломан, любит оперу... Возьми свой гонорар.

Он протянул ей конверт.

— И всё-таки жаль этого русачка, — сказала Клара. — Такая наивность души.

Когда она ушла, Берстекер взял красный карандаш и, приложив металлическую линеечку, тщательно вычеркнул из своего списка одну фамилию.

Алиса Хазанова

Из осколков

Личный опыт

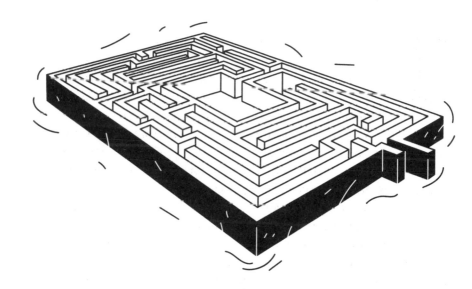

Так получилось, что я с подросткового возраста езжу по гастролям, поэтому гостиница — это понятное мне нейтральное пространство. И даже если есть выбор, где остановиться, — в отеле или у кого-то дома, я всегда предпочитаю отель, мне некомфортно, неуютно в чужом, даже самом прекрасном быте. Я хочу нейтральной ситуации, в которую не надо встраиваться. Так я свободнее себя чувствую, свободнее думаю, мне не надо приспосабливаться к законам и привычкам других людей, я сама создаю свои правила.

Но, возможно, это иллюзия, и законы создает сам отель. В какой-то момент я стала представлять себе, что каждый отель — это организм, живое существо со своим воздухом, своими звуками, загадочное создание, которое существует по своим собственным законам, неизвестно кем для него установленным. А он устанавливает их для нас и заставляет нас подчиняться. Однажды я вышла в коридор какого-то отеля и вдруг подумала: "А если вдруг это действительно живое, думающее существо, которое вдруг сейчас решит поменять направление коридоров и лестниц? Как в «Гарри Поттере»". Для меня отель — это такое место, где с тобой может произойти всё что угодно.

Меня всегда завораживало, что, переступая порог отеля, ты попадаешь в пространство, совершенно отделенное от внешних факторов, где жизнь течет по своим установлениям. Отель — это нейтральная, ничья территория. Попадая туда, человек как бы обнуляется, потому что каждый раз всё начинается с чистого листа. Моя героиня в фильме "Осколки" очарована обилием белого в отеле — все эти белые простыни и полотенца. Так когда-то случилось со мной: я случайно свернула по коридору не туда и оказалась в бельевой комнате отеля *Majestic* в Каннах. Это было во время фестиваля, *Majestic* ближе всего расположен к *Palais des Festivals et des Congrès,* то есть буквально в нескольких метрах, чуть ли не прямо за стеной — толпа, крики, суета, машины, пропуска, звезды, папарацци, вспышки фотоаппаратов. А тут тишина, спокойствие и белизна.

Для меня эта белизна — это тот самый чистый лист, с которого может начаться какой угодно рассказ. Меня завораживает количество этого постельного белья, которое каждый день перестилают горничные. Если задуматься на секунду, в каких масштабах это происходит, то понимаешь, что это отдельное королевство с ангелами, которые с утра до ночи только и занимаются тем, что бесконечно всё обнуляют.

И получается, что люди, которые были здесь до тебя, вроде как и не существовали. Ты попадаешь в пространство, в котором не можешь представить, что было, потому что всё сделано для того, чтобы его обнулить. И это обнуление происходит очень часто. За эту магию я и люблю отели.

В этой нейтральной ситуации может произойти всё что угодно. Поэтому в моем фильме нет линейной истории, которая начинается в точке А и заканчивается в точке Б. Он основан на ощущении дежавю. Вот женщина просыпается, видит перед собой мужскую спину, и в первое мгновение она не понимает, кто это, где она. Ведь сны иногда настолько интенсивны, настолько реальны, что когда просыпаешься, не сразу можешь сообразить: кто это? где я? кто я? Этот загадочный механизм мне и хотелось бы показать. Фильм происходит в каких-то таких пограничных моментах, сцены повторяются — это как мозг, который гоняет нас по кругу, когда мы не можем найти выход из ситуации.

Отель — это всегда возможность истории. Недавно я была в самарской гостинице, сделанной в стиле ар-нуво: красивая лестница, оригинальные большие — до потолка — зеркала. И я, выйдя из своего номера, просто присела на минутку на лестнице — так там было классно. И вдруг услышала, как живет отель, услышала другие жизни — кто-то выходит, кто-то ругается, закрылась дверь, открылась, кто-то куда-то пошел. Я как кошка, мне всё любопытно. И я стала представлять себе этих людей, они словно бы ворвались в мою жизнь. Практически из ничего, на ходу сложилась история. А ведь секунду назад было совершенно тихо.

Отель должен быть загадкой, в нем должны быть длинные, непонятно куда ведущие коридоры и лестницы. Для меня отель — это лабиринт. Есть, конечно, маленькие отели, там свои загадки, но это скорее мир Агаты Кристи — все двери заперты, никто не мог войти, но кого-то всё равно убили. Мой отель — это где ты никогда не знаешь, кого можешь встретить, что тебя ждет за поворотом в этом длинном-длинном коридоре, куда тебя приведет эта лестница.

Здесь может случиться всё что угодно и время течет по каким-то неведомым нам законам.

Елена Посвятовская

Однажды на Мойке

Рассказ

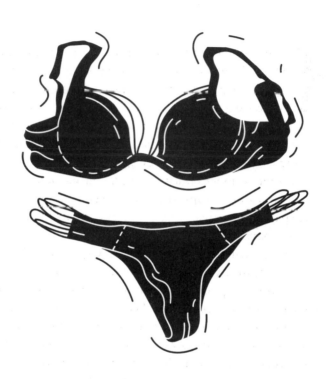

Ничего привлекательного за окнами такси не было. Плыл большой хмурый город, в черно-серых ошметках марта, с раскисшими газонами и собачьим дерьмом на них, да нет, специально она не вглядывалась, но всё так и есть, куда ему деваться-то с газонов, грязные сахаристые сугробы в промелькнувшем парке, прохожие отдуваются от ветра, небо низкое, в быстрых сизых тучах, не безнадежное, нет, иногда проскальзывает между ними первый бледный свет, робко шарит по артритным деревьям на Московском.

— А че грязища-то такая у вас? — Лара вскинула подбородок в сторону водителя.

На самом деле именины сердца. Целых три дня в Питере, только в понедельник утром домой. Главное, вымогать пришлось обещанное. Коробов выкрикнул в новогоднюю ночь, что пятнадцать совместных лет в Питере празднуем, понтанулся, понятно, ну так и всё, пусть отвечает теперь. Лара прятала улыбку в вороте лисьего жакета, тянула оттуда носом духи, сказали — с запахом церковной пыли, непривычно, конечно, но сейчас самая тема. С напускной скукой взглядывала в окно: ну, Фонтанка, и что?

На светофоре, оглядываясь по сторонам, таксист вдруг многозначительно произнес:

— Вот по этим самым улицам и кружил Родион Раскольников.

— Который старушку? — заинтересовался Коробов.

— Тварь ли я дрожащая, — не успокаивался водитель, — или право имею.

"Вот придурок", — с тоской подумала Лара.

———

Дальше до гостиницы ехали молча.

Сдержанный фасад отеля смотрел на Мойку. Лара неторопливо выбросила шпильку за шпилькой на набережную, протянула мужу руку в лиловом маникюре, скрипнули кожаные штаны.

— Мася, а ты в курсе, что у тебя ногти разноцветные? — притворно испугался Коробов.

Заржал идиотски. Она, презрительно сощурившись, молча пронесла себя мимо, спасая эту дорогую сцену выхода. Перед парадным подъездом пятизвездки. Швейцар бросился открывать тяжелую нарядную дверь, старинную, конечно же. Перестукивали каблуки, пламенела помада, легкие серьги танцевали вокруг шеи, Лара даже слышала какую-то гордую мелодию внутри себя, под которую красиво шевелила кожаными ногами.

В лобби толпилась целая делегация фиников, белобрысых и багровых, которые сразу же уставились на нее, даже не оглядеться толком. Схватила только, что холл без окон, весь свет через стеклянный конус крыши, скульптуры странные, чья-то каменная голова прямо на полу, ростом с Лару, какие-то сумасшедшие кубы в интерьере, поставленные друг на друга, съезжающие на ребро, замершие в воздухе, так необычно, параллелепипеды, выкупанные в глубоких красках, редких, ярких, красота. Пока оформлялись, Лара надменно, не отрываясь, смотрела на Коробова, потому что не знала, куда ей смотреть. Не на соплячек же за стойкой.

— Че ты? — удивился он ее пристальному взгляду.

— Ты зарядное для компьютера взял? — зачем-то спросила она, хотя знала, что взял.

Он обалдел чуть-чуть, дернул плечом и снова повернулся к стойке:

— А правда, что когда они бухают, — Коробов кивнул в сторону финнов, — то секьюрити заранее инвалидки к бару подгоняет — по норам развозить удобнее?

Если девушка и удивилась, то виду не подала, а через секундную паузу спокойно ответила:

— Категория отеля исключает подобную ситуацию.

— То есть для лесорубов дороговато? — хохотнул Коробов и со значением посмотрел на Лару. — А эти-то кто такие? Микробиологи, что ли? Бизнесмены?

Девушка медленно и широко улыбнулась:

— Ваш полулюкс 515. Магнитные карточки-ключи. Наш сотрудник проводит вас в номер.

Вечером праздновали в "Астории". Она рядом — площадь перейти. Не вынесли хрустального высокомерия люстр, полукруглых исполинских окон в раскладках и деревянных лучах, легких, узких, много воздуха и пространства, в сырой питерский вечер даже слишком много, не выдержали и заказали водки.

— Скатерти уставшие, — мрачно заметила Лара.

— У меня вообще в пирожке фарш ледяной был в середине, — жуя, заявил Коробов и огляделся. — Зато уровень! Сейчас нажралась бы с сестрицей в караоке, вот веселье.

На улице вздрогнули от каменного дыхания Исаакия, совсем рядом, у щеки. Смотрели, запрокинув лица. Колючие снежинки стремглав валили в свете фонарей, огромный собор молча летел в темном васильковом небе.

Продолжили у себя в баре, с соседом по этажу, из Сургута парень. Лара сначала раздражалась на приблатненный говорок, как он вообще тут оказался, но в два часа ночи сургутчанин уже казался ей уморительным.

— Щас, когда развалимся, давай заплати за меня, — он хлопнул Коробова по спине. — А утром на завтраке подровняемся.

Вот нахал, с восхищением думала Лара, просто наглая морда. В лифте Коробов пел ей на ухо "лепестками белых роз", прижимая к груди бутылку джина из бара. Она запрокидывала голову, смеялась вверх. В номер почти ползли по темным коридорам, Лара два раза упала, умирали со смеху, старались потише, конечно, ну а как потише-то.

Двери лифта разъехались, и Аня выкатила сервировочную тележку на этаж. Вернее, на дежурного охранника Ежова, который совершал обход по сонным этажам.

— Ты чего здесь? — изумился Ежов.

Аня вздохнула, что ночной "рум" чем-то отравился, не в отеле, слава богу, и час назад уехал домой умирать, двум другим не дозвониться, а Аникеев гасится от армии в дурке, уговорили только ее, благо живет рядом, вот и пришлось ей напялить пиджачок рум-сервиса и топать в номер, не повару же идти Аня работала менеджером ресторанной службы, все движения и текст рум-сервиса знала назубок, ей и идти, другой запутается, а нельзя — не мотель ведь.

— Тебе идет, — Ежов оглядел прекрасную Аню в белоснежных перчатках и синей форменной курточке.

Она шагнула к номеру и постучала. Красиво пропела "обслуживание номеров".

— Удачи, Анечка, — махнул Ежов.

Аня попружинила улыбкой, потом установила ее, щедрую, окончательную, ослепила Ежова на прощание и толкнула тележку в распахнувшуюся дверь.

Открыл мужчина, пьяный, муторный, черты лица уже разъехались, не собрать. Он громко икал, пока выговаривал ей за ожидание, на груди тощие волосы в галке халата. Аня вздрогнула, увидев у окна абсолютно голую женщину, постаралась взять себя в руки, но улыбаться перестала. Спросила, куда поставить тележку, быстро превратила ее в круглый стол, подняв деревянные крылья по сторонам, ловко скинула крышки-клоши, скороговоркой называя закуски. Сверкали белые перчатки, в серебряных клошах дробился свет ламп.

Женщина у окна шаталась, пытаясь открыть французское окно, молча и ожесточенно выкручивала ручку. Бросила всё и попыталась закурить, путаясь в сигарете и зажигалке, чертыхалась, как грузчик.

После двух затяжек снова рванула окно на себя.

— Помоги мне, — хрипло попросила Аню.

Зажмурилась и потрясла головой, когда обнаружила, что девчонка из рум-сервиса осталась стоять на месте.

— Оно не откроется до конца, — просто сказала Аня. — Только вот это положение проветривания. В целях безопасности гостей. К тому же балкон за окном общий, единый для шести номеров. Выйти туда невозможно.

Ее дружелюбие не обмануло Лару, даже скомканную алкоголем. Что-то неправильное, тревожное было в ночном рум-сервисе, какое-то бездонное превосходство мерещилось Ларе в темно-серых глазах, она даже слегка протрезвела и, путаясь в рукавах, кое-как натянула халат.

— Слышь, ты, побегайка, — нужно было срочно навести справедливость, наказать мерзавку.

— Всё, Лара, всё, — мужчина шагнул между ними и нетерпеливо расписался в воздухе.

Аня протянула ему счет:

— Поставьте потом, пожалуйста, тележку в коридор, чтобы она вам не мешала, или позвоните мне — я заберу.

Лара ахнула за спиной Коробова, прорываясь из-под его локтя к столу:

— А где мое шампанское, дрянь?

Мужчина закатил глаза и кивнул Ане на дверь.

Она уже выходила, когда за спиной раздался грохот. Видимо, Лара рванула куда-то: не то за шампанским, не то остановить девчонку, чтобы посчитаться за чванство, за летящую спинку. Не удержалась на ногах и, падая, сорвала со стены портьеру, за которой пряталась дверь-проход в соседний номер. Полулюкс Коробовых соединялся с соседним стандартом двойными дверями, и, если заезжала большая семья, они открывались, превращая пространство в привольный люкс. Двери между номерами ничем не прикрывали, не занавешивали, кто против-то, их и не замечали вовсе. Но на прошлой неделе дети проживающих чем-то исцарапали дверь-проход. Особо не видно, но решили до покраски прикрыть ее золотисто-коричневой тафтой в цвет обоев.

Вот в этой самой тафте и барахталась внизу полуголая Лара Коробова, проклиная жизнь и Санкт-Петербург. Муж пытался ее освободить, гладил по голове, причитал вокруг, икая.

— Что это? — заплеталась языком Лара, показывая на дверь. — К кому ты нас, сука, подселила?

— Ваш номер с опцией. При желании его можно превратить в люкс. За дверью еще одна комната, — Аня уже стояла на стуле, ловко возвращая занавес на место.

— Там кто-то есть? — с ужасом спрашивала Лара мужа. — Я не буду тут жить! Мы переезжаем, понял? Ты понял меня?

— Там никого нет, уверяю вас. Но, если вы настаиваете, мы попробуем найти для вас другой номер.

— Убирайся отсюда, что коридорное! — заорал вдруг Коробов. — Она уже через пять минут забудет про эту дверь. Вали отсюда.

Аня осторожно спустилась со стула, надела коричневые мягкие туфли без каблуков и, пожелав постояльцам 515-го спокойной ночи, вышла из номера.

Утром по стеклянному куполу крыши лупило солнце. Город, морозный и пыльный, стряхнул дымку сепии, плоской, под старину, сделался объемным, контрастным. Синие тени чугунной ограды Мойки улеглись на ледяные тротуары, хрустели матовые лужи под каблуками субботних прохожих, редких, улыбчивых. Где-то на одной бесконечной счастливой ноте звенела синица, ци-ци-пинь, ци-ци-пинь, ци-ци-пинь. Ежов затушил сигарету и шагнул из подворотни. Ни за что не понять, не разглядеть, где она прячется.

Так и зашел с синицей в голове, не отвязаться от пронзительной песенки, ци-ци-пинь. Ресепшен сразу надвинулся на него: какие-то две лихорадочные фигуры, негодующие руки женщины, всё время их разводит, красиво развешивает по сторонам, растерянные лица администраторов навстречу, ци-ци-ци-пинь, вот ведь на минутку отошел.

Ежов подтянулся, представился без суеты, чуть двинув грудью бейджик вперед, спросил, что случилось.

— У меня из номера пропали часы, сегодня ночью, — мужчина не выдержал и в конце немного взвизгнул.

Выходящие с завтрака люди с любопытством прислушивались.

— Давайте присядем, — Ежов показал в сторону велюровых диванчиков у стены.

— Хрена тебе лысого, — усмехнулась Лара. — Здесь будем разбираться. Пусть все слышат, как в вашем гребаном отеле людей обносят.

Кивнула администратору:

— Звони давай в ментовку.

Она облокотилась спиной и локтями о стойку, выставив вперед длинную ногу. Парочка старичков-французов топталась рядом, таращилась, стараясь догадаться, что происходит.

Ежов немедленно забыл песню синицы, ахнул внутри: так вот ты какой, тяжелый случай.

— Сами найдем, — ясным голосом сообщил он и улыбнулся. — Даже не сомневайтесь. Сейчас, пока беседуем, девушки посмотрят в программе историю заходов в номер. Замки электронные, карточки магнитные. В системе всё фиксируется: когда и каким ключом открывалась дверь. А потом уже по установленному времени захода камеры коридорные посмотрим. Но первым делом надо поговорить, когда последний раз видели часы, где снимали, хорошо ли искали в комнатах.

Ежов повернулся и пошел к диванчикам. Коробовы нехотя потянулись за ним.

Иногда диванчиком всё и заканчивалось. Гости немного успокаивались, по минутам вспоминали историю пропажи, среди вопросов и ответов могли вдруг насторожиться и тихо покраснеть: а может быть, это осталось в том светлом плаще. Взволнованно взмывали в номер и, о радость, звонили, извинялись, смущенно улыбались на чек-ауте, толкая чемоданы к такси. "С кем не бывает", — отвечал хорошим взглядом администратор, "Счастливого пути", — улыбался охранник на входе, а швейцар и белл-бой просто кивали вслед.

Коробовы заявляли, что в номер вернулись после того, как бар закрылся, в два или в три, какая разница, можно посмотреть, в часах, конечно, и больше никуда не выходили, магнитным ключом ночью не пользовались, лично они не пользовались, потом два раза приходила эта сука из обслуживания номеров, она-то часы и приголубила, ясно как божий день, нет, никакого особого места у них не было, не завелось еще, где-где, где снял, там и бросил, нет, у изголовья теперь не часы — телефоны кладут.

— Вам, ребята, никогда не расплатиться! — Лара закинула ногу на ногу, крутила в воздухе бирюзовой кроссовкой на платформе, изредка взглядывая на охранника черными очками. — Вы попали. Серьезно.

— Почему вы думаете, что часы взяла Шмелева? — спросил Ежов.

— Чиииво? — Лара громко щелкнула жвачкой и качнулась к нему вперед.

— Подожди, Лара, — Коробов вдруг поверил, что часы можно вернуть. — Во второй раз, когда мы заказали шампанское, девушки поссорились сильно. Рум-сервис бестолковая, конечно, грубиянка, вот Лара и вспылила... В общем, могла, могла взять. Как месть, понимаете? Она с таким видом уходила.

Их бледная растерзанность, солнечные очки посредине марта, пальцы у Коробова ходуном, крепкие духи Лары — всё было за то, что на самом деле не помнят они ничего, ни как уходила Аня, ни с каким лицом. Ежов молчал. Он хотел домолчать до момента истины, чтобы она мелькнула хоть на мгновение, хоть одним светлым бочком, чтобы Коробов как-то проговорился, ведь ни черта не понятно, что произошло между дамами, кроме одного — кто из них грубиянка и бестолочь. Откуда, например, у мадам ссадины на лице.

Но домолчать с Ларой не получилось. Только Коробов снова открыл рот, как Лара заскучала.

— И че? — решила разнообразить беседу она. — Вызываем ментов?

Подошла администратор и протянула Ежову листочек с историей заходов. Там было всё так, как и должно было быть: карточкой-ключом пользовались за ночь всего один раз, в 02:20 ночи, и ключ этот был гостевой, выданный Коробовым накануне.

— Вы позвонили Ане? — спросил Ежов, разглядывая листок.

— Да, она возвращается. Ей минут десять от Столярного.

— Да, есть! Вот оно, — обрадовался Ежов.

Стукнулись костяшками пальцев с охранником на мониторах.

— Теперь дальше крути осторожненько, тихо-тихо. Стоп, смотрим, — почти прошептал уже.

Несколько секунд молча наблюдали за экраном.

Через час бодрый Ежов пригласил в мониторную Коробовых, которые явились вдруг потухшими, без истерики и очков. Лара даже поблагодарила за отодвинутый для нее стул.

— Точно, ничего не помнят, — отреагировал Ежов на тихий шелест "спасибо", как сухой лист по мостовой протащило.

Он поведал, что от камер ничего особенного не ждали. В 02:20 ночи Коробовы вошли в 515-й, в 03:05 рум-сервис закатил к ним свою тележку, через пятнадцать минут дверь открылась и сразу закрылась, никто не вышел, так-то не очень видно, дверь по пожарке вовнутрь открывается, и разрешение плохое у коридорных камер, но мелькает еще один источник света — не перепутаешь. А вот Аня выходит, через три минуты.

Ей навстречу ваш сосед с барышней в свой номер заходит. Так, мотаем до ее второго прихода.

Коробов напряженно смотрел на монитор, Лара щурилась.

На экране Аня снова заходила в номер уже с ведерком и шампанским. Минут через десять обратно. На размытой серенькой картинке ничего толком не было видно: ни особой обиженной порывистости, ни выражения лица, ни тем более часов, коварно поблескивающих откуда-нибудь. Выходит себе человек и выходит.

— Случай помог. Так бы не разглядели, — Ежов не скрывал веселых глаз. — Решили посмотреть, во сколько вы стол сервировочный в коридор поставили. Пару раз проскочили, перематывали потом, ну, про стол неинтересно, вы его почти сразу за Шмелевой вытолкали, а вот на что мы наткнулись, пока его искали.

Лара приложила ладонь к горлу, сглотнула "водички бы". Ежов глянул по сторонам, развел руками — "терпите".

Он перемотал запись вперед. Мелькнул мужчина, просто так идущий по коридору, охранник, наверное, каждые два часа обход, снова Аня с тележкой у соседнего номера, вот уже близко, стоп.

Часы на мониторе показывали 04:57. Коробов всё понимал и видел, и даже очень цепко, но ощущение — как будто всё не с ним, войлок сна. Дверь 515-го открылась, и оттуда выбросили часы, размашисто и без сомнений, вот когда они сверкнули в серой коридорной мути. Конечно, что это часы, видно не было, но сверкнули они вполне на часы, и к тому же в сложившихся обстоятельствах ничем другим это быть не могло.

Ежов включал и включал повтор, чтобы ничего не пропустить, забрать все детали. Заморозил кадр на блике.

— Ах ты сука, — зашипел Коробов, прокатившись на "с", а на "к" сцепив зубы.

Со всего маха влепил Ларе затрещину, у Ежова даже в ушах зазвенело. Она не верещала, чтобы силы не тратить, бросилась молча на него, билась, как научили еще во дворе, изо всех своих отчаянных сил. Пока Коробовых растаскивали, Ежов вдруг с легкостью представил их ночной "разговор" после Ани, после тележки. Наверняка занялись друг другом, обидами своими, повспоминали, одним словом.

— Дальше смотрим, нет? — заорал Ежов.

Они удивились и отпустили друг друга. Коробов потирал укушенную руку, цедил воздух сквозь зубы, но стонать вскоре забыл, захваченный происходящим. Распахнув глаза, всклоченные, плечом к плечу смотрели они, как на экране часы вскоре поднял сургутчанин, который вышел проводить ночную гостью. Поднял что-то с пола, помедлил чуть-чуть, и пошли они дальше, непонятно, радостные или нет, не казино же, где камеры чуткие, на язык тела натренированные, запросто эмоцию расчехлишь.

Не дав им опомниться, Ежов достал из кармана и положил на стол часы, которые сонный сургутчанин отдал полчаса назад, даже не вникая в его продуманную речь: камеры, незаконное присвоение, свидетели.

— Не, ты видел, вот так просто он хотел лимон с пола поднять, — оживленно талдычил Коробов, прощаясь в дверях мониторной.

Лара скользнула первой, ждала его где-то за спиной в коридорных далях.

В четыре Ежов снова поменялся "с телевизоров" на главный вход, ночью и в выходные дежурили по трое, с поста на пост переходили каждые два часа, для бодрости и "зоркого глаза". Он расхаживал по лобби, заложив руки за спину, в невозможно прекрасном настроении. До конца смены считаные часы, он отлично справился в истории с часами, начальник службы безопасности даже ревниво помолчал в трубке после его лихого доклада. Он было хотел приехать утром, когда грянул скандал, но Ежов убедил его наслаждаться субботой и забыть о них. Тот обрадовался, а теперь вот заревновал немного, что обошлись без него, да как четко сработали. Потом Ежов сильно рассчитывал, что сероглазая Шмелева, какая она красавица, запомнит своего героя, постоявшего за ее честь. Из бара тянуло кофе, две голландки (шведки?), высокие, костистые, налетели на него из лифта, веселились вокруг, мистер Ежов, пальцем в бейдж, как пройти в фитнес-рум, большое там помещение, а спа есть? Он почти всё понял, отвечал впопад и даже пошутил под конец, простенько, конечно, но они хохотали.

— *Any chance to join us?* — одна из них сделала вид, что трогает его бицепс.

— *I am on mission*, — в замке ладоней задрал вверх дуло невидимого вальтера, как Тимоти Далтон в бондиане.

Так и ушли смеясь. Ежов был страшно доволен собой. Даже сделал удвоенный шаг с подскоком левой — на ресепшен захихикали. Он с улыбкой шаркнул два раза правой уже к ним.

— Представляешь, эти звонили. Просят чек-аут, и такси мы им вызвали в аэропорт. Пришло уже. Даже деньги назад не пытались вернуть, а у них до понедельника оплачено.

Из лифта вышли Коробовы. Лара, упрятанная в очки и шелковый платок, сразу пошла на выход, даже не взглянув в их сторону. Концы платка сзади узелком — вдруг ветер в кабриолете сорвет. Шла широко и плавно, чтобы каблуки не очень стучали. Коробов заплатил за мини-бар, хотел было пожать Ежову руку, но передумал. Кивнул торопливо на прощание и поспешил вслед за своей свергнутой королевой.

— Мне чего-то ее жалко, — мрачно высказалась менеджер, не отрываясь от компьютера.

— А мне нет. Вот ни капельки, честно. Надо же так напиться, что не помнить ни фига, еще в воровстве Аню обвинили, — ответила ей молоденькая администратор.

— А давай-ка мы дверь там покрасим, которую дети покорябали, — оживилась менеджер. — Номер пустой, проплаченный до понедельника. Отлично.

— А вонять будет краской соседям через дверь-проход? Он же объединен с 513-м, — возразила администратор.

— 513-й уже неделю пустует, — заглянула менеджер в компьютер.

Ежов ошарашенно глянул на девушек, разволновался вдруг, крикнул "я щас" и побежал, побежал вприпрыжку.

В мониторной сразу нашел момент с часами. Время врезалось в него еще с первого просмотра 04:57, для Коробовых запоминал. Открутил за пять минут до, за три после, где входила, а потом выходила с тележкой из пустого 513-го сероглазая Шмелева.

Вернулся уже шагом на свое место у распашных стеклянных дверей, где после длинного широкого коридора, за тяжелой нарядной дверью, старинной, конечно же, так и не хотела начинаться весна.

Борис Мессерер

Охотничий номер

Личный опыт

В середине шестидесятых я часто ездил в Ленинград, завел там много друзей, выстраивалась уже своя история взаимоотношений. Быть может, самый замечательный сюжет восходит ко времени нашего с Левой Збарским приезда в Ленинград в августе 1967 года. Двое друзей-художников, ведущих в Москве довольно беспорядочный образ жизни, решились на определенный творческий акт: сделать рисунки, а может быть, и живопись, посвященные этому городу. Мне всегда хотелось рисовать городские пейзажи Ленинграда. К тому же впереди маячила большая художественная выставка, а еще мы надеялись, что эта поездка будет неким шагом, знаменующим новый этап нашего творчества.

Почему я говорю "нашего"? Мы с Левой от длительного общения друг с другом и оттого, что много работали вместе, выработали сходный стиль и манеру рисования. К этому времени мы выполнили ряд крупных работ в области книжной графики: иллюстрации к книге балетного критика Николая Эльяша "Поэзия танца", оригинальное оформление и цветные рисунки для книги "Советский цирк". И начинали работать над оформлением советского павильона Всемирной выставки *EXPO-70*, которая должна была пройти в Японии.

Итак, погрузив в "Волгу" Збарского всё необходимое художественное оборудование, мы выехали в Ленинград. Предполагали остановиться в гостинице "Европейская", заручившись рекомендательным письмом, в котором содержалась просьба предоставить нам недорогой двухместный номер.

Расстояние от Москвы до Ленинграда преодолели успешно, и вот, оставив машину у входа в гостиницу, мы уже в "Европейской". Портье был любезен и сказал, что с удовольствием выполнит просьбу, содержащуюся в письме, кроме одного, — стоимости номера. Дальше я приведу цифры, которые повергнут современного читателя в восторг или шок. Мы просили о двухместном номере стоимостью два рубля пятьдесят копеек в сутки. На это величественный портье сказал, что есть лишь люксовый номер в бельэтаже, предназначавшийся не приехавшему в срок мэру города Гавра. Стоимость его семь рублей пятьдесят копеек в сутки. Удар по нашему финансовому плану был чрезвычайно чувствительный, но мы его выдержали и согласились.

Когда мы вошли в номер, то были поражены богатством обстановки. Это был так называемый "Охотничий" номер — один из самых роскошных в гостинице. Особенность его убранства заключалась в обилии картин на охотничьи сюжеты в тяжелых золотых рамах, а также бронзовых скульптурных изображений медведей, державших в лапах лампы со старинными абажурами. Все пепельницы были тоже чрезвычайно массивные, в виде различных зверей. На стенах торчали оленьи головы с рогами и висели шкуры животных.

Такие же шкуры лежали на полу. Довершали общую картину чучела фазанов и вальдшнепов с распущенными хвостами на шкафах. Здесь мэр города Гавра должен был наконец обрести спокойствие и душевное равновесие.

❋   ❋   ❋

Мы относились к задуманному делу достаточно серьезно и для работы предусмотрели аренду мастерской в здании Ленинградского союза художников, располагавшегося в старинном особняке, один фасад которого выходил на Большую Морскую (тогда улица Герцена), а другой — на канал Грибоедова.

Распорядок дня сложился сам собой: утром после завтрака в гостинице мы садились в машину и ехали на канал Грибоедова, переодевались в рабочую одежду, брали мольберты и планшеты и ехали "на натуру", предварительно позвонив Толе Найману и сказав, где будем находиться.

Днем мы с Левой упорно трудились, а неизменно приходивший Толя Найман был душой нашей маленькой компании. По завершении трудов шли обедать в ту же "Европейскую", предварительно переодевшись и завезя наши творческие достижения — рисунки и холсты — и художественное оборудование — мольберты, этюдники, краски, кисти — в арендованную мастерскую.

Вечером мы позволяли себе короткий отдых, а дальше... Коль скоро в нашем ведении находилась такая большая площадь, то и гостей мы приглашали немало. Слух о нашем приезде и открытом образе жизни в самом притягательном месте Питера способствовал росту славы этих вечеринок, и здесь за эти дни перебывал весь Ленинград.

Часто навещал нас Валя Доррер. Его мастерская находилась за углом гостиницы "Европейская", в доме 3 — историческом здании на площади Искусств. Этот дом ныне с одной стороны занимает Михайловский театр (бывший МАЛЕГОТ), а с другой когда-то располагалось кабаре "Бродячая собака", где бывали почти все поэты Серебряного века.

Кафе с тем же названием находится теперь там же, но со входом с улицы. А в старую "Бродячую собаку" нужно было входить именно через подъезд, расположенный в подворотне. По сторонам его стояли дорические колонны, и подъезд имел весьма торжественный вид. Но в шестидесятые годы он был в совершенном запустении и служил только входом в дом.

У Доррера была романтическая внешность. Длинные, пушистые ресницы придавали его взгляду сходство с девичьим, а выражение взгляда было кротким и доверчивым. Он был довольно высок, худощав и строен. Немного хромал — последствие полиомиелита, который он перенес во время блокады, —

одна нога была одета в специальный ортопедический башмак. Валера был неимоверно влюбчив и влюблялся по нескольку раз в день, как правило, оставляя свои романы незавершенными. Вот это пребывание во влюбленном состоянии было самой характерной его чертой.

Мастерская его была настоящим чудом, особенно в восприятии молодых художников-москвичей. Чтобы попасть в нее, надо было войти в легендарный подъезд, подняться без лифта на шестой этаж и правильно выбрать звонок из бесчисленного множества похожих. Квартира была коммунальная. В огромной комнате, принадлежавшей Дорреру, вдоль стены поднималась лестница, ведущая на антресоль, с которой через окно можно было проникнуть на крышу здания, чтобы полюбоваться замечательными старинными трубами и оригинальными дымоходами. Они располагались так, что городской пейзаж открывался зрителю с разных сторон и все возникавшие виды были прекрасны.

В то время Доррер был чрезвычайно популярен как театральный художник. Каждые пять минут раздавался телефонный звонок, и какой-то, порой неведомый, режиссер предлагал совместную работу над новым спектаклем.

Сам дом Валеры, сама его мастерская были притягательны. Возможность выпить рюмку водки с маэстро тоже много значила: друзья Валеры и постоянно звонившие ему режиссеры это прекрасно знали и пользовались этим. Такое обилие друзей и приглашений по работе многое путало в голове Валеры. Возможность остаться одному или хотя бы отказаться от встреч была нереальна. Это заставляло его работать на износ, зачастую повторяя самого себя. Кроме того, у Валеры никогда не было денег. Виной тому были, конечно, и его характер, и те чрезвычайно низкие расценки, которые существовали в то время в театрах за труд художника-постановщика. Однако он ухитрялся вести широкий образ жизни, проводя время в артистических компаниях или в ресторанах и забегаловках.

Я всегда находил в работах Доррера для театра некую изюминку, присущую ему одному, что делало эти работы самобытными, оригинальными и всегда узнаваемыми по авторскому почерку. В те редчайшие минуты, когда мы с ним всё-таки оставались одни, Валера открывал огромный сундук, стоявший при входе в мастерскую, извлекал оттуда массу каких-то вещей и предметов, пока не докапывался до самого дна и не доставал очень маленькие, написанные маслом холстики, снятые с подрамников, с изображением городских пейзажей Ленинграда. Я ими восхищался — мне были близки эти импрессионистические порывы и идея художественной независимости от театра.

Валера жил в мастерской вместе с женой Викой и собакой. Вика была актрисой и должна была бы знать нравы театрально-богемной среды, но она была женщиной сурового характера и старалась держать Валеру в некой узде. Да, наверное, с ним и нельзя было иначе, но из этого ничего не выходило. Собака была замечательная, имела свой характер, и, когда Валера указывал ей на кого-то из гостей и говорил: "Это режиссер", она начинала угрожающе рычать и безумно лаять. Эта фраза была равнозначна команде "фас!". Но в итоге всё обходилось благополучно и гости продолжали предаваться питейным утехам.

Валера пил много и быстро пьянел. И моей всегдашней заботой было следить за ним и приводить домой, где меня обычно ждал неприятный разговор с Викой, как будто я был инициатором его пьянства, а не скромным заступником.

Возвращаясь к вечерам в нашем гостиничном номере, я вспоминаю и других моих друзей, которые находились тогда рядом.

Это, конечно, Евгений Рейн — неотъемлемая часть Ленинграда, ближайший друг Бродского, человек блестящего остроумия и эрудиции, знающий буквально всё и вся (правда, в те годы бытовала фраза: "Рейн знает всё, но не точно!").

Рейн общался с Бродским больше всех и даже во времена "железного занавеса" переписывался с ним. Будучи замечательным поэтом, в нашем кругу он получил шутливое прозвище "учитель Бродского", потому что в одном из интервью Иосиф сказал, что учился у Рейна.

В нашем "Охотничьем" номере бывал и Роман Каплан. Он был известен тем, что, работая экскурсоводом в Эрмитаже, однажды водил по залам знаменитого американского дирижера, пианиста и композитора Леонарда Бернстайна. Бернстайн исполнял не только классику, он был страстным пропагандистом авангардных идей в музыке. Во время одного из своих выступлений в Московской консерватории, дирижируя оркестром, исполнил "Рапсодию в стиле блюз" Д. Гершвина, которая "не рекомендовалась" к исполнению в СССР, а после аплодисментов, к великому восторгу публики, повторил ее еще раз на бис. Я был на этом выступлении и хорошо помню настроение вечера. На следующий день вышла газета "Советская культура" со статьей, озаглавленной: "Хорошо, но не всё, мистер Бернстайн!" В статье хвалили его исполнительское мастерство, но ругали за проявленное своеволие.

Конечно, во время экскурсии, кроме рассказа о картинах, Каплан говорил с Бернстайном и о политике. Они расстались друзьями, и Бернстайн подарил Роману какой-то особенный сувенирный американский серебряный доллар, который Роман потом носил на шее на специальной бархотке и доверительно показывал друзьям.

Роман, как и Евгений Рейн, был близким другом Бродского, а в дальнейшем и моим другом. Судьба готовила ему замечательное приключение — стать хозяином нью-йоркского русского ресторана "Самовар", Бродский был его партнером.

Среди наших гостей в "Европейской" были известные кинорежиссеры: Владимир Венгеров, приходивший с женой, красавицей Галей, Илья Авербах, удивительно тонкий и обаятельный человек, чьи фильмы с трудом преодолевали цензуру, и он мучительно продирался через периодически наступавшее безденежье. Он был так очарователен и мил, что все его трудности казались нереальными. С ним бывала его жена, всегда для меня загадочная Наталия Рязанцева. Приходили художники: Миша Беломлинский с женой Викой, тоже красавицей, писавшей очень толстые романы, которые мы не в силах были прочесть; Гарик Ковенчук — известная питерская личность, большой, веселый человек; Глеб Богомолов — художник-авангардист, отец Александра Невзорова, исповедовавший совершенно иные взгляды в искусстве, чем потом его сын. Кроме того, нашими гостями были актрисы и балерины ленинградских театров. В номер можно было заказать всё что угодно. И проводить время как угодно. Выпивку мы сервировали на подносах, которые ставили на пол, и потягивали вино, лежа на шкурах и куря сигары.

Позднее я много раз слышал от ленинградцев восторженные отзывы об наших "эдемских вечерах". Время было мрачное, наш приезд и образ жизни будоражили людей.

Евгений Рейн через годы напишет:

Борису Мессереру

С вершины чердака такая даль,
Всё то, что прожили,
Фасады и проспекты Петербурга.
В просторном номере уютный кавардак,
Вино, и хлеб, и дым,
Все молоды и живы.
Календарей осенняя листва так опадает…

Дмитрий Макаров

Бассейн для Улисса

Рассказ

Мой знакомый собирает истории нелепых смертей, которые нередко венчают собой нелепые жизни. Среди любимых — жизнь и смерть коммивояжера из Невады.

Пятидесятидвухлетний торговец подержанной электроникой, он много лет зарабатывал на бассейн, который в пустыне — роскошь и отличный способ пустить пыль в глаза. Или, вернее, брызнуть водой. Жена его пилила, дети пилили: "Милый, бассейн! Папа, хотим бассейн!"

Он работал на износ, колесил по западу, забирался далеко на юг. Много раз был близок к цели, но сами понимаете: колледж сына, ремонт машины, теща внезапно ногу сломала... Всё же в один прекрасный день необходимая сумма была собрана. Хватало даже на совершенно новый бассейн, только установка выходила дороговато. И вдруг удача: неподалеку разорился мотель "Корсика", и его решили распродать. В том числе продавали бассейн — продолговатую ванну в форме боба почти пятиметровой длины. В этой самой ванне и погиб наш мистер Улисс. То есть Уоллес, конечно, но уж очень велик соблазн его переименовать.

Заявился он как-то из вояжа без предупреждения посреди ночи, выпил как следует и решил освежиться. Скинул одежду и прыг-скок, нырок бомбочкой...

Вот только не было в бассейне воды.

Жена в его отсутствие заказала чистку.

Легко представить себе этого американского Улисса, жизнь которого протекала в бесконечном странствии между островами мотелей. Да они же и называются как острова: "Капри", "Сицилия", "Крит", "Сардиния", "Майорка". И при каждом таком невзрачном домике в один-два этажа сверкал драгоценным камнем в ночи подсвеченный бассейн — словно кусочек моря, необходимая часть эпоса про Улисса. Только Улисс античный плутал между островами, Улисс американский — между бассейнами.

Если бы вы только читали рекламные проспекты этих мотелей! Вот, например:

Хватит мечтать о Капри! "Капри" ждет вас! Тридцать долларов в ночь за восхитительный завтрак, экзотический сад, итальянский кофе и упоительную влагу бассейна..." И на первой полосе — он сам, лицо и сердце мотеля, сбывшаяся мечта для того, кто после долгой дороги и не самого успешного дня (бог торговли тоже злился на мистера Улисса) приезжает в это захолустье из захолустий: пять домов, супермаркет, парковка и мотель "Капри".

Мотель — не для командировочных. Он для бездомных... Бездомный коммивояжер, бездомная — сбежавшая от родителей с каким-то ковбоем ученица колледжа...

Потный мексиканец на ресепшен — у него ружье на стойке и оскал вместо улыбки — ничего ни у кого не спрашивает, выдает ключи, приносит несъедобный ужин и фляжку текилы, оставляет на столике номер местной Калипсо по кличке Бархатная Ручка.

Он инструктирует: "Бассейн за парковкой. Постояльцев сейчас всего трое, так что мы его не открываем. Ключ возьмешь у меня. Полотенце — полдоллара. Туалет там не работает, если что. В номере всё делай..."

Сколько таких разговоров было за двадцать лет пути? Сколько мотелей, сколько бассейнов между парковкой и помойкой... Но бассейны эти, быть может, дарили Улиссу ощущение дома, обещание, что мечта его в итоге осуществится.

А он мечтал, как, навсегда вернувшись домой, будет вальяжно разоблачаться, говорить жене "хороший нынче день, Лопе" и радостно плюхаться в собственный бассейн. Так же, как делал много раз во время долгого и трудного пути: шлеп-шлеп, прыг-скок и бомбочкой...

Так и произошло.

АМЕРИКАНСКИЙ УЛИСС

улисс
(пишу его с малснькой буквы) —
старый лис,
которого колеса кормят,
специалист
по пудре, лапше и клюкве...

без особых примет, улыбчивый,
на щеках румянец;
у него ирландские, польские, русские корни.
а значит, он истинный американец.

сколько добра у него в багажнике —
отвертки, колготки, компьютеры, ретро-порно,
но даже торговли бог на него прогневан,
и редко бывает густо в его бумажнике,
но улисс возражает: удача всегда рукотворна,
и едет в штат, в котором он прежде не был...

двадцать лет или больше он в этом
"доходном" деле,

и уже полагает жена, что он просто помер,
он в пути: дороги, мотели, дороги, мотели —
жесткое ложе, бутылка текилы, чипсы…
а ночью в его постучится в номер
десятидолларовая калипсо.

на "сицилии", на "ибице", на "майорке"…
острова! и при каждом немного "моря":
бассейн — вода с добавлением хлорки…

но тому, кто со всеми богами в ссоре,
выпадает обычно лишь наблюдать печально,
как облаков поутру розовеют нити,
как ветер привычно качает пальму
и табличку: "пожалуйста, извините,
но в мотеле «Волшебный Крит»
бассейн на этот сезон закрыт…"

Соня Тарханова

Императрица живота моего

Личный опыт

— В Мерано! — сказала мама, оглядев меня при выходе из школы. — Доктор Шено тебя поправит. Да и мне тоже пора.

И внимательно посмотрела внутрь себя.

Я этот ее взгляд знаю. Мама зациклена на еде и диетах. Как она говорит, в русской медицине это называется как болезнь — "пищевое расстройство". В западной — и это ее успокаивает *food issues,* пищевые заморочки. Она у меня замороченная.

Ест она не так уж много, но постоянно говорит о еде. Всё время анализирует свои обеды и ужины, составляет списки продуктов, изучает ресторанную критику и считает калории.

Непременная часть ее жизни — поездка в Мерано. В знаменитое спа, похудательный дворец в Италии.

Я бы поняла, если бы худеть отправлялись в Антарктиду. Но "худеть" и "Италия"? Одно с другим не сочетается. В Италию едут, чтобы наслаждаться прекрасным — пейзажами, архитектурой, музеями и, конечно, самой вкусной на свете едой. А отправляться туда, чтобы худеть, — ну уж, извините.

Мама объясняет, что худеют там не для того, чтобы так и ходить, как щепка, а чтобы можно было с чистой совестью есть дальше.

Если нас с ней приговорят к смертной казни, то мы совершенно изведемся, выбирая последнее желание. Паста или стейк? Мороженое ванильное или шоколадное? Хлеб белый или бородинский? Впрочем, я не знаю, бесконечен ли выбор? Можно ли попросить русскую селедку под шубой? (Это я теоретически спрашиваю, потому что от нее одной можно сразу умереть.) А торт наполеон? Салат оливье? Черную икру с блинами?

И вот — Мерано! Теперь и до меня добрались?

Мама была непреклонна: там не только красиво, но и вкусно. Мучиться не будешь. Славно проведем время друг с другом. И будем много гулять по горам и вдоль речки. Ты ведь знаешь, что это был любимый курорт австрийской императрицы Сиси? Там есть даже тропка Сиси. Что? Ты не знаешь, кто такая Сиси?! И ничего нет смешного в этом имени.

— Не позорь меня, пожалуйста. Иди изучи вопрос. Есть несколько фильмов, есть разные книги. Заодно посмотри на Роми Шнайдер. Что? Кто такая Роми Шнайдер? Боже, я никчемная мать, моя дочь — серая, как заяц.

Я пошла изучать вопрос. Старый сериал "Сиси" с Роми Шнайдер оказался конфетной сказкой для девочек, а она сама — куклой с пухлыми щеками и широко посаженными глазами, немного похожей на Наташу Водянову.

— Посмотри "Людвига" Висконти, — крикнула с кухни мама, занятая приготовлением вкусной и полезной каши. — Там тоже Роми Шнайдер играет Сиси, только много лет спустя.

Промотав бесконечно длинного "Людвига" до сцен с Роми Шнайдер, я удивилась, что у нее там совсем другое лицо — похудевшее, усталое, умное, с грустными глазами — и куда более красивое. Ясно. Побывала в Мерано.

Palace Merano — Espace Henri Chenot и вправду оказался совсем не страшным, похожим на дворец, а не на больницу. Прелестный городок Мерано пах не столько пастой с помидорами, сколько сосисками, Австрия тут явно победила Италию. Столовая была роскошная, выходящая в прекрасный сад. Еду приносили на серебряных подносах. И было очень странно, что за столом все сидели в белых махровых халатах.

Лица у пациентов "Шено" были напряженные, как будто люди приехали исполнять важнейшую миссию. Вид на сад и горы явно интересовал их меньше, чем вид на свои тарелки.

Мама немедленно обрела ровно такое же выражение лица — сосредоточенное на исчезновении телесных граммов. Никто не приехал сюда отдыхать. Все приехали работать над собой.

Мне работать не хотелось. Хотелось отдохнуть. Я знаю, что я не худая и в модельные размеры не влезаю. Но тратить драгоценные каникулы на то, чтобы с озабоченным лицом считать калории и тридцать раз прожевывать свои листочки салата, казалось мне абсурдным.

К тому же сам доктор Шено, краснолицый, веселый и вовсе не худой, который принял меня в своем кабинете, сказал, чтобы я особо не усердствовала с его строгой диетой. Отнеслась бы к ней, как теперь говорят, "без фанатизма". Советовал просто задумываться над тем, что я ем. Не тащить в рот всякую гадость, как это делают большинство подростков, еще не потерявших невинность в отношениях с собственным телом. Это я как раз знаю. Но он не объяснил главного: как не страдать от того, что ты знаешь, как надо, но не можешь, как надо.

А еще доктор Шено велел побольше гулять вдоль речки и по горам. "У нас тут есть тропка Сиси. Видели уже? Очень советую, красивый маршрут".

И он тоже, выходит, гнал меня тропой императрицы. Я встала на нее и пошла.

После обеда (скудного, но красивого и вкусного, даже с какими-то цельнозерновыми макаронами) мама ушла на очередной массаж космическими электродами, а я отправилась искать эту самую тропку. Вышла из отеля, перешла дорогу и сразу оказалась в скверике перед белой статуей женщины. Женщина сидела в кресле, положив книгу на колени и чуть склонив голову в короне набок. Я подошла ближе и прочитала: *Elisabeth*. Ну конечно, это она, знаменитая Сиси, которую так звали только друзья. А была она на самом деле Елизавета Баварская.

Поза каменной Елизаветы должна была бы выражать покой и слияние с природой — горы, деревья, птички поют... Но она сидела так неестественно прямо, что казалась напряженной, как будто проглотила железный прут. У императрицы была карикатурно узкая талия. Смотреть на нее было почему-то неприятно.

Я немного походила вдоль речки — долго гулять не хотелось, голова кружилась от непривычного голода. На обратном пути снова прошла мимо статуи и снова с неприязнью посмотрела на спичечную талию Сиси. Попробовала представить: каково это — всегда быть утянутой в корсет? Наверное, это помогает не сутулиться, держать спину прямо. Наверное, это не даст тебе расслабиться. А что делать, если хочется расслабиться? И что это за талия такая? Пусть даже в корсете? Художественная гипербола? Ее, наверное, специально здесь поставили, чтобы пациенты доктора Шено ходили мимо и худели на глазах?

Я вернулась в номер, набрала в гугле "талия Сиси". Однако! Талия пятьдесят сантиметров при росте сто семьдесят два, вес — сорок пять килограммов. Волосы до колен. Как такое возможно? Если бы она была современной супермоделью, я понимаю. Но в середине позапрошлого века такие параметры?! Откуда она взялась, что было у нее в голове?

Я стала искать дальше. Вбила в поиск "диета Сиси". О господи! Она почти ничего не ела. Ежедневно свежее парное молоко (доктор Шено бы не одобрил, лактоза!). За ней возили коров и коз. Почти никакой твердой пищи, самое твердое — сорбеты (что доктор Шено по этому поводу думает?). Бульоны, апельсиновый сок, сырые яйца в большом количестве и... о боже, сок сырой телятины. Это еще что? Кровь? Она кровь пила?

— О, я видела в венском музее ее соковыжималку для мясного сока! — сказала мне мама за ужином. — Это не совсем кровь, это именно сок розового цвета. В него добавляли специй и наливали ей в графин за обедом вместо вина. А еще она каждый день делала маски из сырого мяса, представляешь?

Нет, не представляю. Меня тошнило от одной мысли о такой диете. И кто ее изобрел? Какой-нибудь доктор Шено, живший сто пятьдесят лет назад?

Удивительно, как всё то, что мы сегодня считаем вредным и нездоровым, казалось целебным и чудодейственным. Хотя про красивых женщин иногда говорят: "кровь с молоком". Наверное, Сиси решила эту метафору превратить в эликсир — витальные соки, еще не остывшие от воспоминания о жаркой живой жизни. Тут уже один шаг до венгерской графини Батори, которая купалась в крови девственниц, чтобы сохранить молодость и красоту.

Ночью мне приснился сон. Я гуляла вдоль речки в Мерано, было уже темно, вокруг никого не было. Я увидела фигуру, сидевшую на скамейке у моста. Она была не белой, а черной, но я ее сразу узнала по неестественно прямой спине и по невыносимо тонкой талии. Она что-то держала на коленях. Сначала я подумала, что это открытая книга, как у статуи в скверике. Подошла ближе и увидела, что это симпатичный маленький кролик, которого императрица задумчиво поглаживает. А потом она так же задумчиво вынула из своего платья перочинный нож, подняла кролика за уши, быстрым движением разрезала ему живот и вывернула почти наизнанку. Он всё еще бился и визжал, а Сиси подняла зверька и погрузила лицо в кровавую плоть. Потом отняла кролика от лица и повернулась ко мне — кровавая маска с черной струйкой, текущей изо рта.

Я закричала и проснулась: "Меня сейчас вырвет". Мама тоже проснулась, спросонья сказала: "Ты, наверное, просто голодная, завтра попрошу перевести тебя на нормальную еду".

Больше я не заснула. Женщина с талией не давала мне покоя. Она была безумна, это точно. Тяжело больна. Сегодня она называлась бы анорексичкой и орторексичкой одновременно (орторексики зациклены на здоровом питании). У нее была мания контроля. Волосы ей мыли коньяком и сырыми яйцами и расчесывали по нескольку часов в день, а все волосинки, которые при этом выпадали, пересчитывали и записывали в специальную тетрадку. В ее комнате стоял допотопный спортивный станок, и она методично занималась каждый день.

А когда путешествовала, эту массивную конструкцию возили за ней повсюду. На ночь она обертывала бедра тряпками, вымоченными в фиалковом и яблочном уксусе, — против целлюлита.

Утром я встретила в коридоре отеля доктора Шено. Он улыбнулся, остановился, спросил, как дела.

— Эта ваша Сиси... — сказала я. — Ее диета — ужасная или полезная? Она же весила всего сорок пять килограммов, значит, диета работала?

— Это работало просто потому, что она почти ничего не ела. Конечно, она худела. Плюс бесконечные занятия спортом, прогулки на воздухе и постоянная забота о себе. Но молоко и мясо сочетать не стоит, от большого количества парного молока разрушаются зубы, слишком много животного белка загрязняет организм, бульон не полезен никому, а сырые яйца даже опасны, тем более в таком количестве. Апельсиновый сок — это, конечно, источник витаминов, но там столько сахара, что лучше есть свежие фрукты.

— А ванны из козьего молока? А сырая телятина на лице?

— Ну, от этого хуже не будет, но я бы лучше посоветовал натуральные масла и кремы. Вы вот хотите спать с куском мяса на лице?

— Не хочу, — сказала я, вспомнив кролика из моего сна.

— Я бы на вашем месте, юная леди, не считал, что ваша человеческая ценность определяется объемом вашей талии, — сказал жрец худобы и пошел дальше по коридору. А я отправилась разбираться с Сиси.

Из того, что я прочла в последние три дня, я поняла, что она, наверное, была самой несчастной женщиной на земле. Ее такой же безумный сын покончил с собой в замке Майерлинг вместе с юной любовницей. А саму Сиси заколол еще один безумец во время ее очередной прогулки. Я вдруг вспомнила, как папа показывал мне это место на женевской набережной возле отеля Бо-Риваж, где мы тогда жили.

Говорят, что корсет Сиси был зашнурован так туго, что рана казалась неопасной. Но когда его расшнуровали, она немедленно истекла кровью и умерла. То есть в каком-то смысле ее талия поспособствовала ее смерти? И даже убила ее?

Впрочем, может, она и хотела умереть — она так мучительно переживала старение и потерю красоты. Ее племянница писала: "Тетушка поклоняется своей красоте, как язычник своему идолу. Созерцание совершенства своего тела приносит ей чувство несказанного удовлетворения". Как язычник... Точно. Поэтому она и кролика убила. И всех этих коров и коз таскала за собой, чтобы приносить их в жертву своей красоте.

Тропа петляла вдоль цветущих душистых садов. Шла Сиси медленно или быстро? О чем она думала? Замечала ли красоту вокруг себя? Или была слишком погружена в собственную красоту? Позволял ли корсет-клетка вдыхать прозрачный вкусный воздух? Останавливалась ли она сорвать цветок и поймать жука, как я, или неслась вперед, гонимая внутренними демонами? Была ли она одна, или целая вереница придворных и слуг сопровождала ее в этой гонке?

Если бы несчастная императрица жила сейчас, стала бы пациенткой Мерано. Считала бы, что красное мясо — это яд, молоко организм не усваивает, инъекции эффективнее масок, а в кожу головы надо колоть собственную плазму. Ела бы по утрам гречку, яйца сократила бы до двух в неделю, налегала бы на зеленые овощи и травяные чаи. Снималась бы для обложки немецкого *Vogue* и давала бы интервью о секретах своей фитнес-рутины.

Я наконец добралась до Траутсмандорфа, замка, где всегда останавливалась Сиси. Замок оказался закрыт — выходной. Несколько таких же паломников, как и я, топтались у ворот с потерянными лицами. Я не расстроилась. Почему-то мне не хотелось больше ничего про нее знать.

— Что ты сегодня делала? — спросила мама вечером.

— Просто гуляла.

— А что говорят весы?

— Молчат, я на них не вставала.

— Ну ничего себе! А зачем мы тогда сюда приехали?

— Здесь красиво.

— Ради красоты сюда не ездят. И за природную красоту столько не платят.

Что я могла ей на это ответить? Бедная худая мама с загнанными глазами и тревожным лицом, тебе ли не знать, сколько платят за красоту? Сколько ты уже заплатила и сколько заплатишь еще? Я набралась духа.

— Я очень голодная, — сказала я. — Можно я пойду в город и съем сардельку?

Я давно приметила киоск с сардельками — всего в десяти метрах от тропки Сиси.

Станислав Белковский

Отведи его в *Dupont Circle*

Рассказ

Милые мои друзья,

Никогда не верьте тем ужасным гадостям, которые вы могли слышать про отель *Dupont Circle*, Вашингтон, округ Колумбия, США.

Рассмейтесь — хотя бы молча — в глаза тому, кто скажет вам, что эта гостиница есть грязный клоповник. Держащийся на плаву лишь скудными средствами геев, которые снимают в нем комнаты для скоропалительных сексуальных свиданий. Усомнитесь в искренности источников, уверяющих вас, что *Dupont Circle* — уполномоченный объект спецслужб, где временно выдерживают подозрительных людей, рвущихся оказаться под программой защиты свидетелей.

Всё это неправда.

Я жил в *Dupont Circle*, 1500 *New Hampshire Avenue* и могу засвидетельствовать: это нормальная четырехзвездная гостиница, что называется, со всеми удобствами. Да, со сдержанным колоритом и низкими потолками, зато с обширным баром *Dupont* и его отменными коктейлями, недоступными в большинстве открытых мест американской столицы. Например, хороший ирландский виски + экстракт валерианы — идеальное средство для борьбы с джетлагом (как это по-русски называется?). Или "Кровавый режим": водка вовсе даже не с томатным, ибо помидоров я не употребляю ни в каком виде, а с клюквенным соком.

Вы вообще пойдите найдите в приличном вашингтонском отеле нормальный ирландский виски, а потом верьте критикам, излившим столько своей внутренней мерзости на *Dupont Circle*.

Другое дело что у отеля этого есть свои странные странности. Которые мы еще (у)помянем. Но ведь если, скажем, какой человек со странностями, это не значит, что он очевидно плох и с ним нельзя иметь дело? Так и с гостиницами.

Я впервые оказался в *Dupont Circle* в самом начале 2014 года. В то дорогое время, когда Крым еще не был российским, а ждали мы не столько войны, сколько Олимпиады в Сочи, призванной снова открыть Россию Западу и на Запад.

Всё потом пошло наоборот, но это же не повод ругать за то гостиницу *Dupont Circle*, не правда ли?

Я был тогда на какой-то конференции, где сенатор от Техаса Тед Круз, пастозный латино с республиканскими глазами, впервые объявил о желании стать американским президентом. И прогнал пошловатую телегу, в основном про Рональда Рейгана. Что, типа, вот при президенте вроде Рейгана — надо понимать, самом Теде Крузе — США снова возьмут под контроль весь мир, а не только часть, как сейчас. И если бы Рейган в разгар своей власти не рухнул под натиском болезни Альцгеймера, Америка до сих пор бы оставалась великой и никогда не впала бы в дурное ничтожество обамических времен.

Я сидел по левую руку от сенатора Круза и быстро забывал, зачем я здесь оказался. Сейчас я этого и вовсе почти не помню. Знаю только, что Круз пошел-таки на президентские выборы, где всё слил Дональду Трампу, пожилому миллиардеру с крашеными волосами.

Американский политолог (да, там, у них, тоже есть политологи), пригласивший меня на такое изящное мероприятие, улыбчиво сказал потом:

— Ты ведь остановился в *Dupont Circle*? Там как раз недавно был Боря Немцов.

Через год с небольшим Немцова убили.

А я вот всё еще жив. Забавно.

1.

К Михаилу отправил меня наш общий тесный знакомый, пообещавший хороший проект на миллион долларов (сумма условная, обычно берется с потолка или высасывается из пальца).

Я снова оказался в *Dupont Circle*. Потому что он был дешевле других нормальных отелей — во всяком случае, на сайте *Expedia*, где я обычно бронирую американские отели, — там уже со скидкой заложено.

Очень богатые люди, типа Михаила, редко останавливаются в *Dupont Circle*. Наслушавшись рассказов о клоповнике и почасовых геях. Значит, я должен был двигаться к нему на встречу совсем в другое место. В пятизвездный *Four Seasons Georgetown,* бессмысленный и шикарный. Как Большой Кремлевский дворец после очередной вороватой реконструкции. Комнаты там вдвое дороже дюпоновых, а стакан аналогичного виски стоит девять долларов против наших семи. Я в детстве смотрел советский сериал "ТАСС уполномочен заявить", в котором американский изверг-богач, застигнутый социалистической революцией в нещадно разграбленной им африканской стране Нагонии, говорил что-то вроде:

— Теперь приходится возить клубнику из Тразиланда, а это на двести пятьдесят миль дальше. Большое разорение начинается с маленького роста расходов.

Этот персонаж научил меня всегда внимательно всматриваться в цену стакана виски.

Я собирался уже взять такси и двигаться в проклятый *Four Seasons*. Но тут позвонил непосредственно сам Михаил.

— А ты где сейчас? — спросил он каким-то сумбурным голосом. Не перейти сразу на "ты" он не мог, не позволяла этика большого начальника.

— Вот там-то и там-то, — промямлил я, пытаясь понять дальнейший план.

— Там и оставайся, — повелительно пробубнил звонивший. — Я приду минут через двадцать.

К чему бы это? Большие начальники не привыкли так поступать, чтобы самим ходить к обыкновенным людям.

В среднем я выпиваю двойную порцию виски с двумя кусочками льда объемом одиннадцать кубических сантиметров за четыре минуты. После чего отдыхаю — делаю перерыв на три минуты. Итого семь минут. До прихода Михаила я успел выпить четыре двойных, стало быть, прошло полчаса. Он почти не ошибся.

— Это ты Белковский? Да, я тебя где-то в телевизоре видел. Ты какую-то фигню про Путина вещал. Фигня была ничего, креативная, только фактуры у тебя маловато. Имей в виду.

Я тоже прежде видел его в телевизоре. Но в жизни оно оказалось интереснее. Девяностопроцентный мафиозный босс из фильмов чуть хуже "Крестного отца". Помесь Чарли Лучано с Меером Лански. Немнущийся костюм ценой с гоночную машину — я, правда, не знаю, сколько стоят гоночные машины, но в данном случае это неважно. Коричневые ботинки, устремленные всеми носками прямо тебе в лицо. И — огромный кожаный портфель, похожий на хозяина. Мне говорили, что это называется "конвергенция": с возрастом собаки, кошки и портфели становятся на одно лицо (морду) с хозяевами.

— Ты во сколько начинаешь?

Было двенадцать дня. И он, конечно, уже начал. Давно начал.

— По какому времени?

— По нашему, человеческому.

Моя попытка робкого юмора ему сразу не понравилась. Он не к такому привык. Начал нервно оглядываться в предвкушении официанта.

— Ну че, возьмем бутылочку *Dark Label*? Я вижу, ты пьешь какое-то ирландское говно? Еще и со льдом? Эти ваши плебейские привычки…

В тот момент я уже точно решил, что огрызаться не стану. Если уж ты решил иметь дело с Чарли-Меером-Лански-

Лучано, веди себя, как он предлагает. Он вправе похлопывать тебя по разным частям тела, но не наоборот.

Да, и еще я заметил, что он очень худощав, тощ и поджар. Есть разница между этими словами? Русский язык переполнен ненужными синонимами. Заочно Миша казался куда как массивнее.

Бутылка с официантом, подрагивая, приближалась. Я тоже должен был начать спрашивать, чтобы отвести взгляд от коричневого ботинка.

— А вы здесь как оказались?

— Я вообще-то был в *Four Seasons*. В Джорджтауне. Мне друг оплатил. Я же к другу приехал. К нашему, русскому. Фёдору. Ты его знаешь. Это не он нас свёл?

— Нет. Нас — Сергей Владимирович.

— Ааа...

Меер Лански поморщился, словно не помнил драгоценнейшего Сергея Владимирыча. Или помнил, но не любил его.

— Фёдору завтра премию дают. Американскую премию за вклад в ядерное разоружение. Он лет двадцать назад купил какой-то ядерный институт в Москве и переделал под казино. Вот так и пошло полное разоружение.

И он размашисто расхохотался. Я же решил улыбаться умеренно, налегке.

— Казино потом закрыли, а разоружение осталось. Федька вон и поселил меня в этот в зад драный *Four Seasons*. Мне там вечером бутылку не продали. Говорят: ты и так в муку пьяный, вали в свой номер, а то полицию вызовем. Это штуку двести в сутки надо платить за такое хамство, прикинь? А пить я что буду? Детские бутылочки из мини-бара? Платит Федя, правда, но всё равно. Я знаешь сколько на Федора за всю жизнь истратил? Вся его коллекция рашпилей и напильников, она, ты думаешь, откуда?

Я не знал, что за коллекция и откуда, и выглядел всё глуповатее.

— Там даже есть какой-то рашпиль, которым праотец — ты представляешь, праотец! — Авраам пытался зарезать своего сына. По пьяни, видно. Но не зарезал. Видать, тоже кто-то полицию вызвал. Вовремя.

Мне привиделись полицейские с ангельскими крылами, и как-то полегчало.

Михаил навел палец на портфель.

— Мне говорили, что с тобой можно иметь дело. Что ты типа не сольешь.

— Хорошо, если говорили.

— Здесь, — конец пальца слегка пошевелился, — все материалы на банкира Иванчука. Ты знаешь Иванчука?

— Того самого Иванчука?

— Нет, мать твою, совершенно другого Иванчука. Того самого не существует в природе.

Смеха не было. Никогда не надо задавать богатым людям необязательные вопросы. Особенно тем богатым, от которых вы хотите получить что-нибудь на миллион долларов.

Михаил пил ровно вдвое быстрее меня. Двойной *Dark Label* безо льда за две минуты. Я мог бы начать подливать ему. Но не выглядело бы это уже полным холопством? Пока я рефлексировал, он начал подливать себе сам. Смотрел он уже не на меня, а куда-то в сторону красной люстры над баром. Над головой бармена. Если люстра сорвется с крючка — бармену конец. Вся черная семья с четырьмя детьми останется без кормильца.

— Все счета Иванчука, все офшоры. Три с половиной тысячи листов документов. Пятнадцать килограмм компромата. Но самое главное — Куба. Иванчук хочет взять власть на Кубе. Они с Раулем договорились. Как только Фидель наденет деревянный бушлат, Рауль всё уступит Иванчуку. Проведут типа выборы, и власть получит партия Иванчука. Эта сучья тварь уже получила кубинский паспорт. И сидит прямо в Лурдесе, на бывшей радиоточке.

Да, я что-то понимал. Я никогда не был на Кубе. Мне говорили, что там как в раю, только очень бедно. И учительницы работают проститутками по пять долларов за ночь. Или за сеанс. Сеанс ведь не обязательно бывает ночью, правда? Вот если предположить, что тихие геи действительно снимают номера в нашем "Дюпоне"...

— Ты понимаешь, что всё это значит?

Михаила явно раздражало мое зависание.

— Что?

Он наливал виски уже до краев. Вот-вот начнет из горла. Я катастрофически не успевал за ним, и слава богу.

— Иванчук получит целое государство. Раулю восемьдесят пять, ему по хрен. А Иванчук, наш простой Юрка Иванчук из питерской подворотни, назначит себя послом в Штатах и при ООН. И станет сидеть в двух особняках, здесь и в Нью-Йорке. Как неприкосновенный, твою мать, посол. Чрезвычайный, на хрен, и полномочный. Суверенного государства. Прямо под животом у Америки. И будет договариваться с американским президентом о судьбе какого-нибудь, сука, Гуантанамо.

— И что?

Нет, снова не сказать ничего внятного было бы неприлично. Он во мне разочаруется. Да, нет ведь ничего более выгодного, чем собственное государство. Только собственная религия, может быть. А в настоящем раю, который совсем не здесь, тоже, наверное, очень бедно всё, как на Кубе. Там ведь поселяются нищие, и откуда тогда же в раю бабло, то есть деньги? Постояльцы его все как птицы небесные, не сеют, не жнут и не пашут. Точно на Острове свободы. Рай ведь и есть истинный остров свободы, если задуматься.

Не помню, сказал ли я всё или промолчал.

Перед лицом миллиардера, даже сильно пьющего, всегда бывает неплохо промолчать.

Михаил уставил на портфель уже всю пятерню. Большую, но худощавую, как у фотомодели.

— Здесь — все бумаги про сделку Иванчука с братьями Кастро. Он разместил у них три с половиной ярда баксов. И обещал еще десять, когда его партия выиграет выборы. Две его военные яхты уже стоят в заливе Свиней. Это гигантский скандал. Когда американцы узнают, что у них творится под брюхом, они изничтожат Иванчука. Ты понял?

Он, должно быть, любил повторять такой вопрос.

— Да, я понял.

Потверже надо звучать, потверже, им это нравится.

— Что сделать?

В ответственные минуты голос Михаила слегка трезвел. Во всяком случае, так казалось.

— Сделать надо слив. Оптимально — здесь, в американской газете. Хорошей газете, не желтой. Процентов пять материалов. Этого хватит, чтобы поиметь Иванчука по самые гланды. Но не совсем поиметь. Совсем нам не надо. Надо, чтобы он понял: мы кое-чего можем. И если он от меня не отлезет...

Я, конечно, знал, что Михаил должен Иванчуку восемьдесят пять миллионов долларов. Или Иванчук так считает. Но это много кто знает, не Бог весть какая тайна.

— Восемьдесят пять миллионов? — спросил я почти убедительно.

В ответ он только повернул ко мне портфельное лицо — с явственной гримасой брезгливости. Вроде как "что ты вообще знаешь о восьмидесяти пяти миллионах? ты их хоть в жизни видел?". Или: "все что-то понимают про эту историю, не пытайся показать, что понимаешь лучше остальных".

Виски переливался через все края, но успевал исчезнуть в многоугольном рту моего клиента.

— Портфель вы мне отдаете?

— Отдаю. Но давай еще посидим. Я слишком долго шел сюда из гребаного *Four Seasons*.

Я должен был задать вопрос, который не мог не задать.

— А как вы вообще пришли в *Dupont Circle*?

— Ногами. Этими ногами пришел. Меня там встретил друг мой, Федя. Который ядерное разоружение. И сказал: если хочешь три дня пить, иди в *Dupont Circle*. И приставил мне своего порученца. И сказал порученцу: отведи его. Так я сюда и пришел.

2.

С *Dark Label* перешли на *Glenforage*. Появилась новая бутылка. Восемнадцать лет. Он пил, я скорее подсматривал. Говорят, что если очень внимательно смотреть на бутылку виски больше двадцати двух минут, то приход наступает и без употребления внутрь. Это называется "пить вприглядку".

На закуску подали сыры из французского ресторана. В *Dupont Circle* хороший французский ресторан. Говенный по большому счету, но хороший. И сыры там свежие. Прямо из-под французских санкций. Особенно камамбер и бри. Меня учили, что люди с истероидной психикой тяготеют к бри, а вот параноики предпочитают камамбер. Если бы не отель, я и не вспомнил бы той сырной премудрости.

— Ты знаешь, — продолжал Михаил, — я ведь по дороге два раза упал. Портфель очень тяжелый. Один раз — у бара. Кажется, *Irish Whiskey Public House*. — Длинное название выговорилось не без труда. — *Public House* — это значит публичный дом?

— Нет, нет, конечно.

— Я знаю, что нет. Мне помогла встать Вероника. Моя женщина еще со времен КВН. Она взяла шелковый платок из магазина *Gucci* и вытерла мне лоб. У меня был очень мокрый лоб, много пота. Платок остался у нее. Ты можешь спросить, вон она сидит, в четырех столиках отсюда.

И правда, там, в четырех столиках, была миловидная шатенка с желто-фиолетовым коктейлем. Она глядела на рассыпчатый дюпоновый потолок. Не на нас вовсе. Это действительно подруга Михаила, или у него начинается алкогольный делирий? Откуда Вероника могла оказаться у *Irish Whiskey Public House* ни с того ни с сего? Главное, чтобы про миллион долларов в бреду не забыли. Мой миллион долларов.

Тогда я уже знал, что в молодости Михаил был капитаном какой-то команды КВН. Но я еще не знал, что *Irish Whiskey Public House* лежит чуть не прямо напротив *Dupont Circle*.

— А потом я упал у бара *Charlie*. Там я сильно расквасил локоть. Стоял на коленях и не мог больше идти. Порученец пытался помочь мне встать, не сумел. Но тут из бара вышел Семен Либин, мой старый приятель. Мы вместе учились в МИСиС. Он говорит, что с тех пор я ему должен триста рублей. Типа взял я триста на мотоцикл подержанный и не отдал. Врет, наверное. Маленькие евреи вообще любят врать. Я вот большой еврей, потому и не вру. И ты вроде не маленький такой.

— Сто два килограмма, куда уж.

— Вот и я говорю. Ты худей, а то сопьешься. Жир поглощает алкоголь, а потом отправляет его прямо в мозг. Федин порученец, которого со мной отправили, схватил Семена за воротник — и велел ему нести портфель. До самого *Dupont Circle*.

А что, этого Феди порученец, может, тоже здесь? И всё слушает, и даже слышит? Не хотелось бы. А то не уйти мне живым из этого отеля, не ровен час.

Тут только я заметил, что бар *Dupont* подозрительно заполнился. А в северо-западном углу сидит сухой, поджарый, тощий человек во фланелевой рубашке, сомнительно похожий на Вуди Аллена. Я люблю Вуди Аллена, он мой предпочитаемый фильммейкер.

— Видишь, вон в том углу сидит Вуди Аллен? — прервал меня Михаил. — Это он, настоящий Вуди Аллен. Я дал ему десятку, чтобы он сделал моего сына продюсером фильма. Название запомнил, но забыл. И вот сейчас Вуди Аллен приперся сюда и ждет, пока я окажу ему внимание. И я окажу. Вот еще пару стаканов, и окажу.

В баре *Dupont* выбор разнообразный, но неглубокий. Запасы маленькие. Я не советовал бы вам заказывать все время один и тот же напиток, если вы хотите, чтоб его хватило надолго.

— Я тебе больше скажу, — продолжил Михаил, залпом махнув очередную тройную. — Вон там, в лобби, в рыжем кресле, расселся лично и непосредственно Иванчук. Это он, ясный пень. Он следил за мной и пришел сюда.

Я инстинктивно диким взглядом схватился за мордатый портфель. На месте? — да, всё еще да. Уж не сходить ли в лобби, к рыжему креслу, и не проверить? Я знаю, как выглядит Иванчук, видел в интернете.

Но было уже не нужно. Форменный Иванчук, страшный Иванчук сам приближался к нашему столику. Что это: подстава? провокация? меня заберут? обольют серной кислотой? зачем я согласился за несуществующий миллион долларов? вон Вуди Аллен десятки гребет ни за что, а я? зачем мне такая жадность?

Приблизившийся банкир, будущий властелин Кубы, не желал обращать на меня никакого внимания. Он подошел к Михаилу и не поздоровался, и не назвал по имени.

— Слушай. Ты помнишь про сто миллионов? И чем скорее, тем лучше.

О как! Уже сто, а не восемьдесят пять!

Михаил выкрутил голову на сто двадцать градусов, чтобы не видеть банкирьи глаза. Отвечал он одним вопросом во влажное дюпоновое пространство.

— Это твой приговор?

— Ты сам приговорил себя. Своим пьянством.

И после жесткой паузы:

— И помни сверх. Ты человек. Обычный человек. Кусок мяса. Обтянутый кожей. И не самой дорогой кожей. Ничего другого.

Иванчук стремительно уходил в круглые двери отеля. В *Dupont Circle* несколько дверей — одни круглые, другие прямые. И так они странновато устроены, что выходишь в одни — тут же попадаешь в другие. Очень трудно выйти из этого отеля на воздух, особенно в темное время суток.

Михаил чуть не в первый раз смотрел прямо на меня, как в пропасть:

— Ты знаешь, за что они преследуют меня? За то, что я — один порядочный среди них. Я же сам мог стать президентом. Я почти не еврей. Дружил со всеми родными Ельцина. Уж "Первый канал" точно мог украсть. Но честно отработал на них. За то и ненавидят. Человек у них должен быть полным гондоном, таким же, как они.

Я вдруг понял, что уже не полдень давно, а как будто четыре часа. В ноябре — а был искренний ноябрь — в округе Колумбия по четырем часам как раз начинаются сумерки. А сумерки здесь холодные и пустые, люди исчезают в них, как во вмятинах Тихого океана.

— Я пойду, — сказал Михаил. — Ящик односолодового Федор обещал прислать мне в номер. Я буду на девятом этаже. Люкс 917. Двухкомнатный. Они недавно надстроили девятый этаж. Для богатых, не таких, как ты.

Что ж. Я тоже жил когда-то на девятом этаже. Панельного дома, в Вешняках. А богатым так и не стал.

— Портфель я беру?

— Берешь. Там у них в люксах сиреневые стены, сильно успокаивает, говорят.

Я-то поселился в однокомнатном номере 101 со стенами крысиного цвета. Тоже успокаивает, но как-то по-другому.

Да, кстати: если вы, селясь в *Dupont Circle,* не обладаете запасом алкоголя, вы всегда можете создать его в скромном магазине напротив гостиницы. Он работает до полуночи, а то и всегда. Как называется… *Tesco* или что-то типа того.

Михаил объяснил мне:

— Я хочу спать и пить три дня и три ночи. Только спать и пить. Только три дня и три ночи, не больше. Потом выйду из номера прямо сюда, и ты сразу получишь аванс.

Он двинулся. Я еще остался, чтобы переварить. Аванс — самое правильное, что бывает в такой ситуации.

Ко мне буквально подбежал небольшой человечек в инженерной куртке и пилотных штанах, пропахших прованским маслом:

— Молодой человек! Молодой человек! Вы же друг Миши, правда?

— Ну, не то чтобы друг...

Зато всё еще молодой человек, уже хорошо.

— Я Семен Либин. Работал в Ливии долго, отсюда такая фамилия. На нефтяников работал, вот они мне и дали. Но живу-то здесь, у нас, в Вашингтоне.

— Вы не напомните Мише при случае, что он мне должен пятьсот рублей? Он может даже через вас передать. Это не страшно. Я сейчас нуждаюсь... Я Мишин портфель даже донес сюда, когда он упал.

Да-да, не страшно. Особенно если пятьсот, а не триста. Кто упал — Миша или портфель? Эти кредиторы бывают очень суетливы. Самое главное — не забыть чертов чемодан и быстро добраться до лифта. В *Dupont Circle* очень милые лифты. Без окон, зато с мутными зеркалами во весь опор. В таких всё видно, но не блестящим образом. Эти лифты, как говорится, никогда не застревают.

И уже у самых лифтовых дверей меня встретила та самая шатенка. Заговорила со мной самым что ни на есть русским голосом. Протягивая какой-то мятый предмет с резким запахом алкоголя:

— Послушайте, Михаил не хочет сейчас со мной разговаривать. А вас он ценит, я видела. Передайте ему, пожалуйста, этот платок. Скажите, что от Вероники. Это мой платок, его подарок тридцать лет назад.

И удалилась к выходу-входу, оставив позади только силуэт. Наверное, бывшая модель. Икона стиля, как говорят. Я где-то читал, что "Вероника" и значит "икона стиля". *Vera icona* — настоящая икона, не помню, на каком языке.

Я ощутил платок. Даже пот миллиардера пахнет дорогим виски, здесь никого и ничто не обманешь.

Уже из комнаты 101 я позвонил Сергею Владимировичу. И получил инструкции:

— Не оставляй его. Будь там все три дня. Из гостиницы никуда не выходи. Развлекайся прямо на месте. Всё оплачено. 917, я знаю. Там верхний этаж для миллиардеров.

В *Dupont Circle* довольно жесткие кровати. На них нелегко падать, зато с них удобно вставать.

Да, кстати. А куда же делся Вуди Аллен? *My favourite* Вуди Аллен? Михаил к нему так и не подошел.

Я подумал спуститься назад и проверить, но ирландская лень подкосила меня.

3.

Через три дня администратор по безопасности моего отеля объявил мне, что постоялец из номера 917 исчез. Просто пропал. Три дня и три ночи он не выходил из комнаты. А когда следующим рассветом комнату принудительно вскрыли, там не было совсем никого. Только двенадцать пустых бутылок из-под виски. И полный флакон одеколона *Hermès*.

"А как же аванс?" — подумал я.

Но сказал им совершенно другое. Не стал бы я им рассказывать про миллион долларов. Я с ужасом спросил, обратились ли они в полицию, что делать и как теперь быть.

Они обратились в полицию, ответил администратор по безопасности. Но быть теперь так, что они просят меня побыстрее съехать. Назревает скандал, и я могу быть к нему причастен. Они не хотят и не могут, чтобы полиция прочесывала весь *Dupont Circle* с большими обысками. Алкоголизм до добра не доводит. Особенно русский алкоголизм. От него можно не только умереть, но даже исчезнуть. Будет хорошо, если вы соберетесь за полчаса.

А за час?

Нет, за полчаса. Потом здесь будут секретные агенты, и вам не стоит с ними встречаться. Недалеко есть прекрасный хостел имени Линкольна, там вы отлично проведете будущую ночь. Если хотите, я позвоню. С багажом вам помогут. Тони, отведи джентльмена, пожалуйста, в *Lincoln Hostel*.

Я окончательно остался без аванса. А может, правда, что в *Dupont Circle* живут и исчезают те, кто предназначен программе защиты свидетелей? Тем более что никаких бумаг про Иванчука в квадратном портфеле не оказалось. Только пятнадцать килограммов туристических проспектов про Кубу и справочник по кубинским проституткам. Три тысячи семьсот проституток в возрасте от пятнадцати до шестидесяти лет, от трех до двадцати долларов за сеанс. Без фотографий, чтобы сэкономить. Как я — Михаил был неизменно прав — пью ирландский виски для экономии.

Я подумал, не подменил ли кто содержимое портфеля за три дня и три ночи. Но теперь, когда Михаил исчез, это больше не имело значения.

Я вышел в лобби. Там зачем-то стоял огромный продолговатый ящик с бутылками, скорее всего, содовой воды. Минеральной воды с газом, как мы ныне привыкли ее называть. К ящику содовой почему-то прибивали крупный кусок черной материи. Зачем содовой воде черная материя, в самом деле?

Я полюбил этот отель искренне, всем сердцем. И если когда снова окажусь в Вашингтоне, непременно приду сюда. Хотя бы посмотреть. Припомнить, как оно было тогда.

Валерий Тодоровский

ЗОЖ в спину

Личный опыт

Я люблю всё, что нельзя. Всё, что запрещают врачи, всё, от чего, считается, человеку должно быть плохо, от чего он заболевает. Всю жизнь я активно, изо всех сил гробил свое здоровье. Я делал для этого всё возможное и невозможное. Двадцать пять лет адски курил. Мог бы курить и сейчас, но в какой-то момент врачи сказали, что я скоро умру. Пришлось бросить. Лет с пятнадцати-шестнадцати активно пил алкоголь и практически не останавливался до сих пор. Живу в безостановочном стрессе. Никогда не занимался никаким спортом, не ходил ни в один спортивный зал, не занимался ни с одним тренером. Никогда не питался правильно. Всю жизнь пью много кофе, люблю крепкий кофеиновый настоящий вредный кофе. Наркотики — это единственная, пожалуй, территория, на которую я не заходил.

Ужас в том, что вокруг меня все постоянно проходят какие-то специальные курсы, ходят в спортзал, у каждого есть своя мегадиета, и эта информация обрушивается на меня с утра до вечера. Нас, людей, живущих настоящей полной человеческой жизнью, осталось единицы. На пальцах одной руки могу пересчитать людей, которые бы так же, как я, с двух концов жгли эту свечу. И их становится всё меньше и меньше. Частично идет буквальное, биологическое выбывание. Частично люди пугаются, вдруг понимают, что да, я могу действительно взять и не проснуться завтра утром. И тут многие впадают в другую крайность — начинают голодать, заниматься какими-то духовными практиками, едут в Индию, бросают пить, курить, начинают жить какой-то очень правильной здоровой жизнью, садятся на диеты, худеют, меняются.

И в один прекрасный день я проснулся и понял, что, вероятно, подошла моя очередь. С огромным, нечеловеческим отвращением я решил, что надо всё-таки что-то сделать для своего организма. Сделать так, чтобы он впервые почувствовал, что о нем хоть как-то заботятся. И чтобы в благодарность за это он подкинул мне какую-нибудь радость — пару лишних лет, или бодрость с утра, или сон без снотворного.

Мои близкие друзья Саша Туркот и Оля Цыпенюк рассказали, что собираются ехать в Азербайджан, в местечко под названием Габала. Совсем недавно великий Анри Шено, человек, изобретший детокс, открыл там аналог своего альпийского центра — *Chenot Palace Health Wellness Hotel*. У меня случилась паничская атака — я подумал: ну вот и Оля с Сашей тоже занялись собой, а я нет. Они всячески заманивали меня с собой — рассказывали, какая там природа, горы, озеро, какие-то невиданные процедуры. И просто "забыли" упомянуть о том, что там морят голодом.

Для меня это было потрясением. Я никогда в жизни не голодал. Не знал, что значит, когда ты хочешь есть, а тебе не дают. И даже негде взять.

Как выяснилось, голод переносить очень тяжело. У меня начались головокружения, я не мог спать. Голова болела так, что никакие таблетки не помогали. На второй день пошел к врачу. Если бы не он, я бы там так и умер. Но он мне изменил немного диету, добавив чуть-чуть калорий. И на этой новой диете я смог протянуть неделю. Раз в день мне даже давали маленький кусочек курицы или индейки. Я всё равно ходил постоянно голодный, меня постоянно тошнило, но хотя бы голова перестала болеть.

В остальном "Шено палас" — это, конечно, рай. Действительно прекрасная территория — горы, озеро. Гениально проложены разные тропинки, по которым я честно гулял.

Появилось ощущение, что просыпаешься утром — и как будто ты легче стал. Каждое утро мои друзья ходили взвешиваться. Но я решил, что не буду ставить себе ложные цели и следить за каждыми ста граммами. Взвесился при въезде и при выезде. И в общем, остался доволен разницей. Правда, проблема в том, что потом в обычной жизни эти утраченные килограммы могут вернуть всего за пару дней. Но не в них суть!

Есть, конечно, какой-то когнитивный диссонанс в том, что ты едешь голодать в Азербайджан. Это ведь место, куда логичнее ехать поесть. Например, если выйти за ворота "Шено паласа" и пройти буквально минут десять, наткнешься на настоящую азербайджанскую шашлычную. Мне это напомнило, как в юности я лежал с язвой в Институте питания. Особнячок, в котором он располагался, был обнесен забором с колючей проволокой — чтобы еду не передавали. Но тем не менее находились люди, которые организовывали "дорогу" — по веревке перетаскивали торты и другую "запрещенку".

Нет, тут такие соблазны ни к чему, поэтому за территорию выходить я не рисковал. Я даже начал получать кайф от изоляции. И в какой-то момент погрузился в состояние то ли медитации, то ли отрыва от действительности. Мне вдруг стало по барабану, что происходит в Москве, как идут дела, мне не хотелось ни звонить, ни выяснять. Исчезло состояние, в котором живу последние сорок лет — как будто я уже опаздываю на самолет, вот он уже взлетит вот-вот, и мне надо бежать куда-то, а если я не побегу, то мир рухнет. А тут мне вдруг стало плевать — пусть самолет улетит, пусть я на него не успею, и черт с ним. Это состояние — главное, чего я там достиг.

Никогда в жизни я не делал (или мне не делали? я даже слов таких не знаю, чтобы это всё описывать) никаких процедур. Поначалу это было очень скучно. Ты лежишь, завернутый в грязь, с ощущением "на что я трачу свою жизнь", хотя мог бы в этот момент где-то в офисе в истерике с кем-то выяснять отношения, и у тебя ощущение, что жизнь осмысленная, правильная, яркая. А потом я стал лежать с чувством, что всё и так хорошо и что можно чем-то подумать, ну, не то что о вечном, но о несуетном. И этот переход у меня произошел буквально за пару дней.

На массаж я согласился, но на спорт не повелся. Если бы я вместе с голоданием и со всеми процедурами еще и спортом бы занялся, это был бы уже не я. Дальше пришлось бы ехать в Индию, в те места, где люди месяцами молчат, или увлечься буддизмом… Нет, это не про меня. Всё-таки я не могу так резко изменить свою жизнь.

Я вообще с подозрением отношусь к людям, которые круто меняют в жизни всё. Когда они вдруг увлекаются какой-то идеей, религией, здоровым образом жизни, спортом. Точнее, не с подозрением, а с тревогой. Большинство из них что-то теряют, перестают быть собой. Я побаиваюсь людей, которые часами говорят о том, что они съедают с утра три зернышка, а днем — пять, и с горящими глазами объясняют, что надо жить только так, потому что все другие способы разрушительны и опасны. Я вообще побаиваюсь людей, одержимых чем-то. А здоровым образом жизни тем более. Поэтому я не стал заниматься спортом — оставил территорию, на которой я всё-таки остаюсь собой.

И вообще я остался собой. Пью и кофе, и алкоголь. Живу всё той же самой жизнью. Но немножко физически лучше себя чувствую. И хочу это состояние по возможности продлить. Не хочу опять быть задыхающимся прокуренным усталым человеком, который просыпается утром с похмелья, закуривает на голодный желудок с ощущением, что мир рушится и дальше так жить нельзя. Нет, я хочу еще немножко пожить в другом состоянии, хотя бы для разнообразия. Так что если я еще раз рискну ступить на эту опасную территорию, называемую ЗОЖ, то я поеду в Габалу снова. Причем сделаю это очень хитро. Сначала полечу в Баку и выходные проведу, не отказывая

себе вообще ни в чем: с азербайджанской едой, вином, кута-
бами, со всем, что нельзя. Оторвусь по полной и доведу себя
до состояния отвращения ко всему. А рано утром в понедельник поеду в Габалу и там тихо, по-монашески проведу неделю
и расплачусь за все излишества. Потому что всё-таки приехать
в Азербайджан и не поесть там хорошо — это грех.

Владимир Алидис

На посту

Рассказ

Неудачно начался для Бориса тот день.

Опаздывая на дежурство в гостиницу с романтическим названием "Арамис" в девятнадцатом районе Парижа, он припарковал свой скромный опель прямо рядом со входом. Обычно он оставлял его в двух кварталах от места работы, где местная шпана вела более респектабельный образ жизни и в основном торговала наркотой, а не уродовала чужие авто.

В "Арамисе" Борис работал охранником месяца три. Приехав с женой и детьми во Францию и промытарясь по биржам труда, он отчаялся найти работу по своей университетской специальности "политическая экономия". Почему-то местные социальные работники с подозрением относились к этому предмету, на изучение которого Борис потратил в Совке восемь лет, включая защиту диссертации.

Как-то раз в газете он наткнулся на объявление о наборе охранников в частную фирму. Начальным условиям — рост не меньше метра восемьдесят пять, хорошее здоровье и базовое знание английского языка — Борис соответствовал с лихвой. Росту он был двухметрового, от природы крепок и широк в плечах и по-английски говорил очень недурно.

Директору агентства он сразу понравился. Вопросы лишь вызвали его богемные борода и усы. Однако, сраженный развернутым ответом Бориса на свой убогий "Ду ю спик инглиш", он прекратил свои намеки на то, что надо бы побриться.

Работе предшествовало недельное обучение. На своем неважном французском он внимательно записывал виды пожаротушения, типы мелких правонарушений и методы задержания воришек в супермаркетах. Целый день был посвящен отношениям с малолетними правонарушителями. Из объяснений инструктора следовало, что последним можно практически всё, а охраннику почти ничего. Понятия самообороны были размыты.

Остальная часть класса — трое африканцев, пара магрибийцев и один поляк — относилась к этим трудностям будущей службы весьма спокойно. Они уверенно слушали, не беспокоя учителя комментариями, и только лишь поляк Кшиштоф постоянно задавал ненужные вопросы, исписав ответами всю тетрадь. В результате тест прошли все, кроме поляка, который расстроился и ругался матом по-польски. Так у Бориса появился диплом охранника низшей категории республики Франция.

Сначала его определили на работу в супермаркет города Мо. Первый опыт борьбы с воришками оказался неудачным.

Вбегавшие в магазин подростки обладали быстрой и отточенной техникой воровства. Одни отвлекали внимание, трогая всё подряд, другие же тибрили и мгновенно сваливали через отчаянно пищащие рамки на выходе. Борис поделился трудностями со своим коллегой, опытным охранником родом из Гвинеи, — как, мол, у тебя получается, а у меня — нет?

— Потому что ты — лох. Они видят лоха, вот и воруют. Я — не лох, при мне они не балуют, — обобщил коллега.

В общем, в магазине у Бориса не заладилось, и его перевели в Париж, в этот самый "Арамис" — дешёвую гостиницу громадных размеров, известную среди путешествующей молодежи и пенсионеров.

Очень скоро его жизнь наполнилась смыслом и заиграла яркими красками. Смысл жизни заключался в том, чтобы не пропустить ни одного шпаненка из соседних дворов в гостиницу. Ребятам нравились дебелые скандинавские девушки-туристки. Борису — тоже. Они, однако, находились по разные стороны баррикад, и его работой было не пущать, а в случае проникновения — отловить и выдворить. Понятно, что подростки, раскрашенные в разные цвета французского интернационализма, его сильно недолюбливали. За первые три месяца службы ему несколько раз плевали в лицо, бросали бомбочки со слезоточивым газом, мочились на дверь гостиницы и выражали другие признаки животного недружелюбия.

Разумеется, они не преминули воспользоваться ошибкой глупого охранника.

Быстро расписавшись в журнале дежурств, он выбежал на улицу, чтобы перепарковать машину, и увидел, как стая молодых шимпанзе весело и энергично прыгала на крыше его беззащитного автомобиля. Тут Борис озверел. Наплевав на инструкции, он схватил железную трубу от оставленных строителями лесов и пошел на варваров. Избалованные французской демократией вандалы не ожидали такого отпора и драпанули.

Привыкшие ко всему прохожие парижских улиц с удивлением оборачивались на бежавшего за группой юных хулиганов большого человека с железякой наперевес.

Поостыв, Борис вернулся к покалеченной машине и сел в нее. Теперь его голова подпирала вмятую крышу. Он отогнал машину в надежное место, вернулся в гостиницу и загрустил.

Ну на хрена, спрашивается, он когда-то поддался на уговоры семьи и уехал из романтических девяностых в эту измождённую эмиграцией страну, населенную едкими, колючими людьми?

Казалось, этот отъезд и послужил отправной точкой череды событий, приведших вполне благополучного преподавателя МГУ, слегка подторговывавшего компьютерами, к телохранителю мушкетера в девятнадцатом районе Парижа.

Он высунулся в окно рецепции и закурил, с тоской глядя на безликие высотки. На улице стояли ноябрьские непогоды. Смеркалось.

По тротуару вдоль гостиницы не спеша шли двое полицейских, одетых в необычную униформу. Один из них, лет пятидесяти, невысокого роста, с пивным животиком и лихо закрученными вверх бельгийскими усами, спросил на хорошем французском: "А что это за здание?"

— *Auberge de Jeunesse**, — ответил Борис на своем плохом.

— Так вы, наверное, и по-русски говорите? — вдруг произнес полицейский на весьма приличном русском с небольшим французским акцентом.

— Говорю, — удивился Борис.

— Меня зовут Пьер Куртье, я — коммандант ЦРС, ну, в общем, начальник ОМОНА по-вашему. Не всего, конечно, а только одного мобильного отряда. А вас как?

Борис представился.

— Эмигрант, значит? — прищурился Пьер. Мы сегодня празднуем возвращение в нашу часть, тут рядом совсем. Пошли пропустим по стаканчику. Там и поговорим.

— Не могу, я на посту, — еще больше опечалился Борис. Он умел ценить сюрпризы судьбы и приветливых французов.

— Да ладно, — успокоил его Пьер, — сунь ему двадцать евро, пусть часок за тебя подежурит.

К счастью, напарник не успел уйти. Сбросив форменный пиджак, он цедил пиво в гостиничном баре. На двадцатку согласился радостно и сразу.

Борис вышел к полицейским, ожидавшим его под окном.

— Это Жан, — кивнул Пьер на своего напарника, — я его называю качкистом.

При слове "качкист" Жан протянул Борису руку, которая по мощи больше напоминала ногу. Бугры мышц топорщили его куртку. Маленькие круглые глаза цвета беззаботного неба смотрели дружелюбно, но не обещали интеллектуальной бесе-

---

*   Название всемирной сети недорогих гостиниц, преимущественно для молодежи.

ды. Напротив, взгляд Пьера был остер, цепок и немного ироничен. От обоих уютно пахло алкоголем. Они вошли в здание через дорогу напротив. Борис и не знал, что здесь находился местный ОМОН.

По просторным длинным коридорам бесцельно шатались группы военных людей в форме. Все они без исключения были категорически пьяны. К ним, чуть покачиваясь, подошел невысокий жилистый человек и сказал: "Салют".

— Это — Оливье, наш лучший инструктор по тонфа*. У него кличка — радист.

Борис взглянул на радиста. В его глазах стояла смерть.

— Ну, пойдем ко мне в кабинет — немного выпьем, — предложил Пьер.

Кабинет оказался крошечной комнатой, в другое время, видно, предназначенной для допросов. По разные стороны стола стояли два стула, упиравшихся спинками в стену. Это сразу как-то сближало.

— Давай перейдем на ты, — предложил Пьер. — Ну, рассказывай про себя, — добавил он и вытащил из ящика стола литровую бутылку дешевого виски *Label 5*, два стакана и пакет картофельных чипсов. Разлили и выпили. Пьер пил правильно.

Борис рассказал о себе и внутренне удивился, как его богатая на события жизнь уместилась в десять минут неспешного повествования. Пьер внимательно слушал.

— Ну, теперь ваша, то есть твоя, очередь, — закруглил Борис, и они выпили по третьей.

Пьер Куртье оказался по рождению Петром Зайцевым. Дед и отец служили в царской армии. Отец в составе экспедиционного корпуса русской армии воевал во Франции. После революции решил на родину не возвращаться. Женился на русской, и в двадцатом году у них появилась дочь — Мария. В свои не-

---

* Дубинка на вооружении французской полиции, пришедшая из японского каратэ.

полные пятнадцать лет она влюбилась в офицера, служившего в батальоне РОА* во Франции, а в полные пятнадцать, за месяц до окончания войны, родила сына. С любимым она виделась редко, и последнее письмо пришло уже из британского плена. Вскоре он был выдан советским властям и расстрелян. Позже она вышла замуж за француза, и Петя Зайцев превратился в Пьера Куртье. Он был стопроцентным французом и русским одновременно.

— Вот такая история, — закончил Пьер и, засучив рукав, показал на запястье аккуратную татуировку "РОА".

Потом они с интересом скакали с темы на тему. Особенно он интересовался языками. Он внимательно записывал за Борисом неизвестные русские слова. Он вообще оказался полиглотом, этот французский омоновец. Кроме русского, он говорил на английском, немецком, польском, иврите и арабском.

На прощание они обнялись, обменялись телефонами и обещаниями встретиться в скором будущем. Пьер заботливо сунул ему в карман леденец, от запаха.

Как только Борис возвратился на пост, на него налетел коллега: "Ты где так долго гулял, здесь без тебя справиться не могут. Двое русских чего-то несут на своем тарабарском наречии", — скептически заметил выходец из Нигера.

За стойкой в рецепции стояла молодая пара с рюкзаками.

— Добрый вечер. Какие-то затруднения?

— Ой! Как здорово, что вы говорите по-русски, — защебетала она. — Мы хотели бы получить небольшую скидку.

— Простите, но ваша комната и так стоит меньше тридцати евро. Дешевле в Париже вы ничего не найдете.

— Ну а всё-таки, можно что-то сделать?

— Можно. Есть комната на восьмерых. Могу предложить две койки.

— Это нам, пожалуй, не подойдет, — быстро среагировал он.

* Русская освободительная армия.

— Ну хорошо, а от завтрака можно отказаться? — не сдавалась она.

— Можно, но учтите, что булка с кофе в любой забегаловке будет стоить дороже.

— Это ничего. У нас всё с собой, — успокоил он.

— Договорились, завтрак считать не будут.

— А простыни входят в цену? А то у нас свои...

На часах было десять, самый тяжелый момент дежурства. На ступеньках "Арамиса" начинали кучковаться "ребята с нашего двора" в надежде прорваться в гостиницу до наступления полуночи, когда опускали входную решетку.

Борис выглянул на улицу. Там уже собралось человек шесть, среди которых он увидел и пару своих обидчиков. Следовало вести себя особенно осторожно. Любая стычка подвыпившего охранника с малолетними хулиганами в случае приезда полиции ничего хорошего не сулила.

Он встал на дверях, стараясь не смотреть в сторону подростков, которые отвратительно улыбались и неприлично пальцевали.

Молодой араб отделился от группы, подошел ко входу и начал обычную бодягу разводящего: "А можно мне пройти в гостиницу? Нет? А почему нельзя? Вы не имеете права не пропускать. У нас свободная страна..." — и тому подобное. "Его задача — отвлечь внимание охранника, в то время как его товарищи пытались просочиться внутрь с толпами прибывающих туристов. Подтянулось еще несколько гопников. Сегодня они проявляли особую активность, может, пытались поквитаться за позорное бегство?

Толпа страждущих до эфемерных прелестей нордических блондинок выросла до человек десяти. Обстановка накалялась — в стае любое животное становится опаснее.

Они перешли на личности и начали выкрикивать какие-то грубости про маму Бориса. Ну, этим его, допустим, не проймешь. Срок вакцинации, проведенной московскими кавказцами в девяностых, которые в момент конфликта мгновенно входили в сексуальные отношения со всеми твоими близкими и дальними родственниками, еще действовал.

Однако они мешали проходу туристов, и он вежливо попросил граждан хулиганов отойти подальше. Радостные идиоты засвистали, заулюлюкали, кто-то с удовольствием затянулся анашой.

Гости столицы шарахнулись в сторону.

В это время из ворот напротив вышли три человека и двинулись в нашу сторону. Пьер, качкист и радист в полной экипировке, разве что без шлемов и щитов, солидно и жестко приблизились к пацанам: "Что за бордель? По какому поводу собрание? Ну-ка, быстро спуститься со ступеней. Освободить проход!" Кто-то из братвы пытался подать голос, но радист резко повернулся и молча посмотрел ему в глаза, после чего вокруг стало тихо.

Шпана стала нехотя расходиться, оглядываясь в нашу сторону и бормоча проклятья.

— Если что — звони, телефон знаешь, — негромко, подмигнув Борису, сказал Пьер, — а мы немного пройдемся перед сном.

Плечом к плечу они неспешно зашагали в сторону плохого квартала.

"Вот, настоящие мушкетеры — Качкист, Радист и Пьер, — подумалось Борису. — Не то что худосочный Арамис".

В полночь он опустил решетку, и служба пошла своим чередом.

Около часа снизу позвонил бармен Жиль и буднично сообщил: "Приходи, тут драка".

Борис спустился и сразу заметил драчунов, плотно державших друг друга за грудки. Кажется, из австралийской группы.

— Секьюрити, — гаркнул он и всем весом навалился на сплетенные руки, разорвав хватку.

За три месяца он проделывал это упражнение с десяток раз. Всегда работало.

— Чего не поделили, ребята? — дружелюбно спросил Борис.

Парнишка пониже ростом с азиатскими чертами лица порывисто сказал: "Да этот гад выступает против эмиграции индонезийцев в Австралию".

— Это, конечно, серьезная проблема, — рассудительно заметил Борис. — Помиритесь да выпейте вместе пивка. Спокойно всё обсудите, только с текилой не мешайте.

Ребята радостно стукнули по рукам и уселись обратно за стол.

— Спасибо, — флегматично промолвил Жиль. — Пива хочешь?

— Давай, только быстро. Борис разом осушил кружку, и ему стало хорошо.

Он сидел в большом пустом холле и всё думал о Пьере: "Может, и ничего? Может, и можно жить в этой Франции?.."

Бар закрывался в два ночи. Пьяненькая молодежь с девушками и без потихоньку разбредалась по комнатам. В "Арамисе" было легко подружиться.

В дверь позвонили, и Борис пошел открывать. К счастью, в это время хулиганы, накормленные и обласканные родителями, уже спали. Это приехал знакомый директора гостиницы из Бретани. За две коробки отличных устриц из Киберона он останавливался в "Арамисе" на пару ночей.

В директорском списке было несколько таких посетителей, которым просто следовало выдать ключи без лишних вопросов. Борис уже давно убедился, что совок — это явление интернациональное.

Позвонили из комнаты на пятом этаже. Пожилая пара жаловалась на шум из соседней восьмикоечной залы. А что они предполагали найти в молодежной гостинице за тридцать евро? Гробовое молчание после полуночи? Пришлось подняться и утихомирить этот сквот. В комнате стояли клубы дыма от табака и марихуаны, в которых метались полуголые тени. Впрочем, после предупреждения все успокоились. Ни дать ни взять — пионерский лагерь!

К трем часам жизнь в гостинице стала затихать. Внизу, в бильярдной, оставалось человек десять. Борис достал Мопассана на французском и стал с трудом продираться сквозь текст под мерный стук бильярдных шаров.

От чтения его отвлекло слабое шуршание крыльев. Белокурая фея в кратчайшей мини-юбке и кофточке с глубочайшим, вызывающим трепет у любого земного существа мужского пола декольте медленно вплыла в рецепцию из бильярдной. Как у любого неземного существа, возраст у нее отсутствовал, но, скорее всего, ей было лет тридцать пять.

Она подошла к стойке и слабым голосом попросила ключ.

— От какого номера? — поинтересовался Борис.

Наверное, этот вопрос не стоило задавать — разве бывает у фей постоянное место жительства? Они влетают в тот номер, в который захотят.

— Вы посидите, подумайте и наверняка вспомните, — посоветовал Борис.

— Ок, но давайте будем говорить, а то становится скучно, — промяукала она с очевидным американским акцентом. — Вы откуда родом?

— Я родился в Грузии.

— *American Georgia?* — уточнила она.

— Нет, *Soviet Georgia,* — ответил Борис.

— А где это?

— Ну, скажем, между Турцией и Россией.

— А где это — Турция?

Они всё уменьшали масштаб карты, и Борис наконец объявил: "Грузия расположена между Африкой и Европой". Она наморщила узкий лобик и благосклонно сказала: *"I got your message"**.

Настала очередь Бориса идти в наступление.

— А вы из какой страны?

---

*　Понятно, до меня дошло.

— Из Соединенных Штатов.

— Простите, а это где?

— Это между Мексикой и Канадой, — с абсолютной простотой ответила она.

— А Канада, это где?

— Ой, а за Канадой там вообще ничего нет, — испугалась она.

— *I got your message,* — успокоил он девушку.

Фею звали Кейт. Она работала стриптизершей в ночном клубе Сан-Антонио, что в Техасе.

На вопрос, нравится ли ей работа, она ответила буквально следующее: "Очень. Я обожаю, когда мужчины на меня так смотрят. Ради этого стоит жить". Разговор занимал меня всё больше, да и Кейт как-то подалась вперед.

В этот момент, однако, уверенной походкой к нам подошел начальник охраны Серж, маленький, квадратный, мощный черный человек. Формально он являлся нашим боссом. Быстро ощупав девушку взглядом, он спросил: "Как зовут?"

— Кейт, — затрепетала та. Видно, как раз такие взгляды ей и нравились.

— Пойдем ко мне, у меня в номере есть отличное вино и очень большой макет Эйфелевой башни.

Кейт кивнула и послушно повлеклась за Сержем, который ждал ее у лифта.

Борис вышел на улицу покурить. Уже рассвело, и по безликим улицам, втянув головы в плечи и ежась от промозглой парижской осени, торопливо шли редкие серые прохожие.

Раздался пронзительный звонок в дверь со стороны кухни. Это доставили восемь ящиков с багетами, сто упаковок масла, двести — джема и семьсот йогуртов — завтрак на всю эту туристскую ораву.

Вскоре пришел сменщик. Борис открыл журнал дежурств и, немного поразмыслив, написал: "RAS"*.

---

* RAS — rien à signaler. На профессиональном жаргоне охранных организаций — "без происшествий".

Он сбежал по ступенькам на черный от дождя тротуар, вдохнул полной грудью влажный ноябрьский воздух, вспомнил о своих детях и жене, которых увидит через час, и ощутил, что абсолютно счастлив.

Елена Чекалова

Как Мишель Герар счастье искал

Личный опыт

Я не раз убеждалась, что великие шефы — почти всегда мужчины, но с каким-то будто женским чутьем. В *Les Pres d'Eugenie,* отеле выдающегося француза Мишеля Герара, есть золотая гостиная с резными зеркалами и сияющими люстрами. Из общего блеска выделяется только одно довольно большое серое и тусклое пятно на стене — на самом видном месте висит сделанный грифелем старый рисунок, который мсье Герар купил на блошином рынке. Сюжет картинки хорошо знаком всем, кто родом из СССР: юный Владимир Ульянов после казни любимого брата Саши говорит матери и сестре: "Мы пойдем другим путем". Чем-то Герара эта картинка пленила, хотя он долго даже не знал, кто на ней изображен. Куда завел "другой путь" Ильича, мы с вами испытали на собственной шкуре. Герар же и правда, сойдя с дороги, по которой столетиями шла французская кухня, построил свой новый мир вкусной здоровой пищи. Прожив в "Лужках Евгении" (так переводится *Les Pres d'Eugenie*) несколько дней, я сама убедилась, что есть способ сделать всё во имя человека и для блага человека.

Пасторальные образы *Les Pres d'Eugenie,* если вычленить их из общего контекста, — вовсе не из тех, что мне обычно нравятся. Повсюду сухие букетики вербены и вереска, на окнах — занавески с оборочками, на подоконниках — глиняные кошечки и зайчики. Но в конце концов ты сдаешься: устав разглядывать очередную ширмочку, соскальзываешь в плюшевое кресло, ловишь мягкий ветерок из окна и начинаешь дремать под шелест платановых листьев... Тебя охватывает всепроникающее чувство мира и спокойствия.

Потом я узнала, что так здесь бывает с каждым. "Это рай на земле, волшебное место", — читаю отзыв Алена Дюкасса. "Место, которое символизирует французское искусство жизни", — добавляет Мишель Труагро.

"ВАМ ПОЙДЕТ
СБРОСИТЬ ПАРУ КИЛО"

На вопрос, откуда всё это возникло в его жизни, Мишель Герар отвечает неожиданно: "Из войны, из любви". Он рассказывает, как отец ушел на фронт, какой был голод и как его брату, блестящему студенту, пришлось пойти работать в мясную лавку. В детстве Мишель и не думал о карьере повара — хотел стать врачом и отлично учился. "Но и мне не удалось стать белым воротничком, — говорит он без горечи. — Отец одного из моих одноклассников был кондитером и поразил меня чудом, которое происходит с тестом в печи". После школы Мишель стал учеником провинциального кондитера и вскоре уже работал в Париже в прославленных заведениях: в *Maxim's* и *Hôtel de Crillon*. В 1958 году Герар, двадцать пять лет от роду, получил почетное звание "Лучший ремесленник Франции". В тридцать три года он уже владелец собственного ресторана — *Le Pot au Feu*, и с этого момента звездный дождь в его жизни не прекращался уже никогда. Вначале одна мишленовская звезда, затем вторая... "И вот в это время, когда всё так поперло, когда я спал менее четырех часов в сутки, — рассказывает Герар, — я встретил ее — прекрасную даму с черными волосами". Интересная брюнетка оказалась Кристиной Бартелеми, выпускницей бизнес-школы и наследницей сети бальнеологических спа. Уже потом в своей знаменитой книжке *Cuisine Minceur* он писал об этих сумасшедших днях:

"Мне снится, что я пытаюсь взлететь, но это мне, увы, не удается! Мое бедное тело, отягощенное остатками жирных соусов, так раздулось, что приковало меня к земле. Однажды моя будущая жена прошептала мне на ухо: «Дорогой Мишель, если вы потеряете несколько килограммов, вам это очень пойдет». Это был настоящий шок. Я понял, что пора избавляться от жира. Для моей склонности к гурманству это было ударом, а для меня самого начинался долгий путь через поля натертой моркови и других «симпатичных» блюд, которые рождают в вас только одно чувство: сожаление, что вы их попробовали... И результат всегда один — они медленно подводят вас к отчаянию. Но разве идея «жить долго и быть здоровым» не занимала моих соотечественников еще со времен Людовика XIV? Я должен был придумать такой ответ, который и меня удовлетворил бы, и изменил бы некоторые исходные данные нашего кулинарного наследия... В конце концов я научился составлять легкие рецепты, как художник смешивает цвета, чтобы добиться нужного оттенка. Потеряв несколько килограммов, я наконец увидел свет в конце тоннеля и стал другим человеком. Я выиграл пари и в помощь другим гурманам решил создать рондо аллегро праздничных блюд для похудения. Оно было наполнено свежими салатами, похожими на детский смех, блестящими тяжелыми рыбами со вкусом запретного плода и завтраками на траве из моего детства. Но у меня осталась еще одна мечта: сделать так, чтобы кухня для гурманов и кухня для похудения слились воедино".

Поначалу его новшества стали излюбленной темой французских карикатуристов: они, например, рисовали огромную тарелку, перед которой сидит посетитель и с грустью смотрит, как по ней катается одинокая горошина. Герар смеется, что придумал свою новую кухню тогда, когда у западного мира было два главных врага — Советский Союз и холестерин. А в процессе его многолетних исследований выяснилась совсем неочевидная вещь: к снижению веса приводят не столько строгие ограничения, сколько сбалансированная и гармоничная еда. Потом по его пути пошли многие. Даже великий Ален Пассар, который прославил свое имя гениальным ягнячьим жиго, тоже ушел в легкую овощную кухню и открыл в ней новые миры высокой гастрономии. Сегодня Тьерри Маркс, Ален Дюкасс, Анн-Софи Пик и многие другие ищут, как сделать еду не только вкуснее, но легче.

Но Герар был первым. Для своего знакового блюда он выбрал турецкое рагу из баклажанов — имам баялды. Баклажан — настоящая губка для масла. Вот Герар и решил баклажаны не жарить, а томить в духовке на низкой температуре. Старинная французская техника "конфи" помогла ему приготовить килограмм овощей всего с двумя чайными ложками оливкового масла. Вот так началась великая французская гастрономическая революция — *nouvelle cuisine* ("новая французская кухня") и *cuisine minceur* ("кухня для похудения"); ее достижения Мишель Герар положил в основу уникального спа-отеля *Les Pres d'Eugenie*.

ИЩИТЕ ЖЕНСКОЕ

По французскому правилу, чтобы понять секрет любого успеха, нужно искать даму. Герар рассказывает, что он ничто без своих женщин: жены Кристины, на плечах которой заботы обо всей семейной собственности, и дочек, которые взяли на себя управление бизнесом. А еще без тени Марты-Алисы. В шестидесятых годах позапрошлого века она жила в доме, где Герар потом устроил свою харчевню *La Ferme aux Grives* — не такую изысканную и тонкую, как главный гастрономический ресторан, но зато наполненную соками земли и энергией поколений. Рассказывают, в 1862 году императрица Евгения, супруга Наполеона III, попала в пути под страшный ливень и инкогнито попросилась на ночевку к хозяйке ближайшей фермы. Ею и оказалась Марта-Алиса — она решила угостить знатную даму рулетом из фарша перепелов, овсянок и чуть подкопченного окорока и быстро вложила его в уже подходивший в печи каравай. Потом разрезала моментальный пирог на куски и полила их соусом из своего красного вина. Императрица была в таком восторге, что впоследствии пригласила Марту-Алису на Всемирную выставку 1867 года — простая кухарка покорила Париж и стала самой первой "мамашей" французской кухни. "Женщины на кухне всегда меня поражают, — вздыхает Герар, — у них есть какой-то природный чувственный инстинкт. Вот мы тут что-то придумываем, высчитываем реакцию клиентов, а у них раз — и готово". Ради дамы своего сердца, Кристины Бартелеми, Герар был готов закрыть успешный ресторан, бросить столицу, уехать в глушь, в Ланды, в ее небольшое имение *Les Pres d'Eugenie,* названное в честь той самой императрицы. До Бордо — почти сто двадцать километров, до Биаррица — сто тридцать, а поблизости — лишь городок По, известный своим замком, где когда-то жил Генрих IV.

Многие сегодня говорят, что успех Мишеля Герара предопределила выгодная женитьба на богатой наследнице. Кристина действительно многое изменила в его жизни, но состояние ее семьи решающей роли не сыграло, да и не было оно таким уж большим. Когда молодая семья приехала в *Les Près d'Eugénie,* там была скромная бальнеологическая лечебница и запущенный особняк XVIII века. Приятель Герара, тоже звездный шеф Оливье Роланже, считает, что Мишель сильно рисковал, бросив Париж. По его мнению, авантюра увенчалась успехом, потому что Кристина и Мишель не только полюбили друг друга, но и чудесным образом друг друга дополнили. Мишель положился на деловой талант жены, а она позволила мужу остаться творцом. И Мишель Герар смог предвидеть изменение спроса: он понял, что главной роскошью скоро станет здоровье.

За восстановление *Les Près d'Eugénie* супруги взялись в четыре руки. Мишель разрабатывал "похудательную" кухню, а Кристина проектировала курорт — не просто храм здоровья, а райское место для жизни и отдыха. Потом она не раз объясняла успех своей концепции умением слушать природу и говорила, что этому научилась у мужа: "Нельзя, — рассказывает она, — взять полуразрушенный дом XVIII века и восстановить без понимания его собственной натуры, его характера, его связей с конкретной землей. Каждый, кто приезжает в *Les Près d'Eugénie,* должен почувствовать тех, кто жил здесь, — эти следы нельзя уничтожать. Если вы используете слишком много современных материалов, душа дома умирает. Старый дом должен согласиться жить в настоящем. Поэтому нужно с такой тщательностью подходить к выбору антикварной мебели, картин, белья, тканей — простых деревенских или изысканных и дорогих, да и вообще всех материалов, будь то полы или стены. Ведь дом может их принять, а может и отторгнуть. И вот такое кропотливое восстановление духа места требует много времени. Еще до реставрации я провела месяцы, наблюдая за этими местами: нужно было понять, как здесь происходит смена времен года, откуда и когда дует ветер, как начинается и сколько длится сезон дождей, — без этих знаний ничего путного не создашь ни для себя, ни для других. Для нас, французов, история интегрирована в повседневную жизнь, и это понимание помогает сохранить наше материальное наследие для будущих поколений".

Кристина считает, что красота исцеляет и душу, и тело. Даже бальнеологическая спа-лечебница в *Les Près d'Eugénie —* сказочная избушка в стиле фахверк, которая тонет в цветах и ароматных травах. Из них здесь настаивают полезные и вкусные чайные коктейли, которые разливают у большого мраморного камина в зале отдыха и ожидания. Я готова была вечность вот так сидеть у потрескивающих дров с чашкой благоухающего напитка. Но меня вели в теплый бассейн с плотной белой каолиновой грязью: она мгновенно покрывает тело — и ты будто сразу теряешь вес. Это чувство невесомости расслабляет, успокаивает и уносит куда-то в другое измерение. Потом ты попадаешь в королевскую цветочную ванну, потом в руки искусного массажиста. Непонятно, сколько проходит времени, когда ты опять оказываешься у веселого огня: всё тот же мраморный камин, всё тот же волшебный напиток. Выходишь за порог избушки: солнце уже садится, тени от кустов и деревьев удлинились, цветы и травы источают еще более сильные ароматы. До ужина еще есть время пройтись по извилистым дорогам парка, которые на каждом повороте открывают взору новые куртины.

За сорок лет жизни в *Les Près d'Eugénie* Герары скупили едва ли не все местные хозяйства. "Для чего вам столько хлопот? — спросила я у Мишеля. — Зачем столько парков, полей, лесов, огородов, садов? Зачем разводить коров, уток, гусей?" Хозяин ответил: "Я должен быть абсолютно уверен в качестве и происхождении каждого продукта. А потом, если вокруг спа-отеля нет парков, садов, интересных маршрутов, он будет похож на роскошную, но всё равно тоскливую больницу". В *Le Près d'Eugénie* точно не соскучишься: если вы немного устали от земного рая парков и буколических гасконских пейзажей, можно отправиться в средневековый, будто игрушечный городок По, побродить по замку Генриха IV. Или пуститься во все тяжкие — сколько наслаждений в окрестных винных поместьях (одно из них, *Château de Bachen*, принадлежит семье Гераров), на фермах самых нежных на свете фуа-гра, в погребах знаменитых местных хозяйств по производству арманьяков (в них найдете и столетние образцы). Можно даже на пол дня съездить в колоритную страну басков.

Герар считает, что ему страшно повезло: в *Le Près d'Eugénie* термальная вода выдающегося качества — с очень высокой минерализацией. Ее здесь не только пьют, ею не только лечатся — на ней готовят. "Но, — смеется Герар, — самая лучшая вода — это та, которую можно превратить в вино".

ВОЗРАСТ СЧАСТЬЯ

Еще тридцать лет назад Мишель и Кристина купили замок XVIII века *Château de Bachen* — вместе с виноградниками и старыми погребами. Как винодельческое шато, это хозяйство небольшое, но в нем производят и белые, и красные, и розовые вина. Неподалеку расположено еще одно гераровское хозяйство, где делают арманьяк. Вина идут в основном на нужды собственных ресторанов и отелей. Они недороги и "облегчают" чек, хотя, разумеется, здесь можно заказать вина любого другого аппелласьона и производителя. Мишель и Кристина Герары пока считают себя начинающими виноделами и в свои немолодые годы снова смотрят в будущее.

Им, конечно, непросто. Поместье находится недалеко от Бордо, вина которого гремят на весь мир. А в Ландах сложные для качественного виноделия зыбкие песчаные почвы, да и главный автохтонный виноград, белый барок, многим кажется простоватым. В силу обстоятельств, гасконская область Тюрсан (*Tursan*), вина которой в лучшие времена поставлялись в древний Рим, а позднее — в дома испанских грандов и английских аристократов, теперь почти не известна за пределами Франции. Хотя здесь и теперь можно найти интересные позиции, особенно тем, кто любит очень сухие белые, легкие красные и нежные розовые вина. В большинстве случаев Герар использует автохтонные сорта в меньшей пропорции, поэтому его вина не имеют права на контролируемое наименование *Tursan*. Но его главная идея — производить гастрономические вина, и это ему удается. Пока Мишель Герар рассказывал о своих энологических экспериментах, меня мучил вопрос: как ежедневное винопитие (а вина присутствуют даже в его лечебном меню) согласуется с идеей диетического питания? Когда я всё же его задала, вот что он ответил: "Я не люблю слово «диета», особенно в том смысле, что людей нужно мучить. Отсутствие в рационе вина — это не просто мучение.

Это пытка. Увы, полезная еда, которая вызывает разочарование, не радует и не насыщает. А умеренное потребление вина полезно. Оно улучшает метаболизм, способствует сжиганию жиров, отлично помогает при анемии, гипотонии и астении, к тому же красное — антиоксидант, а белое нормализует работу почек. Многие думают, что красное лучше на ужин, а белое — на ланч. Но мой опыт и исследования в медицинском центре *Le Près d'Eugénie* свидетельствуют об обратном. Конечно, нельзя забывать о количествах, об умеренности во всём. И при этом нужно выбирать качество. Бутылка бодяги принесет только вред, а пара бокалов качественного сухого вина в день — это отлично!"

Даже если вы не студент нового герарowского института, а просто зашли пообедать в трехзвездочный ресторан в *Les Près d'Eugénie*, где дневная формула высокой здоровой кухни стоит совсем не дорого, вы можете многому научиться. Перед входом выставлены подробнейшие рецепты меню дня — никаких секретов! К тому же можно задать вопросы повару, что я и делала. Сушеф Герара Франк Салейн и сам постепенно, но безвозвратно похудел на герарowской диете на пятьдесят (!) килограммов. Он объясняет: в основе всего — искусство баланса и "умные" блюда. Вы хотите поужинать чем-то легким? Но желудок просто салатиком не проведешь, к тому же блюдо должно быть вкусным, иначе мозг не получит сигнала удовольствия и не пошлет желудку ответный сигнал — сытости. Полезное непременно должно быть чувственным.

Вот так и получилось, что для меня жизнь разделилась на две части: до поездки в *Les Près d'Eugénie* и после нее. Что же в этом месте такого особенного? Разве нельзя в других отелях, других спа и ресторанах найти прекрасную кухню, волшебные вина, фантастический декор? Риторический вопрос.

Но именно у Мишеля Герара ты понимаешь, что счастье — простая вещь и его на самом деле несложно найти в повседневных радостях. Таких, как потрескивание дров в камине, бокал доброго вина и самые свежие продукты. Как говорил французский классик, жизнь не так проста, но не так уж и сложна, как нам порой кажется.

Алексей Злобин

Человеческий голос
(*Lidský hlas*)

Рассказ

С пустя три дня, уже не разбирая дороги, остановил машину на обочине, перед красноречиво молчащим указателем *Misto*, что значит просто — город. Написано было латиницей, поэтому трудно определить, где именно встал: Чехия, Словакия, Румыния, Польша — поди разбери, какой город? Где этот город? Куда попал? Радио на коротких волнах часа три как перестало работать. Последнее, что слышал, — радиопостановку "Человеческого голоса" Кокто на таком же непонятно каком славянском языке, худшую пародию придумать нельзя. Но теперь молчание и вечер лезут в машину, оглушая тишиной такой тревожной и такой безрадостной, что лучше просидеть ночь, не выключая мотора, чем на секунду помыслить, какие сугробы безответности обнимут и проглотят, чуть только закроешь глаза.

— Когда это у вас началось?

Бедняга доктор, он думает, всему есть причины, обозримые причины, причины находимые и потому, стало быть, устранимые. А никаких причин нет. Жена ушла оттого, что не мог выносить темноты и тишины, или это случилось после ее ухода; фигушки, это было всегда. Просто в один момент перестал слышать ее болтовню: "Ты должен, тебе надо, давай-ка начинай, так больше не может продолжаться, я уйду, слышишь, я уйду". Ну просто перестал всё это слышать, как будто вдруг оглох к ней, каждый день одно и то же — перестал слышать совсем.

Но, убей Бог, непонятно, тишиной жена стала до того, как ее слышать перестал, или после? И всего, что было потом, уже не слышал. Как она нашла какого-то иностранца и привела в дом, и трахалась с ним в нашей спальне. А я сидел на кухне, курил и ничего не слышал. "Убирайся вон! — кричала она. — Живи где хочешь, хоть на улице сдохни!" — это всё, как сквозь воду, уходило мимо, и только легкий морской песок, вздымаясь на дюне, щекотал брюхо ленивых, уснувших камбал ощущения. Так проходили... дни? годы?

Но ведь время не идет в тишине. Не слышны его шаги, а стало быть, не о чем спорить — стоит время. Только руки дрожат всё больше, седеет волос, мутнеет взгляд, кончается водка. И тогда встал, оделся, вышел, сел в машину и двинул. Тихо-тихо. Начал различать голоса окружающего и, боясь уснуть, боясь потерять их, боясь снова проснуться в тишине, трое суток, не разбирая дороги, мчал к этому глухонемому указателю с его собачьей командной выкличкой "Место!" и тормознул на обочине.

Земля и другие планеты ведут непрерывную беседу. Звезда с звездою говорит. О чем они говорят, издалека полунамеками моргая друг другу, — кто знает? Но их беседа слышна в тишине — и это успокаивает. Или это только надежда — голос нашей надежды, сдавленный тишиной, галлюцинацией проносится в сознании и умолкает к утру. Утром надежда уходит.

Задушенный первыми лучами, глухими и неморгающими, въехал в город. По улицам бродили беззвучные тени, разевая рыбьи рты и глотая невидимый воздух. В ушах гудело от сгустившейся тишины. В ближайшей гостинице глухонемой портье выдал ключи от номера и растворился, растаял в глубоком безмолвии саднящего утра.

Хорошо смазанный замок и дверные петли, стул без скрипа, тахта без пружин, радиоприемник с оборванным проводом и телевизор со сломанным динамиком — всё похоже на молчаливый заговор комфортабельного ада — безымянного города немотствующих душ. На подоконнике назойливо мозолила глаза распятая осенним холодом покойница-муха. Покойчик самый что ни на есть покойный, шуму нет вовсе...

И вдруг услышал шаги в коридоре. Чьи-то в коридоре шаги, шаги. Они приближались, они звучали, всё ближе к номеру — моему.

И вдруг так же неожиданно затихли. Затихли совсем.

Догадка: кто-то вошел в соседний номер. Прислушавшись, ясно слышал, как он?.. она?.. они?.. слышал, как кто-то прислушивался оттуда, напряженно, затаив дыхание. Тишина стала выпуклой и натяжной, она готова была зазвенеть и, не обрываясь, тянулась бы до самого заката солнца.

О, я почувствовал невероятное волнение, предвосхищение: нащупывается безмолвное "мы", готовое в любую секунду... Внезапно пошло время, время пошло, оно началось, когда звенящее беспокойство раскаленным вольфрамом вспыхнуло между нами, пронизывая, прожигая, пробуравливая глухую гостиничную стену.

Охота, ох, никакая охота не знала такого азарта и такого решительного ожидания развязки. Охотник и волк, блуждающие в тишине взаимной гибели, вряд ли услышат то, что слышали мы в эти минуты и часы, — до белых кругов в глазах разливался затакт самой восхитительной и непредсказуемой ноты первого слова. Она зазвучит, и уже ничто не остановит ее. Движимая звериным инстинктом охоты, глубокого и пронзительного хотения, она бросится напролом в густую чащу, где затаилась жертва, — дрожащее эхо, призывая его, погибая в нем и губя его, рождая тысячу отголосков, которые сорвут покров тишины с этого мира, и смерти уже не будет.

Молчание длилось часами, как шахматная партия между Господом и Сатаной. Никто не коснется фигуры, и только спустя биллионы лет один из партнеров сбросит с доски своего короля.

Я начал тревожиться: а вдруг там — никого. Нет, не может быть, я же чувствую, что кто-то есть, я же знаю, не мог же я ослышаться.

И вдруг он заговорил. Тихо, неуверенно, робко, будто прощупывая стену на прочность. Я приник ухом и замер и отчетливо слышал каждое слово. С кем он говорил? Богу ли молился, бредил ли в беспамятном сне именем возлюбленной, не знаю.

— Ты, ты, ты... послушай меня, поговори со мной, не молчи, я больше не в силах выносить эту тишину...

Он явно смалодушничал и заговорил первым. Он долго говорил, наверное, всю ночь напролет. А может быть, он заговорил, думая, что я уже уснул и не слышу его? Или, наоборот, заговорил, ожидая моего ответа. Но я молчал и сладострастно смаковал свою победу над безмолвием.

Я слышал человеческий голос.

И я впервые уснул спокойно. Спокойно уснул в эту ночь.

Проснувшись засветло, я поспешил выйти в коридор с тем, чтобы подкараулить моего ночного собеседника. Он, конечно, не сознается и даже не взглянет на меня, но оба мы будем знать, что к чему, как повязанные тайной кровью заговорщики.

Целый день я простоял возле запертой двери его номера и ничего не дождался. Он хитер, но я-то хитрее. Спустившись к портье, я обнаружил, что ключ от его номера лежит в ячейке. Стало быть, в номере никого, он сбежал. Уехал, стыдясь признать поражение! Каков! Улучив минуту, когда портье отправился поедать свой ланч, я быстро открыл книгу постояльцев и, к удивлению, не обнаружил никакой записи под номером моего соседа. Ну что ж, не исключено, что он был здесь инкогнито, не захотел оставлять никаких следов пребывания, дал на лапу портье и с утра пораньше благополучно смылся.

С кем же он всё-таки говорил всю ночь?

Вот вопрос, который дернул мое любопытство. А вдруг он так и не узнал, что был услышан?

Да-да, так и не узнал. Приехал невесть откуда, должно быть, издалека, проговорил втайне сам с собой всю ночь и, думая, что никем не замечен, умотал под утро. Это любопытно, любопытно.

Не найдя никакого удовлетворительного решения, я вернулся в номер и в глубокой тишине продолжал мысленное следствие. Мысли с легким звоном сталкивались в голове, но тут же гасли, не оставляя решительно никакого звука.

Сам не заметив, как заснул, проснулся внезапно с ужасающей догадкой. А вдруг это... Не может быть. Я боялся себе поверить... С кем он говорил, кого он звал, может быть, он произносил имя? Да. Да! Когда уже почти заснул, он несколько раз отчетливо произнес имя. И это было мое имя. Неизвестный человеческий голос в ночи несколько раз позвал меня по имени: "Жан! Жан!" — стонал он и умолял хоть о едином звуке голоса, просил меня поговорить с ним. Но откуда он мог знать мое имя, если мы даже не видели друг друга? Подсмотрел у портье? Не исключено. Тише! Чей это голос, чей это голос звучит сейчас? Он только что сказал "Тише!". Кому он это сказал? Тот же голос неведомого постояльца. И как хорошо, как спокойно сразу стало на душе, будто оттаяла вековая мерзлота молчания. Снова оттаяла и вобрала меня в теплое лоно людское, отзывчивое живое словесное лоно. Кто это говорит? Не знаю и не хочу об этом думать. Хочу слышать, и слышать, и слышать человеческий голос.

Майя Туровская

Призрак
"Беролины"

Личный опыт

Я нечасто бываю теперь в Берлине, еще реже попадаю в Берлин Восточный, когда-то огороженный Стеной. Но не так давно, оказавшись на Карл-Маркс-аллее, на траверсе знаменитого Алекса — иначе Александр-плац, — задержалась у хмурого кинотеатра "Интернационал" (на моей памяти в социалистические времена едва ли когда заполнявшегося). За спиной кинотеатра, по параллельной улочке, где теперь торчала какая-то псевдоготическая — с иголочки — Управа, некогда возвышался хорошо мне знакомый интеротель "Беролина".

"Беролины" больше нет, от нее пропал и след...

Меж тем в ранние шестидесятые годы, когда мы готовили фильм "Обыкновенный фашизм", и Михаил Ильич Ромм посылал нас с соавтором Юрой Ханютиным в ГДР на поиски детских рисунков и фотографий времен нацизма, именно "Беролина" и была главной гостиницей, в которой полагалось останавливаться посланцам Большого брата, в том числе командировочным с "Мосфильма".

Мы, однако, столь мало были уверены в своем соцпервородстве, что Юра предпочитал захватить с собой из тогдашней "Березки" блок "Мальборо" или "Кэмэл" (купленный на сертификаты, заработанные в той же Гэдээрии) для "вступительного сувенира" на рецепции. Подлая, а в данном случае не нужная советская привычка. Впрочем, Юра клал сигареты на стойку сам — у меня за всю жизнь не хватило мужества на "взятку"...

Зато группа фильма "Освобождение" (помнит ли кто его теперь?) на наших глазах шумно входила в "Беролину", увешанная покупками, — фильм был "государственный", и группа чувствовала себя в нужном статусе для главного интеротеля страны...

Тринадцатиэтажная гостиница была построена как визитная карточка ГДР; она демонстрировала самосознание социалистической Германии, ее эстетику и — неявно — ее политику. Безусловно, "Беролина" была больше чем отель, — она была витриной и — необъявленно — форпостом социализма в Европе.

Построенную в 1953-м "Беролину" — сколь я ее помню — можно, однако, назвать "шестидесятницей". В моду входили натуральные материалы и прямоугольный — откликавшийся рациональным идеалам конструктивизма — стиль.

Начиная с массивных, стеклянных панелей, плавно раздвигавшихся навстречу гостям (по тем временам новшество!), ее строители предпочитали стальные конструкции, стекло, дерево, камень, для отделки фасада — керамику. Просторный высокий холл был обставлен низкими квадратными креслами черной кожи вперебивку с кофейными столиками — кофейная машина тоже была приметой времени.

Соответственно, и в номерах главной "роскошью" было окно во всю стену и прихожая, сплошь отделанная мореным деревом: внушительные встроенные шкафы с антресолями, солидная вешалка и зеркало. В убранстве комнаты — лишь самое необходимое: письменный стол с креслом, подставка для чемодана, двуспальное ложе (я вполне могла бы улечься и поперек постели, если бы сумела освободить одеяло, так прочно заправленное, что проще было подкопаться под него, чем им укрыться) и тумбочки по обеим сторонам монументальной постели. Даже торшеры, если память мне не изменяет, были на резных деревянных ногах под огромными абажурами: верхний свет не предполагался, потолки — по новой моде — были невысокие. Свет был глухо затенен повсюду: настольные лампы, ночники у постели — всё в низких абажурах. Подразумевалось, по-видимому, что днем "гость столицы" где-то ударно трудится, а гостиница — вроде комфортабельной спальни для заслуженного отдыха.

Я, честно говоря, превыше всего ценила в "Беролине" ее ванно-туалетную культуру. В этом пункте различия двух систем — кап. и соц. — стирались и в силу вступала национальная традиция: "совмещенки" по обе стороны внутринемецкой границы были окей и блистали чистотой.

Мне приходилось уже высказывать предположение, что новая эра в России наступит, когда в обычай и в обиход войдет привычка спускать за собой воду в общественных туалетах. По этой привычке как раз и проходит невидимая "европейская" граница. Условная, конечно, — и при Гитлере немцы не отвыкли от гигиены, — но для России, говоря высоким штилем, — судьбинная. Свидетельство личной ответственности индивида и знак его уважения к социуму.

Но это *a propos...*

Как ранняя "шестидесятница", "Беролина" была удобна и даже комфортабельна, но понятие "комфорт" было бы для ее авторов чересчур "буржуазно". Так же точно была ей не по зубам эстетическая непримиримость, даже агрессия стиля революционного "авангарда". Функциональность — да, но с поправкой на рабоче-крестьянское удобство.

Как ни странно (и тоже, конечно, по памяти), она производила впечатление бедности, но уже при достатке; или, скорее, достатка, так и не позабывшего о бедности.

Как постояльцу — любителю раритетов, моему воображению больше говорили развалины "Адлона" — останки стиля *fin de siècle*, с эхом ужаса недавней истории...

Коль скоро Михаил Ильич познакомился с "Беролиной" еще прежде, перед отъездом он снабдил нас некоторыми полезными ц.у. К примеру, насчет палочек, повешенных на шторы, чтобы их не хватать руками, — они-де имеют тенденцию ломаться. Я, правда, даже попытала эту систему дома; но М.И. был прав: пластмассовые палочки вели себя, как манерные барышни, и ломались почем зря.

Другое предупреждение было более существенно и касалось лифта. "Имейте в виду, лифты страшно медленные, и ждать их приходится очень долго". И правда: как бы мы ни рассчитывали время заранее — ни торопились и ни спешили, ожидание лифта было вроде временно́го тромба: неизлечимо.

Однажды я с разбегу влетела в лифт и оказалась в обществе двух высоких красавцев-бедуинов в белоснежных бурнусах и тетки, росточком ненамного поболее моих ста пятидесяти пяти сантиметров, закутанной по макушку в палестинский платок. Как вдруг из-под платка выполз ус, и я с изумлением узнала в закутанной фигуре Ясира Арафата... Понятно, я рассказала Юрке о столь неожиданной встрече. "«Э!» — сказали мы с Петром Ивановичем..."

На мгновение нам приоткрылся один из "секретов" отеля в духе романов Ле Карре: политический. Лишь один, а сколько их было...

Тут стоит вспомнить еще об одной особенности "Беролины". Обычно нас поселяли в номера в интервале от четвертого до девятого этажа. Ниже и выше была для нас *terra incognita*. На самом верху — на антисуеверном тринадцатом, куда я как-то поднялась — помещались сьюты. Понятно, что там обитали какие-то иностранные випы. Впрочем, по нашей тогдашней занятости, нас это не занимало.

Уже в другие времена, живя в Мюнхене и встречаясь порой при наездах в Берлин с братом моего умершего друга, режиссера Кони Вольфа, с Мишей (то бишь Маркусом) Вольфом (оба, кстати же, мои бывшие одношкольники по 110-й) — знаменитым "человеком без лица", а в те поры генералом в отставке, вполне штатским, — я держала в уме, что как раз "Беролина" была для его разведки одним из удобных *locus standi*. Впрочем, ни о чем "секретном", сверх опубликованного, Миша не распространялся, а я и не расспрашивала: всё равно *in vain*.

Свои "тайны" генерал Секретной службы унес с собой, никогда не конвертировав их ни в "пещеру Аладдина", ни в прижизненную легенду. А ведь право на его "био", выплатив солидный аванс, очень хотела купить студия *Paramount*. Не говоря о более серьезных претендентах на его "секреты" на родине и в мире.

Но, возвращаясь к "Беролине"...
Существование ее для отеля — тем более для интеротеля — было недолгим, скорее кратким, почти мимолетным. В 1993-м ее снесли, почему — не ведаю.

Но если кто-то когда-то решится поднять документы, еще успеет расспросить очевидцев, собрать воспоминания и прочие "материалы" времен "Беролины", ему представится возможность выбирать: писать ли о ней утопию, производственный роман, социальный или "роман тайны", политический детектив, а то и какой-никакой триллер!

Мир праху...

Андрей Васильев

Заслуженный отдых

Личный опыт

Всего три принципа есть у меня. Для человека, всю жизнь прослужившего журналюгой, не так уж и мало. Тем более что зарабатывать журналистикой я начал при Андропове, а закончил при позднем Путине. Ничего личного — просто совпало по времени. Ну и хватит о политике.

Так вот, три принципа:

День Победы я провожу на Капри.

День рождения — в Венеции.

День России — в *Hotel du Cap-Eden-Roc*.

Первые два пункта объясняются проще простого. Остров Капри так спланирован, еще Тиберием, что по нему просто невозможно проехать на танке. Независимо от режима. И у Муссолини не получилось, и у Путина точно не выйдет — хоть по всем телеканалам долби, что Капри — наш. Впрочем, я обещал политики не касаться.

С Венецией еще проще. Хоть у меня там полно друзей-приятелей, всем пофиг на мой дэрэ. Ну а мне тем более.

А вот про п. 3 так просто не скажешь. Понадобится целое эссе. Ну и читайте.

Можно, конечно, напомнить о романе Фрэнсиса Скотта Фицджеральда "Ночь нежна". Там всё и начинается, в этом отеле. Хотя он тогда был чем-то вроде частного сектора. Давно, в двадцатых годах прошлого века. Проехали, короче.

Можно также блеснуть эрудицией и вспомнить книжку первой жены Хемингуэя про то, какой сволочью был старина Хэм в молодые годы: расселил там же (Фицджеральд подтвердит, он там был) в двух номерах жену и любовницу, трахался с одной после обеда, а с другой после ужина. Тоже не сильно убедительно: жена-то бывшая. Причем у нее после Эрнеста был всего один муж, а у него жен — целая куча. Тоже проехали.

А вот что действительно важно.

Никогда не верьте путеводителям, которые утверждают (а они все утверждают), что лучший коктейль "Беллини" наливают в венецианском *Harry's Bar:* вранье голимое. Лучший — в *du Cap,* в верхнем баре, а не в пляжном; пляжный как раз — *Eden-Roc.* Серега Михайлов, когда был еще не директором ТАСС, а простым членом Правления РЖД, пытался пить в нижнем пляжном и только в третий, по-моему, приезд убедился: в нижнем недоливают в шампанское сок белого персика. Тогда он собрал вокруг себя всех наличествующих барменов — мизансцена напоминала картину "Ленин и дети" — и всё им объяснил. Казалось бы, кто такой Серега по сравнению с барменами *Eden-Roc?* Однако же слушали, кивали и даже благодарили. Правда, сок белого персика всё равно не доливают. Школа!

Именно с "Беллини" и началось мое знакомство с любимым отелем Хемингуэя и его жены. В самом начале века. Причем я там не жил — кто ж меня пустит! А жил я у своего тогдашнего босса Бориса Березовского на вилле "Шато Гаруп". Ну ладно, не жил, а гостил. Зато гостил с присущей мне тогда женой, сыном, дочкой-малолеткой и подружкой дочки.

Тут надо сказать, что эти березо́вские четырнадцать гектаров земного рая — такое местечко, перед которым весь Кот д'Азур — не наряднее Гурзуфа. Пару раз вытащил семью в Канн и Монте-Карло и хлебнул позора. Не только жена с сыном, даже подружка дочки-малолетки меня стыдили: дескать, раз уж вывез в кои-то веки семью в приличное место — не фиг ее тыкать носом в какое-то Монте-Карло. Так вот, единственное место, куда они позволяли тыкать их носом, — благо по соседству, минут десять пешком — как раз верхний дюкаповский бар. И Борис Абра́мович с нами там был и "Беллини" пил. Ему еще понравилось мое определение этого коктейля как самого антисоветского в мире.

Это, если вы заметили, началось разъяснение п. 3. Я, может, в свои шестьдесят мало повидал, но более антисоветского места не встретил и, похоже, не встречу. И Березовский тут не более чем формальный повод. А повод моего туда заселения лет пять спустя был более чем неформальный. Я использовал служебное положение главного редактора "Коммерсанта" и опубликовал в нем "джинсу": полосное интервью с новым (тогда) генеральным менеджером отеля. Он отважился нарушить вековые традиции, разрешив на территории мобильную связь, интернет и оплату кредитными картами. Преодолеть адское сопротивление подчиненных, мною же воспитанных на презрении ко всякой "джинсе", удалось с помощью Романа Абрамо́вича: был очень устойчивый слух, что он *Hotel du Cap-Eden-Roc* то ли купил, то ли вот-вот купит. Мсье Филипп Пер эту фигню очень доказательно опроверг, его интервью побило какой-то там рекорд по заходу на коммерсантовский сайт, подчиненные в очередной раз убедились, что сами козлы, а не главный редактор, а я получил право стать резидентом отеля. Потому что с улицы в него не пускают — это и до интервью было известно — но после публикации для нас с Серегой Михайловым сделали исключение.

Первое неизгладимое впечатление — цена. Но тут мы проявили волю. Ладно, решили, заплатим из гробовых денег. Зато потом будем говорить: были мы в вашем "Эден Роке" — фуфло! И вот через пять дней, оставив там нажитое непосильным трудом, — причем цена номера оказалась, так сказать, "стартовой" тратой — мы в один голос сознались друг другу: "Нет, не фуфло!" Ну и где еще дождешься такого признания от совка?

Лирическое отступление. Я, учитывая мой преклонный возраст, совком родился, совком и помру. И что может быть пафоснее для потомственного совка, чем абсолютно пацанские объятья портье и его крик на весь лобби: "Мсье ВАзильев!" Правда, в прошлый раз он таким же воплем встретил мою молодую невесту из Киева, спутав ее с выросшей дочерью, но к вечеру во всём разобрался — без моей помощи. Школа, опять же. Скажете, дешевая лояльность, на совка и рассчитана? Ладно, другой пример.

Если кто не знает, с эденрокского бассейна практически невозможно вытащить жену. Даже если предстоит ответственный обед в ресторане *La Colombe d'Or*, в который только здешние консьержи могут вписать "на сегодня-завтра", — вообще-то люди за месяц-два заказывают. Так вот, чтобы не психовать на зависшую у бассейна жену, пошел в номер, милостиво разршил уборщице не прерывать своего занятия и лег на веранде с видом на море и с томиком любимых стихов. Минут через десять на цыпочках подкрадывается портье: "Мсье ВАзильев, это не ваш номер". Я, оказывается, этаж спутал, а дверь во время уборки не закрывают. Ну и что? Поржали вместе с портье: свои же люди. В каком-нибудь сочинском *Radisson* со стыда бы угорел, а тут — какие в *Eden-Roc* могут быть понты!

Хотя понты бывают. Как-то раз во время Каннского фестиваля заскочил туда на вечеринку *Variety*. Ну, конечно, толпа, как на сейле *в Harrods*, все пьют халявное шампанское, а мне бы двойного бурбону со льдом. К стойке, естественно, не продерешься, тем более что там надо расплачиваться — а это очередь. И тут ловлю взгляд бармена — там два основных бармена было, один старый и длинный, другой вылитый Том Круз (можете проверить, но он сейчас в нижнем баре работает) — и вот что говорит мне тот взгляд (шум такой, что только взглядом и можно говорить), на чистом французском:

— Не волнуйтесь, мсье ВАзильев: во-первых, заплатите, когда на День России заселитесь; во-вторых, я вам сейчас ваш стакан хоть через головы, но передам. Но передать-то он велел Тому Крузу, а тот, как известно, невысок ростом. Ну а между нами длинный такой дядька стоит: ему как раз на смокинг всё и слилось. Я не расстроился: мне Старый, который Длинный, другой стакан налил и передал, а вот дядька оказался Харрисоном Фордом. Представьте теперь на его месте Никиту Михалкова. Хотя он тут никогда замечен не был.

Чтобы далеко не сворачивать с каннской темы, еще один вопиющий пример. В 2008 году на фестивале впервые открылся Павильон России. Информационным спонсором был "Коммерсантъ". То есть, в сущности, я. Большая шишка! А со мной понаехала куча коммерсантовского народу: не мне же осуществлять информационное обслуживание. И вот день на третий непрерывного пьянства я решил вывезти подконтрольную мне творческую молодежь в *du Cap*: подышать воздухом и посмотреть на настоящую жизнь. Поскольку экскурсия предстояла за мой счет, решил ограничиться парой-тройкой "Беллини" на персону. Эффект "настоящей жизни" был достигнут первым же бокалом. И вдруг, во время второго, в баре появляется безработный латвийский мультимиллионер Дядя Витя, который традиционно снимает в отеле пол-этажа. Представляю ему сотрудников (а Дядя Витя фанат "Коммерсанта") и неожиданно нарываюсь на предложение:

— Мы с семьей уезжаем кино смотреть (такое иногда случается на Каннском фестивале. — *А.В.*), а вы спускайтесь в ресторан. Сейчас распоряжусь, чтобы счет записали на мой номер.

Мы, разумеется, не стали даже заказывать по третьему "Беллини". И отказывать себе в ресторане тоже не стали. Но это предыстория. История — ниже.

На следующий день творческая молодежь силой потянула меня по адресу вчерашнего счастья. Я сдался: не обеднеет Дядя Витя. И вот мы уже третье блюдо переменили (а шампанского ну кто ж считает?), а Дяди Вити нету. Уже и десерт подали, а Дядя Витя кино смотрит. Про цены в данном эссе я обещал составителям книги не писать, но смотреть на меня, видимо, было больно. И как в сказке, подходит метрдотель:

— Мсье ВАзильев, прикажете записать на вашего друга?..

Вот это школа или не школа? И если школа, то чего? Он ведь действительно знал, что Дядя Витя мой друг. И действительно помнил о его вчерашнем распоряжении. Но с другой стороны, когда я вынул платиновую карточку, он посмотрел на меня с облегчением. А может — чем черт не шутит? — и с благодарностью.

С другой стороны, где бы еще я, записной совок, отказался от такого предложения? В ялтинской "Ореанде"?

С Дядей Витей, кстати, связана еще одна антисоветская эденрокская история. Когда мы в первый раз туда с Серегой Михайловым заехали, быстро заметили: денег внутри отеля никто не берет ни за какие услуги, и даже счетов, если специально не просить, не показывают. Следовательно, насчет чаевых вообще не понятно — процент с чего? И какой? То есть рассчитываться надо на чек-ауте. (Между прочим, не помню, чтобы там обсчитали, но это сочтут за откровенный подхалимаж.) Делаем вывод: чаевые — после чек-аута.

В истерике звоню опытному Дяде Вите в Латвию: сколько платить и кому? Там ведь и нижний бар, и верхний, и ресторан, и спа, и магазин, и консьержи (нижние и верхние), и портье на двух ресепшен... Ответ был неожиданен и до обидного прост:

— Андрюшенька, ты можешь хоть каждому официанту заплатить по штуке, и всё равно будешь выглядеть лохом. А можешь заплатить тем, кто тебе понравился, по двадцатке и выслушать кучу благодарностей. Зависит, кого они в тебе увидят.

И вот мы с Серегой в конце заезда — и это теперь традиция — после совещания на тему "Кому сколько, только без понтов, по-честному" разбегаемся по всем указанным выше точкам. Причем, хоть в это нелегко поверить, с удовольствием. И, знаете, ни разу не чувствовали себя лохами.

Напоследок хочу поделиться очень личным. Несколько лет я ездил в *Hotel du Cap-Eden-Roc* с женой, которая чувствовала себя там как родная; дай ей бог там и дальше так себя чувствовать. Теперь езжу с молодой невестой из Киева. И в первый с ней заезд — уже после Капри и Венеции — поймал себя на трусливой мысли: а как она там себя поведет-почувствует, молодая невеста из Киева? Ну, постыдная такая мыслишка, хоть и логичная: не Красная ведь Поляна... И знаете, молодая невеста из Киева, когда поняла, что ее не путают с моей выросшей дочкой, прекрасно себя чувствует. Как родная.

Ну и мораль. Если ваша молодая невеста из Киева чувствует себя в *Hotel du Cap-Eden-Roc* как дома, это — Ваш Человек. Поверьте журналюге с тридцатипятилетним стажем на заслуженном отдыхе.

P.S. Небольшое уточнение. Если ее там с первого раза примут как родную — она точно Ваш Человек.
P.P.S. На молодых женихов из Киева это наблюдение тоже распространяется.

Об авторах

Максим Аверин

Заслуженный артист Российской Федерации. Исполнитель главных ролей в фильмах и сериалах "Глухарь", "Куприн. Яма", "Склифосовский". Лауреат премий "Триумф", "Чайка", "ТЭФИ". Рассказ "Первый гонорар. Цензура. Первый запрет" написан специально для этого сборника.

Нина Агишева

Кандидат филологических наук, театральный критик, автор книги "Барбара. Скажи, когда ты вернешься?" (2017). Очерк "Где увидеть бесконечность?" написан специально для этого сборника.

Владимир Алидис

Кандидат экономических наук. Последние двадцать лет живет во Франции. Печатался в "Русской мысли" и в альманахе "Из Парижска". Рассказ "На посту" написан специально для этого сборника.

Станислав Белковский

Политтехнолог, публицист, учредитель "Института национальной стратегии" (2004–2009), директор Совета по национальной стратегии (2002–2004). Рассказ "Отведи его в Dupont Circle" был впервые опубликован в журнале "Сноб" 03 (87) 2016.

Валерий Бочков

Русский и американский художник-график, прозаик, член ПЕН-Клуба, лауреат премии "ADDY Award" и "Русской премии" (2013). Автор романов "Автопортрет с Луной на шее", "Коронация зверя", "Время воды". Рассказ "Звездная пыль" написан специально для этого сборника.

Александр Васильев

Театральный художник, искусствовед, коллекционер, историк моды, почетный член Российской академии художеств. Автор книги "Красота в изгнании", выдержавшей шесть переизданий, а также "Этюдов о моде и стиле" и других. Мемуарный очерк "С видом на Босфор и Золотой Рог" написан специально для этого сборника.

Андрей Васильев

Журналист, знаменитый главный редактор — из двадцати пяти лет существования газеты "Коммерсантъ" провел в ней, по меньшей мере, пятнадцать. Снимался в кино, играл в театре, работал на ОРТ. Лауреат премии "Медиаменеджер России — 2004", продюсер проекта "Гражданин поэт". Очерк "Заслуженный отдых" был впервые опубликован в журнале "Сноб" 02 (93) 2017.

Дарья Веледеева

Главный редактор, успевшая сделать головокружительную карьеру в глянцевой журналистике. Работала в *Marie Claire, Vogue*. Возглавляла журналы *Yoga Journal* и *Grazia*. Главный редактор российского издания *Harper's Bazaar*. Рассказ "Я, «Ананда»" написан специально для этого сборника.

Дмитрий Воденников

Поэт, эссеист, автор семи стихотворных сборников, документального романа "Здравствуйте, я пришел с вами попрощаться!", сборника "Воденников в прозе". Рассказ "У меня была вобла" написан специально для этого сборника.

Мария Голованивская

Доктор филологических наук, писатель, переводчик. Вместе с Татьяной Толстой основала в 2015 году школу литературного мастерства "Хороший текст". Автор романов "Двадцать писем Господу Богу", "Пангея", "Кто боится смотреть на море". Рассказ "Танатос-спа" был впервые опубликован в журнале "Сноб" 4 (81) 2015.

Жужа Д.

Прозаик, художник, автор сборника "Резиновый бэби" (2011), сценарист фильма "Мама — Святой Себастьян". Ее рассказы публиковались в журнале "Сноб" и в сборниках, выходивших в "Редакции Елены Шубиной". Повесть "Примите наши искренние извинения" была впервые опубликована в журнале "Сноб" 03 (87) 2016

Денис Драгунский

Писатель, драматург. Автор сборников коротких рассказов, романов "Архитектор и монах", "Мальчик, дяденька и я", "Дело принципа", а также книги воспоминаний "Денискины рассказы: о том, как всё было на самом деле". Рассказ "Гостиница Россия" был впервые опубликован в журнале "Сноб" 03 (87) 2016

Алексей Злобин

Режиссер, прозаик, автор книги автобиографической прозы "Хлеб удержания", написанной по дневникам его отца, петербургского режиссера и педагога Е.П. Злобина, а также "Яблоко от яблони" — книги о двух выдающихся режиссерах Алексее Германе и Петре Фоменко. Рассказ "Человеческий голос *(Lidský hlas)*" был впервые опубликован в журнале "Сноб" 03 (87) 2016

Геннадий Йозефавичус

Журналист, продюсер, автор многочисленных публикаций о стиле жизни и путешествиях в журналах *Vogue, Harpers Bazaar, GQ, Forbs, Robb Reports,* «Афиша» Мир, в газете "Коммерсантъ" и др. Автор книги "Милан. Гид «Афиши»". Ведущий передачи "Интерьеры с Геннадием Йозефавичусом" на телеканале "Дождь". Очерк "Там, где влюбилась Клеопатра" написан специально для этого сборника.

Александр Кабаков

Прозаик, драматург, публицист. Автор романов "Невозвращенец", "Всё поправимо" (премия "Большая книга") "Старик и ангел". Рассказ "Книга в твердом переплете" был впервые опубликован в журнале "Сноб" 03 (87) 2016.

Филипп Киркоров

Народный артист России, восьмикратный обладатель премии "Овация", пятикратный обладатель награды *World Music Awards*, а также премий "Золотой граммофон", "Стопудовый хит" и других. Постоянный участник ежегодного фестиваля "Песня года". Мемуарный очерк "Звезды Элунды" написан специально для этого сборника.

Елена Колина

Прозаик и разносторонняя личность: математик, психолог, университетский преподаватель английского языка, журналист. Ее книга "Дневник новой русской" стала рекордсменом продаж в 2004–2005 годах. Рассказ "А я еду за туманом?" написан специально для этого сборника

Дмитрий Макаров

Прозаик, поэт, культуртрегер, постоянный автор журнала "Сноб". Публиковался также в журналах "Знамя", "Этажи". Автор книг "Большое путешествие в точку Я", "Путешествие в точку Я. *Trip to Z*" и "Больше, чем я сказал". Регулярно выступает с концертами и лекциями о киноискусстве в Дизайн-заводе "Флакон", "Гоголь-центре" и Московском Манеже. Рассказ "Бассейн для Улисса" был впервые опубликован в журнале "Сноб" 03 (87) 2016.

Борис Мессерер

Народный художник РФ, сценограф, педагог. Президент ассоциации художников театра, кино и телевидения Москвы. Академик РАХ. Мемуарный очерк "Охотничий номер" был впервые опубликован в его книге "Промельк Беллы" (2016).

Федор Павлов-Андреевич

Художник, литератор, театральный режиссер, куратор и участник многочисленных арт-проектов. Автор книги "Роман с опозданиями" (2009). Рассказ "Или всё-таки Р." был впервые опубликован в журнале "Сноб" 03 (87) 2016.

Валерий Панюшкин

Журналист, литератор, главный редактор информационного портала "Такие дела". Дважды лауреат премии Союза журналистов России "Золотое перо России". Автор книг в жанре нон-фикшн "Рублевка", "Узник тишины", "Газпром. Новое русское оружие", "Код Кощея. Русские сказки глазами юриста" и другие. Рассказы "Дьяволецца" и "Зеленый источник" были опубликованы в журнале "Сноб" 04 (95) 2017.

Людмила Петрушевская

Прозаик, драматург, исполнительница песен собственного сочинения. Лауреат премии "Триумф", театральной премии им. К.С. Станиславского. В 2011 году ее книга мистических новелл вошла в список бестселлеров в США. Автор пьес и многих сборников рассказов, а также романов "Время ночь", "Один, или В садах других возможностей", "Нас украли. История преступлений" (2017). Рассказ "Жизнь-копейка" был впервые опубликован в журнале "Сноб" 03 (87) 2016.

Елена Посвятовская

Прозаик. По профессии инженер, работает генеральным менеджером в строительной компании. Автор журнала "Сноб". В "Редакции

Елены Шубиной" готовится к выходу сборник ее прозы. Рассказ "Однажды на Мойке" был впервые опубликован в журнале "Сноб" 03 (87) 2016.

Элла Райх

Журналист, литератор, окончила курсы аукционного дома *Sotheby's*. Постоянный автор журнала "Сноб". Рассказ "Он, его женщины и *Ritz*" написан специально для этого сборника.

Елена Рыкова

Бакалавр экономики, выпускница школы "Хороший текст". Автор журнала "Сноб". Рассказ "Обслуживание в номерах" был впервые опубликован в журнале "Сноб" 03 (87) 2016.

Алексей Сальников

Поэт, прозаик. Публиковался в альманахе "Вавилон", журналах "Воздух", "Урал", "Волга". Его первый роман "Петровы в гриппе и вокруг него" вызвал большой читательский резонанс, завоевал приз критического сообщества премии "НОС" и вошел в шорт-лист премии "Большая книга". Рассказ "Дым" написан специально для этого сборника.

Соня Тарханова

Популярный молодой блогер, сотрудничала с журналами *Allure* и *Tatler*. Рассказ "Императрица живота моего" написан специально для этого сборника.

Валерий Тодоровский

Кинорежиссер, сценарист, продюсер, известный по фильмам "Страна глухих", "Мой сводный брат Франкенштейн", "Стиляги", "Оттепель", "Большой" и другие. Обладатель наград Московского кинофестиваля, "Кинотавра", премий "Ника" и "Золотой орел". Очерк "ЗОЖ в спину" написан специально для этого сборника.

Виктория Токарева

Прозаик, киносценарист ("Джентльмены удачи", "Мимино", "Шла собака по роялю"). На Каннском фестивале 2000 года получила награду за вклад в кинематограф. Лауреат премии "Большая книга". Рассказ "Портрет в интерьере" был впервые опубликован в журнале *Story* (2016).

ТАТЬЯНА ТОЛСТАЯ
Прозаик, эссеист, автор многочисленных сборников новелл, романа "Кысь". В 2011 году вошла в рейтинг "Сто самых влиятельных женщин России". Лауреат премии "Триумф", "ТЭФИ" за телевизионную программу "Школа злословия". Рассказ "На привале" был впервые напечатан в сборнике "Девушка в цвету" (2015).

МАЙЯ ТУРОВСКАЯ
Доктор искусствоведения, театровед, кинокритик, писатель, культуролог. Лауреат премии "Ника". Автор книг "Герой «безгеройного времени»", "Бабанова: легенда и биография", "Зубы дракона. Мои тридцатые годы" и множества сценариев документальных фильмов, в том числе легендарной ленты "Обыкновенный фашизм" (совместно с М. Роммом и Ю. Ханютиным). Мемуарный очерк "Призрак «Беролины»" написан специально для этого сборника.

САША ФИЛИПЕНКО
Прозаик, литератор, автор книг "Замыслы", "Травля", "Бывший сын", "Красный крест". Лауреат "Русской премии", финалист премии "Большая книга". Рассказ "Ванадий" был впервые напечатан в журнале "Сноб" 03 (87) 2016.

АЛИСА ХАЗАНОВА
Актриса, кинорежиссер, сценарист, продюсер. Участвовала в фильмах "Последняя сказка Риты", "Страна 03", сериалах "Краткий курс счастливой жизни", "Завещание Ленина" и многих других. Как режиссер, дебютировала фильмом "Осколки" (2017), который сняла по собственному сценарию. Очерк "Из осколков" написан по мотивам фильма специально для этого сборника

ЕЛЕНА ЧЕКАЛОВА
Журналист, телеведущая, постоянный обозреватель "Коммерсантъ. Weekend", автор трех кулинарных книг, а также книги "Нам возвращают наш портрет: заметки о телевидении" (1990) в соавторстве с Леонидом Парфеновым. Очерк "Как Мишель Герар счастье искал" написан специально для этого сборника.

ЛИТЕРАТУРНО-ХУДОЖЕСТВЕННОЕ ИЗДАНИЕ

⚜·33·⚜
ОТЕЛЯ

или
Здравствуй,
красивая жизнь!

Составители
СЕРГЕЙ НИКОЛАЕВИЧ, ЕЛЕНА ШУБИНА

16+

Главный редактор ЕЛЕНА ШУБИНА

Художник АНДРЕЙ БОНДАРЕНКО

Иллюстрации АЛЕКСАНДРА ФЕДОРИНА

Ведущий редактор АННА КОЛЕСНИКОВА

Младший редактор ВЕРОНИКА ДМИТРИЕВА

Корректоры ОЛЬГА ГРЕЦОВА, ЮЛИЯ КУЗЬМИНА

Компьютерная верстка МАРАТА ЗИНУЛЛИНА

Подписано в печать 01.08.2018.
Формат 60 × 90 / 16.
Печать офсетная. Усл. печ. л. 27.
Доп. тираж 2000 экз. Заказ 6099/18

ООО "Издательство АСТ"
129085 г. Москва, Звездный бульвар, д. 21,
строение 1, комната 39
www.ast.ru. e-mail: astpub@aha.ru

 http://facebook.com/shubinabooks

 http://vk.com/shubinabooks

"Баспа Аста" деген ООО
129085г. Мәскеу, жұлдызды гүлзар, д. 21,1құрылым, 39бөлме
Біздің электрондық мекенжайымыз: www.ast.ru
E-mail: astpub@aha.ru

Интернет-магазин: www.book24.kz
Интернет-дүкен: www.book24.kz
Импортёр в Республику Казахстан ТОО «РДЦ-Алматы».
Қазақстан Республик сындағы импорттаушы «РДЦ-Алматы» ЖШС.
Дистрибьютор и представитель по приему претензий на продукцию в
Республике Казахстан:
ТОО "РДЦ-Алматы"

Қазақстан Республикасында дистрибьютор және өнім
бойынша арыз-талаптардықабылдаушыныңөкілі
"РДЦ-Алматы" ЖШС, Алматы қ., Домбровский көш., 3"а", литер Б, офис 1.
Тел.: +8(727) 2515989, 90, 91, 92, факс: +8(727) 2515812, доб. 107
E-mail: RDC-Almaty@eksmo.kz
Өнімнің жарамдылық мерзімі шектелмеген.
Өндірген мемлекет: Ресей
Сертификация – қарастырылмаған

Отпечатано в соответствии с предоставленными материалами
в ООО "ИПК Парето-Принт", 170546, Тверская область
Промышленная зона Боровлево-1, комплекс №3А
www.pareto-print.ru

ISBN 978-5-17-107938-3